# De Gaulle

## O homem que resgatou a honra da França

COLEÇÃO GUERREIROS

**ALMIRANTE NELSON** • *Armando Vidigal*
**CLEÓPATRA** • *Arlete Salvador*
**DE GAULLE** • *Ricardo Corrêa Coelho*
**GARIBALDI** • *Maurício Oliveira*
**HERNÁN CORTEZ** • *Marcus Vinícius de Morais*
**LAWRENCE DA ARÁBIA** • *Alessandro Visacro*
**PATTON** • *João Fábio Bertonha*
**ROMMEL** • *Cyro Rezende Filho*

Ricardo Corrêa Coelho

# De Gaulle

## O HOMEM QUE RESGATOU A HONRA DA FRANÇA

*Foto de capa*
General De Gaulle acompanhado do general Mast,
em Cartago, Tunísia (junho de 1943), Library of Congress, FSA/OWI Collection

*Montagem de capa e diagramação*
Gustavo S. Vilas Boas

*Preparação de textos*
Lilian Aquino

*Revisão*
Fernanda Guerriero Antunes

Dados Internacionais de Catalogação na Publicação (CIP)
(Câmara Brasileira do Livro, SP, Brasil)

Coelho, Ricardo Corrêa
De Gaulle : o homem que resgatou a honra da França / Ricardo Corrêa Coelho. – São Paulo : Contexto, 2014.

Bibliografia.
ISBN 978-85-7244-853-6

1. França – Política e governo – Século 20 2. Gaulle, Charles de, 1890-1970 3. Generais – França – Biografia 4. Presidentes – França – Biografia I. Título.

14-03579 CDD-944.0836924

Índice para catálogo sistemático:
1. França : Presidentes : Biografia 944.0836924

2014

EDITORA CONTEXTO
Diretor editorial: *Jaime Pinsky*

Rua Dr. José Elias, 520 – Alto da Lapa
05083-030 – São Paulo – SP
PABX: (11) 3832 5838
contexto@editoracontexto.com.br
www.editoracontexto.com.br

# SUMÁRIO

# A MORTE DE GUERREIRO

*"Morrer combatendo: pode existir um destino mais nobre que esse?"*
Charles de Gaulle, aos 17 anos

Segunda-feira, 9 de novembro de 1970.

De Gaulle está sentado à mesa no seu escritório, uma peça hexagonal que ele mesmo fez acrescentar à casa original de Colombey-les-Deux-Églises, na Champanha-Ardenas, comprada em 1934 para ser a sua residência familiar a partir de então. Da janela à sua frente, ele divisa as grandes planícies ligeiramente onduladas do nordeste da França, entremeadas de campos de cultivo e florestas a perderem-se de vista. Uma paisagem bucólica, melancólica até, sob a luz acinzentada de um fim de tarde de outono já avançado. Mas essa era precisamente a paisagem que convinha a um homem austero, como De Gaulle, ter do seu país visto da própria casa: a da França eterna, com seu relevo aplainado pelos ventos e intempéries ao longo de muitos milênios, estendendo-se até as fronteiras da Alemanha, da Bélgica e de Luxemburgo. Essas mesmas terras que foram cenário de tantas guerras em que lutaram seu pai, em 1870, ele mesmo, em 1916 e 1940, e onde pereceram tantos de seus compatriotas e inimigos. Uma paisagem sem a majestade das montanhas dos Alpes ou dos Pirineus, nem a exuberância do litoral recortado e pedregoso da costa mediterrânea e da Bretanha ou das altas falésias de sílex e giz da Normandia, mas entranhada da história da França.

Sobre a mesa, a caneta e as folhas de papel em que acaba de concluir o segundo capítulo do seu próximo livro *O esforço (1962-1965)*, segundo volume das suas *Memórias de esperança*, obra consagrada ao período de 11 anos em que ele ocupou, pela segunda vez, o mais alto cargo da República. O primeiro tomo, *A renovação (1958-1962)*, acaba de ser publicado há apenas duas semanas. Terá ele tempo de concluir o segundo e ainda redigir o terceiro, com publicação prevista para 1972? Afinal, no domingo da semana seguinte, ele completará 80 anos. Embora De Gaulle se encontre física e intelectualmente bem, ele sabe que não lhe resta muito mais tempo para realizar seus projetos. Quantos anos de vida ele ainda terá pela frente? Isso só Deus sabe, e a Ele De Gaulle pede em suas orações diárias o suficiente para poder deixar registrado de próprio punho aquilo que desejou fazer pela França durante o tempo em que foi presidente; o que fez e por que o fez; e aquilo que tentou fazer, mas não conseguiu. Para que os seus netos e a posteridade possam conhecer o seu legado à luz daquilo que o inspirou – e não por meio de interpretações de terceiros, que, ainda que honestas, poderão ser enganosas, quando não intencionalmente falaciosas –, ele precisa trabalhar muito.

Algumas palavras a ele atribuídas durante o período tratado nesse segundo livro chegam a ser jocosas, como a frase "O Brasil não é um país sério!". Na verdade, o autor dessa célebre frase foi o embaixador brasileiro em Paris, Carlos Alves de Souza Filho, que a disse a um jornalista brasileiro ao sair de uma audiência com o general De Gaulle no Palácio do Eliseu, que o havia chamado para esclarecer questões diplomáticas que contrapunham os dois países na chamada "Guerra da Lagosta". Ah, aquela sim foi uma *drôle de guerre* (guerra engraçada)! Não apenas porque nem um único tiro foi disparado, apesar da mobilização das forças da marinha e da aeronáutica de ambos, mas porque ela não teve qualquer consequência para ninguém. Resolvida a querela entre a França e o Brasil sobre o direito de navios pesqueiros franceses pescarem lagostas em águas brasileiras, entre 1962 e 1963, não sobrou nenhuma aresta a ser posteriormente aparada entre ambos. Porém, bem outra foi a situação entre a França e a Alemanha, de setembro de 1939 a maio de 1940. A essa *drôle de guerre* sem graça seguiu-se a catástrofe e um longo período de estranhamento entre os dois países, que só começou a ser superado com a aproximação entre De Gaulle e Adenauer, mais de 10 anos depois do fim do conflito. A reaproximação franco-alemã, consumada com a assinatura do Tratado do Eliseu, em 1963, é um evento importante a ser devidamente tratado em seu livro. Mas a Guerra da Lagosta não. Tampouco merece ser desmentida a frase nunca por ele dita – "O Brasil não é um país sério!". Essa não passa de uma mentirinha inocente que mais diverte do que ofende os brasileiros. Ah, se todas as mentiras envolvendo o seu nome tivessem sido assim...

Entretanto, mentiras que merecem e devem ser desmentidas são aquelas que têm por intenção denegrir a sua imagem e macular a sua trajetória. Esse é precisamente o caso da acusação de que De Gaulle teria sido negligente com o futuro dos *harkis* – árabes argelinos que serviam ao exército da França –, que ficaram abandonados à própria sorte com a passagem do poder à Frente de Libertação Nacional da Argélia e que acabaram sendo massacrados. Ser indiretamente responsabilizado pela morte de dezenas de milhares de inocentes é uma infâmia que tem de ser devidamente rebatida nas páginas desse livro para restaurar a verdade. E, para isso, De Gaulle irá trabalhar todos os dias, com o rigor e a disciplina que sempre o acompanharam em sua vida. Foi assim na época de sua formação: tanto na escola militar quanto como prisioneiro de guerra, de 1916 a 1918, quando, na impossibilidade de combater o inimigo, consagrou o seu tempo de cárcere ao cultivo do seu espírito e intelecto pela leitura e pelos estudos diários. Não foi de outra forma que De Gaulle conseguiu compatibilizar, durante o entreguerras, as suas atividades profissionais de militar, a redação e publicação de várias obras, em que discutiu o papel das forças armadas e as características da guerra no mundo contemporâneo, bem como sua vida familiar, dando especial atenção à sua filha Anne, que nascera com síndrome de Down. Sem trabalho, obstinação e disciplina, tampouco teria ele conseguido organizar, de Londres, a resistência na França e conduzir os seus compatriotas à libertação do país da ocupação nazista, contando – é claro – com o indispensável concurso das forças aliadas. Nem escrever os três volumes das suas *Memórias de guerra* e organizar a União do Povo Francês (RPF, *Rassemblement du Peuple Français*), entre 1946 e 1958, período por ele chamado de Travessia do Deserto. E muito menos teria tido sucesso em estabelecer as bases da França contemporânea, quando presidente, de 1958 a 1969, dando ao país a Constituição da Quinta República e as suas atuais instituições políticas. Enfim, nada daquilo que ele fez teria sido possível sem a disciplina de soldado, o fervor patriótico e o rigor intelectual que o acompanharam em sua longa vida.

Mas já começa a escurecer. O segundo capítulo do seu livro está devidamente concluído e o terceiro, já esboçado.

Antes de trocar a solidão do seu escritório pela companhia de Yvonne, sua esposa e fiel companheira há quase 50 anos, que se encontra na biblioteca, uma ampla sala contígua ao seu pequeno escritório, ele tem ainda de responder a algumas das numerosas cartas que recebe diariamente. Escureceu. No dia seguinte, ele retomará a sua rotina de trabalho, examinará os dados organizados pelo seu secretário particular e dará início à redação do terceiro capítulo de *O esforço (1962-1965)*. Ele fecha as venezianas das três janelas do seu escritório e vai ao encontro de Yvonne.

Ao adentrar na biblioteca, De Gaulle a vê sentada à sua escrivaninha, examinando sua correspondência. Ele se dirige então à sua pequena mesa de jogo, localizada ao lado da escrivaninha da esposa, embaralha as cartas, coloca-as sobre a mesa e inicia uma partida de paciência, seu passatempo preferido, enquanto aguardam o jantar, que deve ser servido às 19 horas. No meio do jogo, ele sente uma súbita dor nas costas e logo perde a consciência. Imediatamente, Yvonne manda Charlotte, a camareira que naquele momento se encontrava na biblioteca fechando as venezianas, telefonar para o médico que mora em Bar-sur-Aube, localidade vizinha a Colombey. Ao mesmo tempo, Honorine, a cozinheira, chama pelo interfone Francis Marroux, motorista do general, que mora em frente ao portão de entrada da residência. Auxiliada pelo motorista e as duas empregadas, Yvonne transfere o general da sua poltrona, onde se encontrava caído, para o colchão do divã da biblioteca, que é colocado no chão. Marroux parte, em seguida, para chamar o padre, que chega à casa ao mesmo tempo que o médico. O general De Gaulle agoniza. Não há mais nada a ser feito. O médico se restringe a lhe aplicar uma injeção de morfina, cedendo imediatamente lugar ao padre, que lhe dá a unção dos enfermos. Em decorrência de uma ruptura de aneurisma, De Gaulle viria a falecer cerca de 20 minutos após o seu mal súbito.

Encerrava-se, assim, abruptamente, a vida da mais importante personalidade política e militar francesa do século XX. Aquele que um dia havia sido profeticamente chamado pelo primeiro-ministro britânico Winston Churchill de "o Homem do Destino", isto é, aquele destinado a resgatar a honra da França após o vergonhoso armistício assinado pelo governo do marechal Pétain com o invasor nazista, em 1940, chegava finalmente ao destino de todo homem: a morte. Longe do poder, da política, da imprensa e da glória de tombar em um campo de batalha; na intimidade do seu lar, cercado dos livros que leu durante sua longa vida e tendo por companhia apenas a sua esposa, as empregadas, o motorista, o médico e o padre.

Chegava, então, o momento de sua família cumprir seu último desejo – organizar os seus funerais conforme ele mesmo havia determinado por escrito havia quase 20 anos:

Para o meu enterro

Quero que o meu funeral ocorra em Colombey-les-Deux-Eglises. Se eu morrer em outro lugar, será preciso transportar meu corpo até a minha casa, sem a menor cerimônia pública.
Meu túmulo será o mesmo onde repousa minha filha Anne e onde, um dia, repousará minha mulher. Inscrição:"Charles de Gaulle 1890-...". Nada mais.
A cerimônia será organizada por meu filho, minha filha, meu genro, minha nora, auxiliados pelo meu gabinete, de tal sorte que ela seja extremamente simples. Não quero funerais nacionais. Nem presidente, nem ministros, nem representação de assembleias, nem corpos constituídos. Somente as forças armadas francesas poderão participar oficialmente enquanto tais. Mas sua participação deverá ser de dimensão modesta, sem música, nem fanfarras, nem clarins.
Nenhum discurso deverá ser pronunciado, nem na igreja, nem em lugar algum. Nenhum lugar reservado durante a cerimônia, a não ser para a minha família, meus Companheiros [sic], membros da Ordem da Libertação, e Conselho Municipal de Colombey. Os homens e mulheres da França e de outros países do mundo poderão, se quiserem, em honra a minha memória, acompanhar o meu corpo até a sua última morada. Mas é no silêncio que eu desejo que ele seja até lá conduzido.
Desejo recusar antecipadamente toda distinção, promoção, honraria, citação, condecoração, quer seja ela francesa ou estrangeira. Se qualquer delas me for concedida, será em violação às minhas últimas vontades.

Charles de Gaulle
16 de janeiro de 1952.

Antes, porém, que seus últimos desejos fossem cumpridos – e o foram à risca, sendo o seu esquife conduzido à igreja de Colombey sobre um carro blindado do exército, no dia 12, após um velório realizado em sua própria residência para uma discreta e reservada cerimônia religiosa, celebrada pelo seu sobrinho François, missionário da África, e sepultamento no cemitério a ela contíguo –, a França iria tomar conhecimento da sua passagem; mas não sem certo atraso. Foi apenas no final da manhã do dia 10, portanto mais de 12 horas após o seu falecimento e um pouco antes de ser fechada a edição do jornal *Le Monde*, que começaria a ser vendido nas bancas por volta das 14 horas, que a notícia da sua morte iria chegar à imprensa.

Embora a morte tenha colhido De Gaulle já em idade avançada, quando o fim da vida não se constitui propriamente em um acontecimento inesperado para ninguém, sua passagem foi recebida pelos franceses não sem uma dose surpresa. Afinal, ele morrera repentinamente, não estava acometido de qualquer enfermidade nem se encontrava em processo de declínio físico ou mental. No entanto, apesar de imprevista, a notícia da sua morte não provocou qualquer comoção nacional, o que costuma acontecer quando um grande líder – sem dúvida, o caso dele – desaparece subitamente. Como, então, explicar a relativa calma com que os franceses receberam a notícia da sua morte? Embora nada de conclusivo possa ser dito a respeito, pode-se afirmar, sem grande risco de errar, que havia na França o sentimento largamente disseminado entre a população de que a era De Gaulle já se tinha definitivamente encerrado.

Havia mais de um ano que ele se encontrava afastado do poder e da vida política do país. Após ter ocupado ininterruptamente a presidência da República por mais de uma década, o general De Gaulle só se decidiu dela se afastar e renunciar aos mais de três anos de mandato que ainda teria pela frente após um longo período de desgaste, iniciado com as revoltas estudantis de maio de 1968 e encerrado com a derrota de um projeto de lei de sua autoria submetido a referendo em abril de 1969. Além disso, no momento da sua morte, a França era governada por um novo presidente eleito, Georges Pompidou. O país vivia em paz com seus vizinhos, encontrava-se em franco desenvolvimento econômico e gozava de plena normalidade político-institucional. Portanto, no final de 1970, De Gaulle não mais provocava em seus conterrâneos as intensas paixões ou os ódios figadais que o acompanharam em sua vida pública. Talvez por isso, mesmo antes de morrer, De Gaulle já fosse uma página virada para os franceses. Contudo, sua contribuição pessoal para a história da França de 1940 em diante foi de tal envergadura que a sua figura iria deixar marcas profundas na alma e na memória de todos.

O pronunciamento oficial do presidente Pompidou, feito em rede de televisão no dia 10 de novembro, em tom grave e solene como impunham as circunstâncias, sintetizou de forma lapidar o significado do general De Gaulle para a França e para os franceses:

> Francesas, franceses: o general De Gaulle morreu.
> A França ficou viúva.
> Em 1940, De Gaulle salvou a honra.
> Em 1944, ele nos conduziu à libertação e à vitória.
> Em 1958, ele nos poupou da guerra civil.
> E ele deu à França atual suas instituições, sua independência, seu lugar no mundo.
> Nesta hora de luto pela Pátria, curvemo-nos diante da dor da sua esposa, dos seus filhos, dos seus netos.
> Consideremos os deveres que nos impõe o reconhecimento.
> Prometamos à França não sermos indignos das lições que nos foram dadas.
> E que, na alma nacional, De Gaulle viva eternamente!

Foto do autor

Túmulo do general De Gaulle em Colombey-les-Deux-Églises.

Nessa breve alocução de Pompidou, as principais datas da história da França contemporânea aparecem incontornavelmente associadas a De Gaulle: 1940, ano da ocupação da França pela Alemanha, em que o general De Gaulle emergiria como a voz solitária a pregar a resistência contra o invasor e a afirmar que a guerra não estava perdida e que a França iria dela sair vitoriosa; 1944, desembarque das tropas aliadas na Normandia e entrada triunfal das tropas francesas em Paris guiadas por De Gaulle; 1958, auge da Guerra da Argélia e retorno de De Gaulle ao poder para pôr fim à grave crise que tomava conta do país.

A associação do nome do general De Gaulle aos grandes momentos da vida nacional aparece também em inúmeros depoimentos deixados por milhares de homens e mulheres nas centenas de livros de condolências que foram abertos em várias localidades da França e do mundo. Para que o leitor tenha uma ideia de quanto o general De Gaulle significou para os seus compatriotas, faço referência aqui a um dado um tanto curioso quanto impressionante: se esses livros pudessem ser dispostos lado a lado em uma única prateleira, eles ocupariam nada menos que uma extensão de 30 m! Desse vasto universo de declarações coligidas – impossível de ser resumido – ao qual se agregaram muitas outras manifestações de personalidades do mundo político, diplomático, religioso, acadêmico, literário e jornalístico, vale a pena pinçar uma ou outra para ilustrar a importância que o personagem que terá sua trajetória de vida examinada nas próximas páginas deste livro ocupou no imaginário dos franceses seus contemporâneos.

Um simples cidadão (ou cidadã) lembra-se dele referindo-se de forma singela, direta e tocante a duas das três datas invocadas pelo presidente Pompidou: "Em 40, fostes nossa única esperança; em 58, nosso único recurso; em 70, nossa grande dor". Um próximo colaborador seu, Claude Mauriac, iria dar um testemunho ainda mais curto e emocionado: "Eu tinha dois pais". Mesmo políticos que a ele se opuseram iriam reconhecer seu grande patriotismo, como o socialista François Mitterrand, que viria a se tornar presidente da República 11 anos mais tarde: "Não se pode amar a França mais do que ele a amou". E para não cansar o leitor com tantas citações sobre a importância do general De Gaulle, segue aqui apenas mais uma: a do escritor e jornalista Bernard Frank, que, num tom mais literário, mas não destituído de sentimento, pôs em destaque a singularidade do homem que, inapelavelmente, encerrava a sua contribuição para a história do seu país:

> É uma certa ideia da França que acaba de morrer com ele, nele, seu único depositário. O memorial desta França terminou em 9 de novembro de 1970, em uma velha casa batida pelo vento no segundo capítulo do segundo tomo. Eu me inclino diante daquele que não teve predecessor, diante de quem não terá herdeiro.

Como general e como estadista, De Gaulle está para a França do século XX como Napoleão para o XIX. Ambos foram indivíduos absolutamente singulares, tanto nos campos de batalha como na condução do Estado! Ninguém pôde com eles rivalizar em gênio militar, ousadia política e visão histórica do papel da França no mundo que lhes foi contemporâneo. Contudo, entre um e outro havia enormes diferenças, quando não oposições. Napoleão foi o último governante de uma França que até então era a primeira potência europeia e mundial e que, a partir de então, deixou paulatinamente de sê-lo. De Gaulle, ao contrário, iria se tornar o líder de uma França humilhada e subjugada pela Alemanha nazista, que sob sua obstinada direção devolveu ao seu país a condição de potência europeia. Napoleão tinha o mais poderoso exército sob o seu comando e, com ele, levou a Revolução Francesa a toda a Europa, mas, apesar dele, acabou sendo militarmente derrotado em Waterloo. De Gaulle não contava com mais do que algumas poucas forças da armada francesa que se negaram a voltar à França após o armistício com a Alemanha e se reuniram sob a sua liderança em Londres e nas colônias francesas da África Equatorial. Contando com tão poucos recursos, ele conseguiu ainda ocupar um lugar honroso na reconquista do seu país e devolver à França um papel importante entre as grandes nações do planeta. Napoleão lutou para levar a Revolução Francesa a toda a Europa, mas restabeleceu a escravidão nas colônias francesas do Caribe logo que assumiu o poder. De Gaulle não pretendia mais que livrar a França do jugo alemão e, ao chegar ao poder, daria início ao processo de descolonização do grande Império Francês. Enfim, a lista de diferenças é grande e não há por que se alongar sobre elas. Muito menos querer comparar a importância histórica de um e de outro. Afinal, aquele que combateu de Portugal à Rússia para levar os valores da Revolução Francesa ao mundo não pode ser comparado a quem lutou para recuperar a autonomia e a honra de um país ocupado. Qual então – perguntará o leitor – é o sentido do paralelo estabelecido entre um e outro? Simplesmente o fato de, cada um à sua maneira e de acordo com as condições do seu tempo, terem sido, inquestionavelmente, os maiores militares e estadistas da França do seu tempo, o que não é pouco.

De Gaulle foi um governante controvertido. Havia quem o adorasse e a ele atribuísse a salvação da França; mas havia também aqueles que nele viam uma personalidade autoritária e vocação de ditador. Como militar, De Gaulle foi frequentemente visto com reserva por seus superiores, mas quase sempre muito admirado e respeitado por seus subordinados. É esse personagem singular, genial e complexo que o leitor irá conhecer neste livro. Contudo, a sua origem social tradicional e conservadora em nada permitiria prenunciar o aparecimento de um ser tão incomum, como será visto nos próximos capítulos.

# O BERÇO DO GUERREIRO

*"Um lillense de Paris."*
Autodefinição de Charles de Gaulle

De Gaulle vem ao mundo durante a Belle Époque, num país que era então o centro europeu de irradiação das ciências e das artes e onde, após uma série de revoluções que o sacudiram, a república se encontrava finalmente enraizada havia 20 anos. Em 1889, um ano antes do seu nascimento, era inaugurada em Paris a Torre Eiffel, arrojada obra do engenheiro Gustav Eiffel, vista com admiração por alguns, devido à sua altura descomunal para os padrões da época, e com horror por outros, que a consideravam uma excrescência e afronta à harmonia arquitetônica da capital francesa. Nesse mesmo ano, nascia na Polônia aquele que iria tornar-se o grande bailarino

Vaslav Nijinski e que, 23 anos mais tarde, iria escandalizar o público francês na primeira apresentação de *O Fauno*, no teatro do Châtelet, em Paris, com enredo inspirado em texto de Stéphane Mallarmé (*L'après-midi d'un Faune*) e musicado com a peça homônima de Claude Debussy. No ano seguinte, Debussy comporia a suíte Bergamasque, e Auguste Rodin e Claude Monet fariam uma exposição conjunta, também em Paris, que os consagraria no meio artístico francês. Contudo, esses acontecimentos culturais e artísticos, marcos inseparáveis da França do fim do século XIX para a maioria das pessoas, nenhuma influência teriam sobre a formação do jovem Charles de Gaulle. Descendente da pequena nobreza de Paris, por parte de pai, e da burguesia industrial do Norte da França, por parte de mãe, Charles de Gaulle iria se criar em um meio social tradicional, católico e conservador, que constituía a outra face da mesma França.

Os De Gaulle são uma antiga família da França que, além disso, ostenta a origem francesa no próprio nome (em francês, *de Gaule* – com um só ele – quer dizer, literalmente, da Gália). Quando Charles nasceu, em 1890, a família De Gaulle já se encontrava estabelecida em Paris havia quatro gerações. Seu bisavô, Jean-Baptiste de Gaulle, fora procurador do Parlamento de Paris durante o Antigo Regime. No período de terror da Revolução Francesa (1793-1794), ele foi preso, só sendo liberado após a queda de Robespierre. Essa dura experiência iria desenvolver no seu avô, Julien Philippe, um verdadeiro "horror à Revolução", e muito provavelmente também influenciar o seu pai, Henri de Gaulle, a ter uma clara preferência pela monarquia em detrimento da república.

Pelo lado materno, os Maillot, as origens não seriam exclusivamente francesas, mas resultantes do entrecruzamento de ancestrais vindos de diversos países do Norte de Europa, como a Irlanda, a Escócia e a Alemanha. Foi provavelmente dessa vertente nórdica da família que Charles de Gaulle iria herdar o porte longilíneo e a estatura pouco comum entre os franceses (1,93 m). Mas, mesmo antes da união dos seus pais, as famílias Maillot e De Gaulle já se encontravam associadas por laços de parentesco. Seu pai, Henri de Gaulle, era também filho de uma Maillot, Joséphine Anne Marie, que por sua vez era prima de sua futura esposa, Jeanne Maillot, mãe de Charles de Gaulle. Assim, tanto a avó paterna quanto a materna de Charles de Gaulle eram da mesma família Maillot, que havia se estabelecido primeiro em Dunquerque, e depois em Lille, cidades industriais próximas à fronteira da Bélgica, no extremo Norte da França.

Além do casamento, a fé católica e o gosto pelas letras uniram os De Gaulle e os Maillot. O avô paterno de Charles, Julien Philippe, fora autor de dois livros: *História de Paris e suas cercanias* e *Vida de São Luís*; e sua avó paterna, Joséphine, autora de dezenas de livros, a maior parte consagrada a temas envolvendo a fé católica. Além disso, ela havia dirigido por muitos anos a revista católica, literária e recreativa *O Correspondente das famílias*. O estofo cultural e literário dos seus avós paternos era evidentemente vasto e sólido e teve grande influência na formação de seu pai e seus tios e, consequentemente, dele mesmo.

Henri de Gaulle, seu pai, era um homem de grande cultura. Ensinava não só grego, latim, francês e literatura, mas também matemática, filosofia, retórica e história – a sua grande paixão – em diferentes colégios católicos de Paris. Embora ele tenha sido um aluno brilhante nos colégios jesuítas que frequentou e tivesse mesmo sido admitido na prestigiada Escola Politécnica, o que lhe possibilitaria um futuro profissional bem mais confortável do que viria a ter como professor, a necessidade de trabalhar para garantir o sustento da sua família o levou a renunciar à perspectiva de uma carreira mais promissora já ao final do primeiro ano de estudos. Afinal, como descendentes da nobreza togada sem fortuna, os De Gaulle nunca tiveram dinheiro; e com Henri de Gaulle não iria ser diferente. Sua influência sobre o filho Charles, de quem também veio a ser professor, não foi apenas grande, mas decisiva. Muitos anos mais tarde, o general De Gaulle iria declarar que tudo aquilo que sabia de história – o que não era pouco – e de filosofia, ele devia a seu pai.

Jeanne Maillot, a mãe de Charles de Gaulle, era uma moça típica da burguesia do Norte da França. Descendia de famílias de empreendedores, que haviam investido tanto no comércio quanto na indústria. O pai de Jeanne e avô de Charles de Gaulle, Jules Émile Maillot, era um empresário do setor têxtil, que havia importado da Inglaterra teares mecânicos que então utilizavam uma nova técnica para fabricação de tule. Com essas máquinas, Jules Maillot abriu diversas unidades de produção pelo norte do país, duas delas em Lille, localizadas na mesma rua em que ele havia se estabelecido com sua família, no ano de 1872. Da avó materna, Julia Marie Léonie Delannoy, a mãe de Charles de Gaulle receberia uma educação bastante rígida e fortemente pautada pela moralidade católica.

O casamento dos seus pais fora arranjado entre as famílias, como era o costume entre as classes sociais superiores durante o final do século XIX. Mas a falta de conhecimento prévio não foi impedimento para que Henri e Jeanne de Gaulle formassem um casal solidário e harmonioso. Assim como suas respectivas famílias, Henri e Jeanne compartilhavam os mesmos valores políticos, morais e religiosos, o que assegurava unidade e equilíbrio na criação dos seus filhos. Em alguns aspectos, a mãe de Charles de Gaulle era ainda mais rígida que o pai. Por exemplo, ela nunca permitiu que o seu marido trouxesse um protestante para se sentar à mesa familiar. E, às vezes, o recriminava por ser demasiadamente amável com pessoas que não eram, a seu ver, merecedoras de tanta amabilidade.

Henri e Jeanne de Gaulle tiveram cinco filhos e viveram no 7º *arrondissement* de Paris, bairro elegante localizado à margem esquerda do Sena. Mas se a nova geração dos De Gaulle iria ser criada na capital, como os seus antepassados paternos, não restava dúvida de que todas as datas importantes – nascimentos, festas e férias – seriam passadas no Norte, junto à família Maillot. Foi, portanto, para a casa dos avós maternos, em Lille, que Jeanne de Gaulle se dirigiu no outono de 1890 para dar à luz o terceiro filho do casal. Na madrugada do dia 22 de novembro de 1890, por volta das 3 horas da manhã, nasceu um menino que receberia o nome de Charles André Joseph-Marie de Gaulle. No dia seguinte ao nascimento, ele iria ser batizado na igreja carmelita de Santo André, situada na extremidade oposta da mesma rue Princesse. E tal como fora acordado por seus pais, Charles de Gaulle e seus irmãos iriam passar sua infância entre Paris e Lille.

Em Paris, Charles viveria com seus pais, sua irmã e seus três irmãos. Seus avós paternos já haviam falecido antes do seu nascimento e não há referências de que ele tinha tido contato próximo com parentes do lado paterno. Na capital, faria também seus estudos primários na Escola São Tomás de Aquino, excetuando um único ano, e, posteriormente, os secundários no ginásio da Imaculada Conceição, onde seu pai era professor. Lá, ele iria estudar não só latim e grego, mas também alemão – a língua daquele que, em 1870, havia tomado da França a Alsácia-Lorena ao final da guerra Franco-Prussiana, na qual o seu pai lutara. Pelas ruas de Paris, ao ir ou voltar da missa dominical com seus pais e irmãos, o pequeno Charles ouviria com atenção e interesse o que o seu pai lhes contava sobre a história da França, os monumentos de Paris e as guerras e batalhas travadas por seus compatriotas e antepassados. Muito provavelmente, a semente que fez brotar nele o interesse pela História e pela carreira militar foi colocada nesse momento.

Em Lille, ele teria vida e convívio familiares bem mais amplos com a avó, tios e primos. Seu avô materno morrera no ano seguinte ao seu nascimento e a partir de então a sua avó passaria a ser o centro de aglutinação da família Maillot. Na sua casa, situada no nº 9 da rue Princesse, a viúva Maillot reunia a família nos almoços dominicais e dias de festa. Além da Páscoa, festejava-se lá o dia de São Nicolau, 6 de janeiro (dia de Reis no Brasil), seguindo a tradição do Norte da França de presentear as crianças nessa data, e não no Natal. As crianças dos De Gaulle passariam também lá as férias de inverno e uma parte das de verão, antes e depois da temporada estival em Wimille, perto de Boulogne-sur-mer, na Côte d'Opale, onde a viúva Maillot alugava sempre uma casa próxima ao mar para ficar com os seus netos durante as grandes férias escolares.

Foto do autor

Casa dos avós maternos, em Lille,
onde Charles de Gaulle nasceu em 1890.

A casa familiar dos Maillot pertence hoje à Fundação Charles de Gaulle, encontra-se aberta à visitação e é bastante reveladora do estilo de vida e do meio social e familiar em que o futuro general De Gaulle iria se criar. O prédio é geminado a duas residências igualmente burguesas e situado em uma rua onde, no século XIX, havia tanto moradias quanto galpões e fábricas. Trata-se, evidentemente, de uma grande propriedade urbana, mas composta de diversas pequenas peças, resultado da união de três modestas casas antes ali existentes. O acesso a ela se faz através de uma única porta central, que dá para uma área coberta que serve de distribuição a três diferentes espaços: à frente, um pátio interno e hoje um pequeno jardim, desde aquela época dominados por um nicho onde se encontra uma estatueta da Nossa Senhora da Boa-Fé; à direita, uma ala que era inicialmente ocupada para produção e armazenamento de tule, atividade econômica do avô Jules Maillot; e à esquerda, a residência propriamente dita.

O interior da casa recebeu uma decoração cuidadosa, mas sóbria, condizente com a aversão dos Maillot à ostentação. Na sala de visitas, além de sofás e poltronas, um piano, instrumento característico das residências abastadas, e nas paredes, quadros com os retratos pintados a óleo dos antepassados da família. Na sala de jantar, uma grande mesa de mogno que, com a utilização de extensores, chegava a comportar até 20 comensais. Além dessa peça, um jardim de inverno inteiramente envidraçado, peça típica das casas burguesas do século XIX no Norte da França, onde a escassez de luz levava aqueles que tinham recursos a criar espaços externos protegidos das intempéries e do frio. Nessa peça, com piso de cerâmica e mobiliada com móveis menos formais, os netos da viúva Maillot deviam brincar quando a chuva ou a neve os impossibilitassem de utilizar o jardim. Ali Charles de Gaulle deve ter travado muitas batalhas imaginárias com seus soldadinhos de chumbo, seus brinquedos preferidos.

De acordo com o testemunho do seu filho Philippe, eram soldadinhos de chumbo que o seu pai, quando criança, comprava com o pouco dinheiro que tinha. Os da infantaria mediam 3 cm e os da cavalaria, com a sua montaria, 5 cm, todos pintados com as cores dos uniformes militares dos anos 1860 a 1880. Até os 12 anos, o menino Charles iria acumular muitos deles, o que lhe permitiria reconstituir as batalhas da França, tema que lhe fascinava. Nas suas brincadeiras, ele reservaria sempre para si o comando do Exército Francês e aos seus irmãos e primos iriam caber, invariavelmente, os exércitos inimigos. Na sua fantasia, ele era então o general De Gaulle. Os campos de batalha eram reconstituídos com papel, papelão, pedaços de madeira, enfim, com tudo aquilo que estivesse à disposição e permitisse a imaginação infantil. Nas suas batalhas, não havia apenas lutas e tiros de canhão, mas também declarações de guerra, alianças e tratados – detalhes que mostram que ele, já muito precocemente, atentava para os elementos que compõem uma verdadeira guerra.

Contudo, não seriam apenas a História e as guerras que iriam lhe interessar. A literatura e o teatro também chamariam a atenção e fascinariam aquele menino que começava a deixar a infância e adentrar na pré-adolescência. Aos 11 anos, na festa de encerramento do ano escolar no ginásio da Imaculada Conceição, em Paris, ele iria estrear como ator no papel do rei Felipe

Aos 14 anos, De Gaulle já havia decidido seguir carreira militar e começava a escrever.

Augusto, ou Felipe II da França, na peça *Pajens e Menestréis*. Três anos mais tarde, após ter lido e decorado o texto da peça *Cyrano de Bergerac*, escrita por Edmond Rostand em 1897, ele faria uma incursão como autor teatral, escrevendo uma curta peça, em rima emparelhada, chamada *Um encontro ruim* (*Une mauvaise rencontre*). A história trata de um ladrão bonachão e sedutor que encontra um viajante e, diante dele, procura justificar-se. Após tê-lo convencido com os seus argumentos do seu bom coração, apesar da condição de bandido, pilha-o inteiramente. Essa peça iria ser representada para a família no verão de 1905, na casa da avó Maillot, tendo no papel de bandido o próprio autor, Charles de Gaulle, e no de viajante, o seu primo Jean de Corbie, filho do seu padrinho, que então vivia com a família na ala

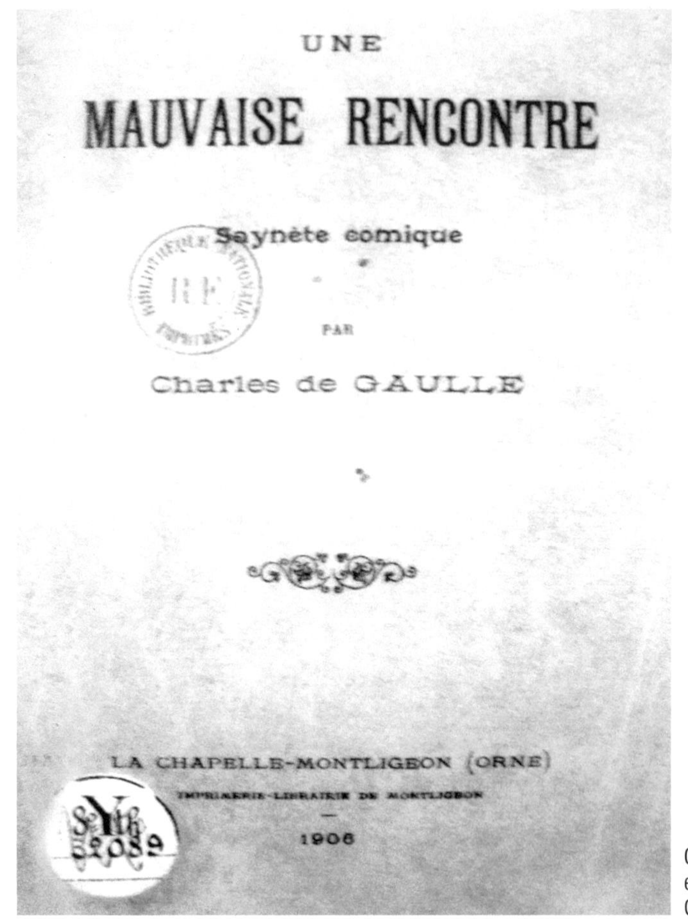
UNE

MAUVAISE RENCONTRE

Saynète comique

PAR

Charles de GAULLE

LA CHAPELLE-MONTLIGEON (ORNE)

1906

Capa da primeira peça escrita pelo jovem De Gaulle, publicada em 1906.

direita da propriedade, antes reservada à fabricação e ao armazenamento de tule. Com essa peça, o jovem Charles iria disputar e receber um prêmio, utilizando posteriormente o dinheiro para bancar sua publicação.

No jovem Charles de Gaulle, começavam então a se revelar alguns predicados que o destacavam da maioria dos garotos da sua idade. Mas tudo isso ainda seguia ofuscado por aquilo que então parecia ser o principal: o desempenho escolar, quesito no qual ele era apenas medíocre. Contudo, a base sobre a qual o futuro guerreiro iria se formar já estava dada, tendo por alicerces a dupla referência familiar que iria dar solidez ao indivíduo: os De Gaulle de Paris e os Maillot de Lille, com sua fé católica inquebrantável e seu patriotismo intransigente.

Aos 64 anos, após ter se tornado o homem que resgatou a honra da França, ele iria definir-se na segunda página do primeiro tomo das suas *Memórias de guerra*, singelamente como um *lillense de Paris* (*Petit Lillois de Paris*). Bela e justa homenagem às duas vertentes que o formaram: o norte industrial e a capital administrativa; a média burguesia empreendedora e a pequena nobreza que servia ao Estado. Ambas compartilhando os mesmos valores e uma mesma concepção de uma França eterna, que sabe se atualizar sem perder as suas raízes e o seu destino de grandeza. Charles de Gaulle é o fruto dileto e aperfeiçoado dessas duas vertentes convergentes. E na sua formação militar, como o leitor verá no próximo capítulo, ele começará a soldar essas duas influências no soldado que se dará por missão resgatar e reafirmar a grandeza da França.

# A FORMAÇÃO DO GUERREIRO

*"Saiu de Saint-Cyr como o 13º entre 221.*
*Afirma-se desde o início como um oficial de real valor,*
*o que lhe promete um grande futuro."*
Avaliação de Pétain sobre De Gaulle

O pai do general De Gaulle teria uma dupla influência na sua formação: como pai propriamente dito e como professor. Com Henri de Gaulle como pai, ele aprenderia a reconhecer, respeitar e se submeter à autoridade; com o professor, ele adquiriria os conhecimentos e o interesse pela História; e, com ambos, o amor pela pátria. Com esses três ingredientes, iria se formar tanto o guerreiro que ele quis ser quanto o que ele de fato foi, embora entre um e outro tenha existido uma diferença considerável.

Quando criança, adolescente e estudante secundarista na Escola da Imaculada Conceição, onde seu pai ensinava, Charles de Gaulle era indisciplinado, dispersivo e relapso com os seus deveres. A única coisa que de fato lhe interessava era ler e escrever poesias. Suas notas eram ruins em Matemática e sofríveis nas demais matérias, com exceção das obtidas nas disciplinas de Francês e História, em que ele se destacava como o primeiro da classe. Seu pai chegou, um dia, a ameaçar rasgar seus versos caso o seu desempenho escolar não melhorasse. Ele foi assim até quase os 14 anos, quando então iria tomar a decisão de abraçar a carreira militar e ingressar na Escola Militar de Saint-Cyr. Segundo declaração da sua irmã, Marie-Agnès, 18 meses mais velha que ele, a partir daquele momento ele iria se tornar outro rapaz: fácil e maleável. Charles de Gaulle sabia que para entrar em Saint-Cyr ele teria de se preparar muito e que, para ser selecionado, não lhe restava opção senão mudar seu comportamento.

Porém, antes mesmo de pensar em prestar a seleção para Saint-Cyr, ele teria de enfrentar um desafio preliminar: ser aprovado no *Baccalauréat*, exame a que todos aqueles que concluíram os estudos secundários têm de se submeter para ter acesso ao ensino superior. No verão de 1906, Charles de Gaulle obteria então 169 pontos de um total de 300, na primeira fase, e 92 de 160 na segunda, o que, transposto para uma escala de zero a dez, equivaleria a meros 5,6 e 5,8, respectivamente. Com esse resultado, ele iria obter o conceito *passable*, isto é, o mínimo exigido para ter acesso à etapa seguinte de estudos. O primeiro teste estava, portanto, vencido, mas ainda havia uma segunda etapa anterior à seleção para escola militar: seguir dois anos de estudos preparatórios em um liceu que oferecesse esse tipo de estudo, o que era e ainda é exigido de todos que pretendem disputar o ingresso nas instituições de ensino prestigiadas, o que era precisamente o caso de Saint-Cyr, criada por Luís XIV para formar os filhos das famílias da nobreza militar. A esse desafio seria ainda agregada uma dificuldade suplementar: uma lei recente, promulgada em 1905, havia estabelecido a total separação entre as Igrejas e o Estado, ficando consequentemente as congregações religiosas impedidas de ensinar, e sendo os jesuítas expulsos da França. Portanto, De Gaulle não mais podia se inscrever na Escola Santa Genoveva, onde seu pai era o professor de História e que oferecia curso preparatório para Saint-Cyr, o que teria sido a solução natural. Para Henri e Jeanne de Gaulle – católicos fervorosos –, era impensável que um filho seu fosse trocar a formação oferecida pelos jesuítas para estudar em um colégio laico. Em vista disso, a alternativa encontrada foi mandá-lo, no ano seguinte, para o Colégio Jesuíta do Sagrado Coração, em Antoing, uma cidade belga próxima à fronteira da França.

Castelo de Antoing, Bélgica, residência dos estudantes internos do Sagrado Coração, onde Charles de Gaulle morou durante o ano escolar 1907-1908.

O ano de estudos na Bélgica seria duro para o jovem Charles. Por mais que ele se aplicasse e ainda tivesse aulas de reforço de Matemática básica, suas notas na disciplina estavam longe de ser boas o suficiente para poder disputar a seleção de Saint-Cyr. Mas, felizmente, o currículo do seu curso preparatório não era composto só de Matemática, mas também de História, História Natural e Alemão. Ao longo do ano, os jesuítas perceberam nele o dom da eloquência, a habilidade na exposição e sustentação de argumentos e o gosto pela História. Propuseram-lhe, então, que escrevesse um artigo abordando a história da congregação e defendendo-a dos ataques que vinha recebendo na França. De Gaulle iria prontamente aceitar o desafio proposto, reunindo a documentação necessária e publicando o artigo "A Congregação", em maio de 1908, na revista *Hors de France* nº 6, editada pelo seu colégio.

Ao final daquele ano de estudos, Charles iria passar as férias de verão na Alemanha, visitando as regiões de Baden e da Floresta Negra. Lá, por meio da leitura de jornais e conversas com a população local, ele iria perceber um clima belicoso bastante acentuado. Em carta endereçada a seu pai, ele escreveria: "alguma coisa mudou na Europa nos últimos três anos, e, ao constatá-lo, penso no mal-estar que antecede as grandes guerras". O jovem Charles estava corretíssimo! Aliás, a animosidade por ele identificada não existia só do lado dos alemães em relação aos franceses, mas era recíproca. A diferença era que os franceses achavam-se com mais razão para querer uma guerra com a Alemanha por terem perdido para ela parte do seu território na Guerra de 1870. E por sentir que o inevitável conflito não estava longe e querer ter participação ativa na revanche, lutando como oficial, De Gaulle tinha pressa em ser admitido em Saint-Cyr. Também porque durante o ano passado na Bélgica ele havia se sentido como que no "exílio", De Gaulle iria acertar com seus pais o seu retorno a Paris, onde faria o segundo ano de estudos preparatórios no Colégio Estanislau. Da mesma forma e pelas mesmas razões que os jesuítas tiveram de se desfazer da Escola Santa Genoveva, os maristas precisaram vender o Colégio Estanislau, onde então passaram a lecionar apenas professores leigos. No entanto, para De Gaulle, não fazer o seu último ano de estudos em uma escola católica era um preço menor a pagar do que passar mais um ano fora do seu país.

O tempo de mau aluno e de adolescente indisciplinado havia definitivamente ficado para trás. Tanto no primeiro ano no colégio em Antoing quanto no segundo, em Paris, ele iria ser considerado não apenas um bom aluno, mas um dos melhores. Contudo, o jovem Charles não havia mudado tanto a ponto de perder o gosto pela literatura, e iria se pôr a escrever uma nova ficção. Dessa vez, não mais uma peça de teatro, mas um curto romance chamado *Zalaína*. Tampouco iria assiná-lo com o seu nome verdadeiro, mas utilizar o pseudônimo Charles de Lugale, ou seja, o seu nome acrescido do sobrenome com duas das suas seis letras em ordem alterada. A história é a narrativa de um jovem oficial do exército colonial francês que inicia sua carreira militar na Nova Caledônia, onde encontra um velho oficial que lhe conta a sua história de amor com uma nativa da Ilha de Páscoa, chamada *Zalaína*. Aquela criatura atraente e exótica exerceu sobre ele tal fascínio que acabou levando-o a se afastar até dos seus princípios morais. Mas o oficial era um homem de caráter e sua vontade e determinação de manter-se íntegro lhe deu a força necessária para dela se afastar. Inconformada, Zalaína tentou envenená-lo com um atraente perfume de flores, mas acabou sendo ela mesma vítima da sua maldade. O enredo dessa história revela muito daquilo que inquietava o espírito do jovem Charles naquele momento. Havia pouco tempo, ele tinha tomado uma decisão em sua vida e, para tornar seu objetivo realidade, necessitava de concentração, esforço e determinação, coisas que lhe faltavam até bem pouco tempo atrás. E na impossibilidade de ele dar lições a si mesmo – o que a consciência da sua inexperiência não lhe permitiria –, iria colocar-se no papel de um jovem oficial – que era exatamente o que ele pretendia logo se tornar – a receber lições de vida de um oficial experiente que soube vencer a tentação e manter-se no reto caminho – o que correspondia àquilo que ele almejava ser no futuro.

Um ano depois, já admitido em Saint-Cyr, Charles de Gaulle voltaria a exercitar a sua veia de ficcionista para dar vazão às suas inquietações mais íntimas. Novamente sob o pseudônimo de Charles de Lugale, ele iria escrever e publicar no *Jornal de viagens e aventuras de terra e mar* uma história intitulada *O Segredo do spahi: a filha do Agah*. Mais uma vez, trata-se de uma história de amor entre um jovem oficial francês (um *spahi*) e uma mulher nativa em uma colônia da França. Dessa vez, o cenário não seria a mais distante das colônias francesas, mas a mais próxima delas: a Argélia. O jovem tenente encontrava-se no sul do território à busca de um chefe de clã do deserto (*agah*) que vivia de pilhagem, quando conheceu a sua bela filha, Medelá, e se deixou por ela seduzir. Seu envolvimento com a jovem árabe foi tamanho que acabou sentindo-se incapaz de cumprir sua missão. Diante do impasse, ele resolveu então suicidar-se, permitindo que ela e todo o clã fugissem, mascarando, dessa forma, sua traição ao dever. Mas os companheiros de arma do jovem oficial acabaram por capturar o *agah* e toda a sua tribo. Um funeral solene foi preparado para o jovem oficial, supostamente morto em combate com o inimigo. Porém, antes do início da cerimônia, um de seus companheiros de tropa revistou os bolsos do oficial morto à procura de algum objeto ou lembrança que devesse ser enviado à sua família e acabou por encontrar um pequenino buquê de flores azuis que as jovens árabes do deserto costumavam levar amarrado ao pulso. A farsa acabou assim desmascarada. De nada adiantou a astúcia e o sacrifício do tenente, pois a verdade se impôs; e ao invés de ter um funeral militar honroso, seu nome foi coberto pela desonra.

O jovem aspirante De Gaulle não podia ousar ditar regras de conduta para os oficiais. Por isso, mais uma vez, ele iria recorrer à ficção e ocultar-se sob o pseudônimo de Lugale para exprimir aquilo que ele tinha a dizer a si mesmo: não desvie do seu caminho; não ceda às tentações! O caminho que leva à desonra é curto, mas o que conduz à virtude é árduo. A verdade acaba sempre por se sobrepor à mentira, assim como a sinceridade à astúcia. Por isso, não há que se transigir em relação a princípios, nem vacilar entre o certo e o conveniente. Às vésperas de tornar-se oficial do Exército Francês, De Gaulle recorria a um *alter ego* para dizer e convencer-se do que pensava. Passada essa fase, Charles de Lugale iria desaparecer, cedendo lugar a Charles de Gaulle. Este não mais iria recorrer à ficção para exprimir seu pensamento e, dali para frente, iria se dedicar à análise rigorosa dos fatos, de suas causas e consequências.

Na metade do ano de 1909, Charles de Gaulle iria prestar o concurso de admissão em Saint-Cyr, sendo classificado em 119° lugar entre os 221 admitidos de uma seleção em que participaram 800 candidatos. O acesso à carreira militar estava finalmente garantido. Mas antes de começar seus estudos em Saint-Cyr, ele teria ainda de prestar um ano de serviço militar, como exigia uma lei editada em 1905. Charles de Gaulle iria, então, se alistar como voluntário no 33º Regimento de Infantaria de Arras, cidade ao Norte de Paris, por um período de sete anos. Excitado com a perspectiva de tornar-se soldado – um simples soldado ele ainda teria de ser –, Charles de Gaulle escreveria um poema utilizando, uma vez mais, o pseudônimo de Charles de Lugale:

| | |
|---|---|
| *Quand je devrai mourir,* | *Quando eu tiver de morrer,* |
| *J'aimerais que ce soit sur un champs de bataille* | *Eu quero que seja em um campo de batalha* |
| ... | ... |
| *J'aimerais que ce soit, pour mourir sans regret* | *Para morrer sem lamentar, eu quero que seja* |
| *Un soir où je verrais la Gloire à mon chevet* | *Em uma noite em que eu veja a Glória à cabeceira a me zelar* |
| | |
| *Me montrer la Patrie en fête* | *A me mostrar a Pátria em festa* |
| *Un soir où je pourrais, écrasé par l'effort,* | *Uma noite em que, exausto por me ter batido como um forte,* |
| | |
| *Sentir passer, avec le frisson de la Mort,* | *Eu sinta com o frisson da Morte,* |
| *Son baiser brûlant sur ma tête* | *O seu beijo ardente em minha testa* |

O ano passado como soldado foi de provações, durante o qual ele seria tratado como qualquer recruta pelos seus superiores, isto é, maltratado, tradição infame dos quartéis de todo o mundo. E talvez até mesmo mais que os demais soldados, ele iria ser objeto de gritos e ordens sem sentido dos oficiais. Possivelmente por ser o mais alto de todos e se destacar por isso; e muito provavelmente porque todos sabiam que ele ali estava de passagem, uma vez que tinha sido admitido em Saint-Cyr e iria se tornar um oficial. Mas, por enquanto, ele era apenas um soldado e como soldado seria tratado. Contudo, o soldado De Gaulle iria passar sem dificuldade pela experiência de se submeter à autoridade dos que se encontravam nos escalões superiores da hierarquia, mesmo que no tratamento recebido houvesse mais autoritarismo do que propriamente autoridade. Na primavera de 1910, ele seria promovido a cabo e no outono, a sargento, isto é, somente um pouco antes de completar um ano de serviço militar e de deixar o regimento.

Ao entrar em Saint-Cyr, um pouco mais de um mês antes de completar 20 anos, Charles de Gaulle seria logo classificado por seus colegas em um dos dois grupos em que eles mesmos se dividiam – pois, mesmo em uma academia militar de elite, os pares se descriminam mutuamente: os *huiles* e os *fines* (literalmente, *óleos* e *finos*, respectivamente). A origem da denominação de uns e outros é obscura, mas a classificação é clara e repousa na clássica dicotomia entre corpo e mente: os *huiles* eram os cadetes com maiores habilidades intelectuais; e os *fines*, os com maiores habilidades corporais. Os *huiles* eram aqueles que se saíam bem em questões teóricas, em humanidades e línguas e claramente almejavam conseguir uma boa classificação; este era, obviamente, o grupo de De Gaulle. Os *fines*, por outro lado, eram os que preferiam os exercícios físicos, valorizavam a força e a coragem e se jactavam em voz alta, para quem quisesse ouvir, dos seus dotes e desempenho físicos. De Gaulle iria manter-se distante desse grupo e dedicar-se ao estudo.

Contudo, De Gaulle não iria tirar vantagem apenas da sua capacidade intelectual para se destacar em Saint-Cyr, mas também dos seus atributos físicos. Alto, longilíneo e, consequentemente, dotado de longas pernas, ele iria se mostrar muito apto e resistente para as longas marchas a que os soldados são submetidos. Além dessa habilidade que lhe foi dada pela natureza, ele também gostava muito de caminhar. Nos fins de semana em que não fosse para Paris, De Gaulle se dedicaria a fazer longas caminhadas pelas trilhas nos arredores de Arras, o que só iria favorecê-lo naquilo que ele já tinha de vantagem em relação aos demais colegas.

Ao final do primeiro ano de estudos em Saint-Cyr, os cadetes deveriam fazer uma opção definitiva por uma das duas armas do exército: a infantaria ou a cavalaria. De Gaulle passou do 119º lugar, sua classificação de admissão, para a 45ª posição, ficando bem classificado para escolher a mais nobre delas, a cavalaria. Além disso, sua cultura e seu nome aristocrático – a partícula "de" antes do sobrenome é indicativo de nobreza na França – o habilitavam para tanto. Mas ele iria decidir-se mesmo pela infantaria não só em função de suas habilidades e vantagens físicas, mas também porque a considerava ser a arma fundamental das batalhas. E continuaria estudando com afinco até o final do segundo e último ano de formação na academia militar, quando chegaria à 13ª posição entre 211 formandos, recebendo a seguinte menção: "progrediu continuamente desde sua entrada na escola; tem meios, energia, zelo, entusiasmo de comando e de decisão. Não deixará de se tornar um excelente oficial".

Como ocorrera um ano antes, com a classificação obtida ele poderia escolher sua colocação em qualquer dos mais disputados e prestigiados destacamentos, como a infantaria do exército colonial – exatamente do mesmo modo que o jovem oficial personagem do seu romance *Zalaína*. No entanto, De Gaulle, mais uma vez, iria surpreender e decepcionar a todos, escolhendo o 33º Regimento de Infantaria de Arras, o mesmo onde ele havia servido como soldado dois anos antes. Lá, no outono de 1912, ele iria dar início a sua carreira militar como subtenente sob o comando de um novo coronel, que acabava de ser indicado para o posto de comandante do regimento em substituição ao coronel que De Gaulle conhecera dois anos antes. A partir daquele momento, começava o acaso a exercer sua influência no percurso do jovem militar De Gaulle, cuja trajetória de vida anterior havia até aquele momento sido marcada, fundamentalmente, pelo seu meio familiar e, mais recentemente, por sua determinação em perseguir um objetivo.

O novo coronel chamava-se Philippe Pétain. Pétain iria tornar-se marechal e herói da Primeira Guerra Mundial, por seu comando exemplar e inovador na pior e mais difícil das frentes de batalha da França – Verdun. Com Pétain, De Gaulle iria trabalhar logo após a guerra, servindo-o diretamente; e, por Pétain, ele seria finalmente degradado e condenado à morte por deserção, ao deixar a França, que passava a ser governada pelo marechal em colaboração com Hitler para liderar, de Londres, a continuação da guerra contra o invasor nazista. Mas naquele momento, aos 56 anos, Pétain era apenas um coronel que havia sido professor na Escola Superior de Guerra e que não tinha grandes chances de chegar a general, por não ser lá muito bem-visto pelo Estado-Maior do Exército em função de suas ideias, um tanto incomuns para a época no meio militar.

Costuma-se dizer que o maior – e também o mais frequente – dos erros que um exército pode cometer é preparar-se para lutar as batalhas do passado, e não as do futuro. Entretanto, ninguém põe em dúvida a importância da experiência, desde que se tenha em mente que as situações de ontem não se reproduzirão amanhã, e que os sucessos do passado não são garantia de vitórias no futuro. E era precisamente em torno disso que residia a diferença entre o coronel Pétain e o Estado-Maior. A visão dominante no Exército Francês no início do século XX era de que a ação ofensiva era preponderante e nesta, certa dose de imprudência valia mais que a segurança. Essa estratégia de guerra foi acertada e condizente com as condições técnicas vigentes durante o século XIX, quando a cavalaria, as baionetas e as armas de fogo de curto alcance eram os principais recursos disponíveis. Pétain, no entanto, considerava essa concepção ultrapassada pelo surgimento das metralhadoras e dos canhões de 75 mm, estes desenvolvidos na França no final do século XIX. Com essas novas armas, a guerra não poderia mais ser decidida pelo avanço da cavalaria e voluntarismo heroico dos combatentes na luta corpo a corpo, mas com base em uma sólida retaguarda defensiva e pela ação ofensiva, e a distância, da artilharia de canhões.

O jovem oficial De Gaulle reconhecia a força dos argumentos do seu coronel, mas ainda se perguntava como seria possível vencer uma batalha sem uma ação ofensiva clara. A resposta a essa questão ele só iria elaborar mais tarde,

Harris & Ewing Collection (Library of Congress), s. d.

Marechal Pétain, em 1930. Herói da Primeira Guerra Mundial e Protetor de Charles de Gaulle durante a sua formação e o início de carreira militar.

quando oficial maduro, enfrentando as mesmas resistências encontradas pelo coronel Pétain junto ao Estado-Maior no seu tempo. Mas ainda que De Gaulle não estivesse inteiramente de acordo com Pétain sobre o protagonismo da ação defensiva, ele não tinha como deixar de admirar a coragem daquele oficial que falava o que pensava, sem temor das consequências que suas palavras pudessem ter sobre sua carreira. Além disso, De Gaulle reconhecia no coronel uma indiscutível autoridade e capacidade de liderança, virtudes essenciais em um comandante militar. Pétain, por sua vez, também identificava virtudes no jovem subtenente seu subordinado. Na avaliação do primeiro semestre de 1913, fez a seguinte anotação elogiosa sobre seu desempenho: "Saiu de Saint-Cyr como o 13º entre 221. Afirma-se desde o início como um oficial de real valor, o que lhe promete um grande futuro. Dedica-se de coração à sua função de instrutor. Fez uma brilhante conferência sobre as causas do conflito na península dos Bálcãs". Na avaliação do segundo semestre – após a qual ele seria promovido a tenente –, sua apreciação iria ser igualmente positiva: "Muito inteligente. Ama a sua profissão com paixão. Conduziu perfeitamente a sua seção nas manobras. Digno de todos os elogios". A admiração mútua iria ainda aproximar o jovem e o velho oficiais nos anos seguintes.

A dedicação demonstrada por De Gaulle no comando dos suboficiais e na formação dos recrutas não iria, contudo, fazê-lo se afastar da atividade que mais lhe interessava desde adolescente: ler. Nas horas de folga, ele iria recorrer, com frequência, ao acervo da biblioteca Saint-Vaast, de Arras, em busca de livros que não só saciassem a sua sede de conhecimento, mas também o auxiliassem a melhor desempenhar o seu papel de instrutor. Lá, ele iria encontrar a obra de Charles Ardant du Picq, coronel e teórico militar, morto em 1870, que pôs em relevo a importância de se conhecer melhor o primeiro e mais importante instrumento de toda guerra: o homem. Contrapondo-se à tradição napoleônica, então dominante, que valorizava a quantidade de efetivos e dos meios à sua disposição, Ardant du Picq argumentava que são menos os meios que garantem as vitórias, e mais a fragilidade psicológica, o medo, o pânico e a desorganização que se encontram na causa das derrotas. Ele sustentou essa tese com base em uma metodologia de pesquisa moderna e científica, apoiada em questionários respondidos por oficiais e soldados que combateram em uma ou mais guerras. Segundo esse autor, que muito interessou De Gaulle, o papel do oficial seria o de trabalhar psicologicamente a tropa, desenvolvendo nos seus subordinados valores morais, espírito de solidariedade e confiança, com o que o medo poderia ser dominado e a ordem e disciplina mantidas. De Gaulle iria incorporar essa teoria à sua prática de instrutor, procurando desenvolver nos recrutas – jovens vindos de todos os meios sociais, sobretudo dos mais humildes e sem ilustração – um sentimento patriótico, de comprometimento com a França e com a causa da guerra que inevitavelmente se aproximava, além de neles estimular a autoconfiança e fortalecer os laços de camaradagem. Esse esforço de envolvimento da tropa não só foi reconhecido pelos superiores do subtenente De Gaulle, mas também, e, sobretudo, por seus subordinados.

A formação de Charles de Gaulle também iria ser fortemente influenciada por dois outros personagens da cena intelectual daquele início de século: Henri Bergson e Charles Péguy. O primeiro era um filósofo bastante reputado na França da época e o segundo, um escritor e ensaísta muito atuante no debate político do seu tempo e que, por sua vez, fora também fortemente influenciado pelo pensamento de Bergson. O pai de Charles de Gaulle conhecia bem e admirava a filosofia de Bergson e já havia introduzido o seu filho no pensamento do filósofo. O ponto central da teoria bergsoniana, que iria tanto atrair Henri e Charles de Gaulle e que seria incorporada nos escritos de Péguy de forma mais literária e política, é o conceito de duração, o qual, de certa forma, é a aplicação da teoria darwinista da evolução à Filosofia da História. Não cabe aqui descer aos detalhes da teoria da duração de Bergson, utilizada por Péguy em seus escritos, mas entender como esse pensamento iria influenciar a visão de mundo do general De Gaulle. Sinteticamente, a ideia que fascinaria De Gaulle era a de que a temporalidade da consciência é diferente do tempo cronológico. A consciência perdura à passagem do tempo, e é essa duração que constitui o ser. De Gaulle chamaria a esse ser bergsoniano que transcende o tempo de a França eterna.

A França eterna residiria na consciência de uma identidade e singularidade francesas que permanecem através dos tempos independentemente das vicissitudes da história. Desde Clóvis, o rei francês que abraçou o catolicismo como religião por influência de sua esposa Clotilde, no século V, passando por São Luís, o rei do século XIII que se tornou santo, Joana d'Arc, a santa guerreira do século XV, Richelieu, o cardeal primeiro-ministro de Luís XIII, Luís XIV, o Rei Sol, ambos no século XVII, Napoleão, o grande imperador no século XIX, até os dias contemporâneos de De Gaulle, em que a França era uma república, haveria uma única e eterna França que, se mudou ao longo do tempo – e teve de mudar –, não perdeu, contudo, a sua essência. Essa visão de uma lenta e perpétua evolução – que os anglo-saxões chamariam simplesmente de conservadorismo – era a visão de mundo e de Nação que acompanharia o jovem Charles de Gaulle até a velhice.

Péguy exprimia esse conservadorismo à francesa como ninguém. O próprio Bergson iria acolher de bom grado a forma como Péguy se apropriou de sua teoria, chamando-o de seu "primeiro seguidor". Por exemplo, De Gaulle iria encontrar nos argumentos de Péguy a boa justificativa para aceitar um fato consumado – a república –, coisa que os seus pais jamais puderam admitir; sua mãe, com muita resignação, constatava que todos os seus filhos tinham se tornado republicanos. De acordo com Péguy, a república não era a negação da monarquia, como pensavam os monarquistas e como, de fato, pretendeu a Revolução Francesa. Ao contrário, no século XX, a república tinha por papel dar continuidade à obra de progresso civilizatório iniciada e cumprida pela monarquia nos séculos anteriores, só que a estendendo a todo o povo, e não mais a circunscrevendo à nobreza. O problema não seria, portanto, a república em si, mas a forma como a Terceira República na França encontrava-se organizada, com um Poder Executivo fraco e caudatário do jogo dos pequenos interesses dos partidos no parlamento. De Gaulle iria compartilhar inteiramente essa visão em todos os seus desdobramentos.

A identificação do jovem Charles de Gaulle com as ideias do mais maduro Charles Péguy iriam levá-lo a assinar os *Cahiers de la Quinzaine*, revista de periodicidade um tanto irregular fundada por Péguy para divulgar as suas obras e a de novos escritores. Nessa publicação, De Gaulle iria encontrar ideias convergentes às suas e novos e melhores argumentos para defendê-las. Por isso, ele nunca hesitou entre os *Cahiers de la Quinzaine* e *L'Action Française*, revista publicada pelo monarquista Charles Maurras, da qual o seu pai era assinante. As ideias de Maurras dividiam os franceses, enquanto as de Péguy tinham a capacidade de uni-los. Entretanto, não eram somente as ideias de Péguy que teriam a admiração de De Gaulle, mas também o homem, por sua coragem, independência de espírito e posições políticas.

Assim como o pai de Charles de Gaulle, Péguy, que era de uma geração intermediária entre um e outro, foi um defensor ardente do capitão Dreyfus, injustamente acusado de traição à pátria não por indícios consistentes, mas por puro antissemitismo do alto-comando militar do país. Dreyfus foi condenado à prisão perpétua, à degradação militar e ao degredo na Ilha do Diabo, na Guiana Francesa, por uma corte militar, em 1894. O seu caso só seria reaberto após muitos debates públicos e uma carta bombástica publicada no jornal *L'Aurore*, e posteriormente subscrita por diversos intelectuais, entre os quais Péguy, em que o renomado escritor Émile Zola acusaria nominalmente alguns militares do alto-comando do exército de terem agido de má-fé no caso Dreyfus. A completa reparação judicial e integral reconhecimento da inocência do capital Dreyfus só iriam ocorrer em 1906, quando De Gaulle tinha 15 anos e então acompanhava com interesse as questões que envolviam a França e o exército a que ele já havia decidido integrar.

No entanto, talvez tenham sido as posições políticas assumidas por Péguy nos anos que antecederam a eclosão da Primeira Guerra que mais tiveram influência sobre De Gaulle. Péguy foi socialista e por muito tempo apoiou o eminente parlamentar do Partido Socialista, Jean Jaurès. No entanto, no momento em o deputado abraçou o pacifismo e passou a combater energicamente a ideia, já então bastante disseminada na sociedade francesa, de uma nova guerra contra a Alemanha, Péguy não só rompeu com Jaurès como com todos os socialistas. Para ele, a renúncia à guerra naquelas circunstâncias em que a Alemanha vinha se armando a olhos vistos era uma traição à pátria. Esse movimento de desprendimento de Péguy ao renunciar à sua filiação política de tantos anos provavelmente iria influenciar a ação política de Charles de Gaulle no entreguerras. Contrariamente a Péguy, De Gaulle nunca foi um socialista. No entanto, ele não iria hesitar em procurar deputados de todos os partidos, inclusive socialistas, para discutir as medidas que considerava necessárias à defesa e segurança da França. Para De Gaulle, não era o partido que importava, mas o comprometimento do parlamentar com o interesse nacional.

Em 1914, em decorrência do assassinato do arquiduque austríaco Francisco Ferdinando por sérvios durante sua visita a Bósnia, a tão aguardada guerra finalmente começava. Chegava então o momento esperado pelo jovem oficial De Gaulle de combater a Alemanha e ajudar a França a recuperar a Alsácia-Lorena. Charles Péguy, então com 41 anos, também lutaria pelo seu país nessa guerra. Mas a sorte não o iria acompanhar ao campo de batalha, onde a morte o acabaria colhendo já nos primeiros embates travados durante o ano de 1914. De Gaulle iria sobreviver à carnificina da Primeira Guerra, o que seria mais obra do acaso do que da virtude do combatente. No entanto, não era exatamente a sobrevivência que ele almejara na guerra, mas a glória, o que ele, definitivamente, não iria ter naquele momento. Como o leitor ficará sabendo no próximo capítulo, a Primeira Guerra foi, para De Gaulle, o avesso do que ele imaginava e desejava para si. Mas tampouco foi um tempo de todo perdido, o que ele só iria descobrir posteriormente.

# O guerreiro na Primeira Guerra Mundial

*"Todo o mundo está esperando para esta noite a ordem de mobilização. Calma absoluta na tropa e na população. Mas inquietação nos rostos."*
De Gaulle, 1º de agosto de 1914.

Costuma-se dizer que se sabe como as guerras começam, mas não como terminam. Para a Primeira Guerra Mundial (1914-1918), que até a eclosão da Segunda Guerra foi denominada por todos como a Grande Guerra, o dito popular iria servir como uma luva. As potências europeias encontravam-se, já havia algum tempo, organizadas em duas alianças militares opostas: Império Alemão, Império Austro-Húngaro e Reino da Itália, de um lado, compondo a Tríplice Aliança; e Reino Unido, República Francesa e Império Russo, formando a Tríplice Entente, de outro. Como mencionado no final capítulo anterior, o estopim da guerra tão esperada foi o assassinato de um arquiduque do Império Austro-Húngaro, integrante da Tríplice Aliança, por cidadãos da Sérvia, aliada à Rússia, membro da Tríplice Entente. As hostilidades entre a Áustria-Hungria e a Sérvia envolveram, consequentemente, de um lado, a Alemanha e, de outro, a Rússia, levando finalmente os países aliados de ambos os lados e outros mais, como o Império Otomano e os Estados Unidos, a entrar em uma guerra que iria durar quatro longos e penosos anos.

De Gaulle não havia intuído do nada que o chamado para a mobilização das tropas seria feito na noite do dia 1° de agosto. Na véspera, a Alemanha enviara seu ultimato à França e à Rússia; no dia seguinte, suas tropas invadiram Luxemburgo e a Bélgica; e, no dia 3 de agosto, a guerra foi declarada à França. Entre o dia 1° e o dia 5 de agosto, os reservistas foram recrutados, reunidos, equipados, armados e encaminhados rumo à fronteira norte do país, além da qual se encontrava o inimigo alemão. O tenente De Gaulle iria comandar uma seção da 11ª Companhia do 33° Regimento de Infantaria em direção a Dinant, cidade belga a cerca de 20 km da fronteira da França, situada às margens do rio Mosela. Lá, o seu regimento chegou no dia 14 de agosto, estacionando na parte da cidade a oeste do rio. Do outro lado do Mosela, já se encontrava o exército alemão. O confronto era iminente e a primeira verdadeira batalha da vida do futuro general De Gaulle começaria no dia seguinte.

## NOS CAMPOS DE BATALHA

O batismo de fogo do jovem oficial De Gaulle não seria fácil. À margem leste do rio havia uma velha cidadela construída sobre uma falésia, de onde se podia divisar toda a cidade. Aquela era uma posição privilegiada para o inimigo, que de lá podia facilmente alvejar o adversário, que tinha de cruzar uma passagem de nível e uma ponte para poder chegar ao lado da cidade em que se encontrava o exército alemão. Começaram, então, as tentativas de forçar a travessia, arriscando a vida – dos soldados, é claro! – e desafiando a morte. Sob as rajadas de metralhadoras alemãs disparadas da cidadela, os soldados franceses foram abatidos como moscas. Essa cena deplorável, demonstração de falta de criatividade estratégica e de fatalismo perverso do comando militar francês, foi registrada no diário de guerra do tenente De Gaulle com as seguintes palavras: "E ainda nem um único tiro de canhão francês foi disparado. Não é o medo que toma conta de nós, mas a raiva. Fica-se imóvel, assistindo ao lamentável desfile de feridos. Como isso é encorajador para a tropa!"

Eis que é chegado, então, o momento de o tenente De Gaulle e sua seção lançarem-se à insana aventura de chegar à ponte sem a devida cobertura da artilharia pesada francesa. Presumivelmente, nesse momento o medo deve ter superado sua raiva, mas ele não se deixou tomar por esse sentimento, saindo correndo à frente dos seus comandados. Nos cerca de 20 m que separavam o ponto de partida até a entrada da ponte, ele acabou sendo alvejado. Sentindo uma dor lancinante no joelho, De Gaulle não mais conseguiria manter-se apoiado sobre o pé direito, caindo ao chão. Os soldados que passaram à sua frente, os que estavam ao seu lado e os que vinham atrás foram também, imediatamente, atingidos pelas rajadas de metralhadora, tombando uns por cima dos outros e formando uma massa de mortos e feridos. Sob esse escudo humano, que seria ainda violentamente crivado por balas durante meio minuto, a vida do jovem oficial De Gaulle esteve momentaneamente protegida. Nesse curto tempo, enquanto ele ouvia as balas ricochetar por todo o lado, nos paralelepípedos do chão e nos parapeitos da ponte, e o barulho surdo delas penetrando nos corpos dos seus companheiros ali caídos, ele pensou e disse a si mesmo: "Meu velho, você está aí! [...]. A única chance que você tem de sair dessa é se arrastar pela estrada até uma casa que, por felicidade, esteja aberta". E assim fazendo, ele conseguiu se salvar.

Recolhido a uma escola onde havia sido montada uma enfermaria de campanha, ele foi examinado por um médico. Seu diagnóstico: "fratura do perônio por bala com estilhaços no joelho". Como o seu nervo ciático fora também comprometido pela bala, ele não conseguiria mais utilizar o seu pé direito. Assim, incapacitado de voltar ao campo de batalha, ele seria encaminhado a um hospital para tratamento mais especializado. Em um único dia, terminava a sua participaçao na sua primeira batalha na guerra. Sem glória, mas com vida. Já no hospital, ele registraria, no seu diário, o pensamento e a ideia que lhe vieram à mente naquele momento crítico da batalha, e acrescentaria perplexo: "Como eu não fui furado como uma peneira durante aquele trajeto [da entrada da ponte até a casa onde ele se protegeu] será sempre a grande questão da minha vida".

Antes de retornar aos campos de batalha, De Gaulle faria um périplo de dois meses por diversos hospitais. Primeiro em Charleroi, Bélgica, onde ele recebeu a visita da sua irmã, que lá morava. Dali, ele seria transferido para Arras e depois para Paris, onde seria operado no Hospital São José. Após a cirurgia, seria evacuado para outro hospital, em Lyon, onde passaria a receber tratamento pós-operatório. Durante esse período – para ele demasiado longo, pois tinha pressa de voltar a combater o inimigo –, ele voltaria a escrever uma ficção não apenas para evitar o tédio de se encontrar em uma cama de hospital, mas também para dar vazão aos seus pensamentos.

Uma vez mais, seria uma história de amor, e o seu personagem principal, um militar: o tenente Langel, nome que – como observou o seu biógrafo Max Gallo – "é quase De Gaulle". A pequena novela, que recebeu o nome de *O batismo*, trata do amor que o jovem tenente e a esposa do capitão, seu superior, nutrem mutuamente, ainda que de forma platônica. Ao partirem para a guerra, o capitão confia sua carteira ao seu subordinado, a ser entregue à sua esposa caso ele venha a tombar em combate. Na batalha, o capitão acaba morrendo e o tenente, ferido. Mas, ao invés de aproveitar a situação e unir-se a sua amada – atitude pela qual ela ansiava –, o jovem oficial resolveu renunciar àquele amor por fidelidade ao camarada tombado e por amor à pátria, que acabava de sair vitoriosa da batalha em que seu capitão havia perecido. "Entre tantos sacrifícios de que a vitória foi feita – concluiria De Gaulle –, quem sabe este não teria contado."

Do ponto de vista da moralidade e honra militares, a projeção de Charles de Gaulle no tenente Langel é clara, da mesma forma que é evidente a identificação entre autor e personagem nos seus escritos anteriores, *Zalaína* e *O segredo do spahi: a filha do Agah*. O mesmo se pode imaginar em relação ao componente amoroso e de sedução entre homem e mulher presente nas três histórias, embora não haja qualquer registro ou referência a experiências amorosas suas anteriores ao seu casamento com Yvonne Vendroux, em 1921, nem tampouco posteriores. Pode-se pensar que a inclusão de um enredo amoroso nas suas histórias tenha sido apenas um recurso narrativo para introduzir temas e mensagens que realmente lhe interessavam; mas também é possível inferir serem manifestação das suas fantasias eróticas, o que não seria improvável em um jovem aos seus 20 e poucos anos de idade. Mas isso não passa, e não passará, de pura especulação.

Após o período de hospitalização, em Lyon, De Gaulle foi para Cognac, onde os feridos de guerra do 33º Regimento de Infantaria eram encaminhados para convalescer antes de serem reenviados ao campo de batalha. No dia 18 de outubro, o tenente De Gaulle foi reintegrado ao seu regimento, desta vez em Pontavert, departamento de Aisne, hoje oficialmente localizada na região da Picardia, mas então considerada genericamente na região da Champanha. Lá existe hoje um cemitério nacional, onde se encontram enterrados os corpos de sete mil soldados franceses que ali pereceram, além dos de soldados britânicos abatidos em campos de batalha próximos dali durante a Primeira Guerra Mundial. Ao retornar ao seu regimento, ele foi incumbido do comando da 7ª Companhia.

Já era outono, as chuvas voltavam a encharcar a terra e a inundar as trincheiras onde chafurdavam os soldados. As anotações no seu diário de guerra e as cartas enviadas aos seus pais descrevem bem a situação lamentável dos combatentes nas frentes de batalha. Em 4 de novembro, ele escreveu em seu

George Grantham Bain Collection (Library of Congress), 12 dez. 1916.

Trincheira francesa durante a Batalha de Verdun, em 1916.

diário: "Para me juntar à minha companhia, eu tenho que ir de quatro pelas canaletas [que interligavam as trincheiras], pois centenas de balas passam rentes à mureta de proteção. Começa então a artilharia e fica um barulho insuportável!". Nesse mesmo mês de novembro, em carta ao seu pai, ele fez o seguinte relato: "Estamos fazendo uma guerra de marcar posição. De quando em quando ocupamos uma trincheira inimiga, mas dali a 50 m há outra [...]. Trocas de tiros de fuzil insuportáveis entre trincheiras, sem nenhum resultado, é claro! [...] Na primeira linha, poucos obuses, [mas] na segunda, canhonaços que nos obrigam a nos enfiar sob a terra para melhor nos proteger". Já durante o inverno, ele assim descreveria a situação à sua mãe: "Nós estamos aqui num mar de lama; tem também uma porção de doentes. Anteontem, combate bastante duro do qual o regimento saiu um pouco despenado".

Em dezembro, o 33º Regimento começou a se deslocar para o leste, adentrando no território que constitui, atualmente, a região da Champanha-Ardenas. As tropas estacionaram entre Reims e Verdun, mais precisamente no departamento do Marne, junto a um pequeno vilarejo chamado Mesnil-lès-Hurlus, hoje não mais existente, pois viria a ser completamente destruído durante a guerra. Nesse momento, De Gaulle iria ser escolhido pelo coronel comandante do regimento como seu adjunto, posto que ele conservou mesmo após a troca de comando, que iria se produzir no mês seguinte. A ele também foi conferida uma missão de reconhecimento importante e delicada, pela qual ele receberia a Cruz de guerra com a seguinte menção da 2ª Divisão: "Executou uma série de reconhecimento de posições em condições perigosas, trazendo informações preciosas". Em virtude dessa distinção e também porque o seu novo comandante, tenente-coronel Boud'hors, reconhecesse nele o empenho, dedicação e virtude militar, em 10 de fevereiro de 1915, De Gaulle foi provisoriamente nomeado capitão.

A guerra entrava no seu oitavo mês, sem que houvesse avanço de nenhuma das partes, ambas entrincheiradas, despejando uma enorme carga de obuses e balas de canhão sobre a outra. A única coisa que, na verdade, progredia com uma rapidez assustadora era o número de baixas. No seu diário de guerra, o comandante Boud'hors registrou a amplitude do morticínio que então se estava produzindo: "O dia foi lastimável; meu primeiro batalhão foi desfalcado; muitos oficiais mortos e feridos. Nosso sacrifício talvez tenha servido aos nossos camaradas, mas nosso papel é ingrato". No dia 19 de fevereiro, ele registrou o saldo dos combates: "Em quatro dias, eu perdi 19 oficiais e cerca de 650 homens; é duro!".

Aquela guerra não seria mais como as que lhe antecederam – e isso os olhos atentos do jovem oficial De Gaulle já podiam perceber. Tratava-se da primeira guerra da era industrial, em que as armas tinham um poder mortífero até então desconhecido. Uma quantidade jamais vista de mortos era produzida em poucos dias apenas com o uso da artilharia a distância, composta por canhões e obuses. E tudo isso sem que as tropas sequer tivessem se enfrentado no campo de batalha, como tradicionalmente ocorria. O capitão De Gaulle não iria ficar a salvo dos riscos que essa nova guerra impunha a quem lutava. No final daquele inverno, mais precisamente no dia 6 de março, ele foi atingido por um estilhaço na orelha direita; nada grave! No entanto, quatro dias após, ele foi ferido por uma bala na mão direita durante um combate em Mesnil-lès-Hurlus. Um ferimento aparentemente banal e facilmente curável, mas que logo iria se complicar. Primeiro, foi sua mão que começou a inchar; depois o antebraço; em seguida veio a febre, e a inflamação da ferida passou a lhe provocar dores cada vez mais fortes. Por essa razão, ele acabou sendo levado ao hospital de campanha de Mont-Dore, em meados de abril, só voltando à frente de batalha em junho.

No hospital, De Gaulle teria de se resignar a acompanhar a guerra não mais como combatente, mas como simples leitor de jornais. Naquele momento, o

Império Otomano já se encontrava em guerra ao lado dos alemães, e ele se felicitaria ao ler que tropas aliadas haviam conseguido desembarcar na costa da Turquia. Para De Gaulle, a destruição do Império Otomano tinha um significado que ia além da guerra em curso, pois representava um importante ganho da "civilização cristã" sobre a islâmica. Católico fervoroso, ele via com apreensão a rápida penetração do islamismo na África, uma boa parte da qual se encontrava sob o domínio colonial francês. O avanço do islamismo estava a destruir o trabalho que durante séculos os missionários católicos e protestantes por lá haviam feito para o "progresso da nossa civilização", e a queda do Império Otomano seria, portanto, muito bem-vinda.

Um pouco antes do início do verão, no dia 13 de junho, o capitão De Gaulle retornou ao 33° Regimento de Infantaria, que então se encontrava em Pontavert-Berry-au-Bac, departamento do Aisne. No mês de agosto, ele passou a assumir o comando da 10ª Companhia e foi reconduzido ao posto de adjunto pelo comandante Boud'hors. No final daquele verão, De Gaulle seria promovido ao grau de capitão. Durante o ano de 1915, o comando militar francês havia estabelecido por meta furar a barreira alemã para obrigar o inimigo a recuar. Diversas operações ofensivas iriam ser deflagradas na Champanha, obtendo avanços pouco expressivos, mas a um custo elevado em vidas humanas, sobretudo para o lado francês. A companhia comandada pelo capitão De Gaulle também participou dessas operações. No início do outono, ele escreveria a respeito: "Cá estamos nós novamente na ofensiva, e alguns acreditam que isso irá durar todo o inverno". E assim seria. Quando a estação invernal chegou, lá ainda estavam eles a chafurdar novamente na lama: "Nós vivemos dentro d'água como sapos, e, para podermos dormir, temos de suspender nossas camas dentro do abrigo".

No início de 1916, os combatentes já se encontravam havia dois invernos nos campos de batalhas em meio àquela situação deplorável. E nada iria mudar para melhor. Ao contrário: as condições insalubres das trincheiras iriam se manter e a violência dos combates até aumentar, elevando ainda mais o já alto número de mortos. E o mais grave: a guerra ainda iria se prolongar pelo dobro do tempo já transcorrido. Mas, para o capitão De Gaulle, a participação ativa na Primeira Guerra Mundial estava próxima do fim. Ainda que dos 16 meses de guerra ele tenha ficado 4 fora dos campos de batalha, o tempo vivido no *front* foi suficiente para desenvolver nele uma opinião crítica e acurada sobre a forma um tanto leviana, para não dizer desumana, com que os políticos na Assembleia Nacional e os generais do alto-comando do Estado-Maior das Forças Armadas conduziam a guerra de Paris. Enquanto os que decidiam os destinos da guerra davam ordens para uma nova ofensiva com uma só penada, bebendo bons vinhos e vivendo em condições de conforto inalteradas, os que iriam ser sacrificados por suas decisões se encontravam em buracos insalubres e sob uma chuva incessante de água, balas, obuses e tiros de canhão. Essa experiência seria marcante na formação do jovem guerreiro e o ajudaria a formar os seus juízos sobre o papel dos comandantes e estrategistas nas guerras que ainda estavam por vir.

Em meados de fevereiro de 1916, quando o 33º Regimento havia recém-partido para uma merecida pausa de descanso após um ano e meio ininterruptos nas frentes de batalha, chegou uma convocação extraordinária do alto-comando. A pausa deveria ser interrompida e o regimento teria de se dirigir urgentemente a Verdun, pois os alemães acabavam de desferir um forte golpe naquele *front*. Verdun era um ponto estratégico e simbolicamente relevante, tanto para os franceses, quanto para os alemães. Ali, os alemães haviam derrotado os franceses durante a Guerra Franco-Prussiana, e uma segunda derrota na mesma região seria moralmente insustentável para a França, que pretendia justamente naquela guerra vingar a derrota de 1871 e recuperar a Alsácia e o Norte da Lorena, então perdidos para a Alemanha. Contudo, a cidade de Verdun era ligada ao restante da França por um sistema rodo-ferroviário bastante precário, enquanto do outro lado da fronteira, os alemães dispunham de uma boa rede de estradas e ferrovias. Foi, sem dúvida, essa vantagem logística que levou o exército alemão a atacar tão pesadamente as tropas francesas naquele ponto. A aposta do comando inimigo era a de que os franceses não conseguiram resistir a um tão forte ataque dispondo apenas de uma simples e estreita estrada departamental de terra e de uma igualmente estreita e tortuosa via férrea para assegurar o abastecimento necessário de armas, munições e alimentos às suas tropas. Porém, a estratégia logística montada pelo general Pétain, designado para comandar aquela frente de guerra, seria engenhosa e inesperada. Vale a pena examinar aqui, ainda que rapidamente, o que fez Verdun resistir, tornando aquela batalha a mais importante de toda a Primeira Guerra Mundial para a França e transformando Pétain em marechal e grande herói nacional.

Na estreita estrada que ligava Verdun a Bar-le-Duc, o general Pétain estabeleceu uma circulação constante nos dois sentidos, seguindo regras rígidas. Caminhões, carros, ambulância, ônibus e camionetes iriam circular ininterruptamente a uma velocidade de 15 km/h, transportando, em média, 13 mil combatentes, 6.400 toneladas de materiais e 1.500 toneladas de alimentos por dia. Essa estrada passaria então a ser chamada de Via Sacra, constituindo-se no pulmão da Batalha de Verdun. Para suportar tão pesado tráfego numa estrada de terra, Pétain mandou abrir pedreiras ao longo dos seus 70 km de extensão, onde iriam trabalhar permanentemente 8 mil homens. Durante os 10 meses da batalha, foram despejadas na estrada cerca de 900 mil toneladas de cascalho. A pequena ferrovia também seria utilizada no máximo da sua capacidade. Antes transportando cerca de 800 toneladas por dia, sua tonelagem diária foi elevada a 2.600, além de duas mil pessoas.

Para manter o moral das tropas, Pétain estabeleceu o sistema de rodízio. A substituição das tropas seria feita sempre que o número de perdas chegasse a um terço do grupo. Após o período de descanso, a mesma tropa não voltaria em seguida para Verdun, sendo encaminhada para outras frentes. Por esse sistema, cerca de dois terços dos soldados franceses passariam por Verdun em 1916. Assim procedendo, Verdun resistiu, porém a um custo humano elevadíssimo. Um total de 300 mil vidas seriam consumidas na batalha, entre soldados franceses e alemães.

Na gélida madrugada do dia 26 de fevereiro, De Gaulle e todo o seu regimento chegaram a Verdun após três dias de viagem. Na véspera, o forte de Douaumont, ponto estratégico da linha de defesa francesa situado a poucos quilômetros ao Norte de Verdun, havia caído nas mãos dos alemães, mas as forças francesas ainda controlavam a cidade, e o 110º Regimento guardava todo o setor a oeste de Douaumont e ao sul do forte. No dia 1º de março, o tenente-coronel Boud'hors recebeu a ordem de render o 110º Regimento no setor *quente* de Douaumont, isto é, entre a estrada situada a 800 m a oeste do vilarejo, chamada O Calvário, e o sul do forte. Embora os oficiais do 110º Regimento e da 4ª Brigada do Exército Francês o tivessem assegurado que a situação se encontrava sob controle, Boud'hors tinha ainda lá as suas dúvidas e, para se certificar do estado do terreno e das reais condições para organizar a rendição, ele confiou ao capitão De Gaulle a missão de fazer uma inspeção minuciosa *in loco*. De Gaulle partiu sozinho em meio à tempestade de fogo e encontrou um terreno completamente esburacado pelos obuses e uma tropa exausta após três dias de bombardeio. O relato que ele fez ao seu superior não deixava dúvidas quanto à gravidade da situação.

A continuidade da linha de defesa sustentada pelo 110º Regimento estava garantida à esquerda, onde se encontrava com as forças do 146º, mas à direita havia uma brecha que De Gaulle estimava ser de uns 700 m. E o pior de tudo: essa brecha era justamente junto ao forte de Douaumont, onde o exército inimigo estava concentrando suas forças para desferir um novo ataque, que, segundo ele, seria iminente. Embora convencido pela descrição feita pelo seu subordinado, o comandante do 33º Regimento não tinha autonomia para suspender a operação de rendição, limitando-se a transmitir aos seus superiores as informações fornecidas por De Gaulle. Partiu, então, naquela noite todo o regimento rumo a Douaumont. Ao chegar lá, mais uma surpresa: não havia mais trincheiras propriamente ditas, mas apenas buracos de obuses interligados por canaletas rasas e cavadas às pressas. Tudo muito diferente daquilo que o 33° Regimento havia conhecido na frente de batalha em que lutou no departamento de Aisne, onde havia sucessivas linhas de defesa, protegidas por arame farpado com trincheiras devidamente cavadas, interconectadas e construídas de acordo com um plano racional.

À 10ª Companhia, comandada por De Gaulle, coube render a 12ª Companhia do 110° Regimento, ocupando a parte esquerda do vilarejo, onde se encontrava a igreja de Douaumont. Bem perto dali, encontravam-se a 5ª e a 6ª Divisão de Infantaria do 3° Corpo Armado alemão, que – iria se saber depois – tinham por missão ocupar Douaumont no dia seguinte. E a missão iria ser fiel e germanicamente cumprida. Às 6h30 do dia 2 de março, a artilharia pesada alemã começou a bombardear impiedosamente o adversário em toda extensão do setor ocupado pelo 33° Regimento e numa profundidade que chegaria a até 3 km à sua retaguarda, de forma que toda a ligação com o restante do exército francês acabaria sendo cortada. As perdas se acumularam ao longo do dia, ao ponto de deixar a companhia comandada por De Gaulle reduzida a apenas uns 40 homens. Isolado do restante do regimento e cercado dentro do vilarejo, De Gaulle tentou inutilmente escapar com os soldados que lhe restavam rumo ao norte, pressionados pelos alemães que lhes atacavam pelo sudeste; mas não houve saída possível. Dada a amplitude do ataque, que acabou por dizimar a 10° Companhia, De Gaulle seria considerado morto pelo comandante Boud'hors e, oficialmente, desaparecido, já que seu corpo não havia sido encontrado. No final de março, o capitão De Gaulle iria ser objeto de uma menção da Ordem do Exército assinada pelo general Pétain a pedido do seu comandante:

> O capitão De Gaulle, comandante de companhia reputado por seu elevado valor intelectual e moral, com seu batalhão dizimado, sob pesado bombardeio e com sua companhia cercada por todos os lados pelo inimigo, liderou os seus homens em uma luta renhida e num corpo a corpo sem tréguas, única forma que lhe pareceu compatível com seu sentimento de honra militar. Tombou em meio à refrega. Oficial sem par em todos os sentidos.

De fato, De Gaulle tombou naquela ocasião, mas no sentido estrito, e não figurado, pois foi capturado pelos soldados alemães e feito prisioneiro até o final da guerra. As circunstâncias da sua captura ele mesmo descreveu em carta endereçada ao seu antigo comandante, coronel Boud'hors, em 8 de dezembro de 1918, menos de um mês após a assinatura do armistício entre a Alemanha e as forças aliadas à França:

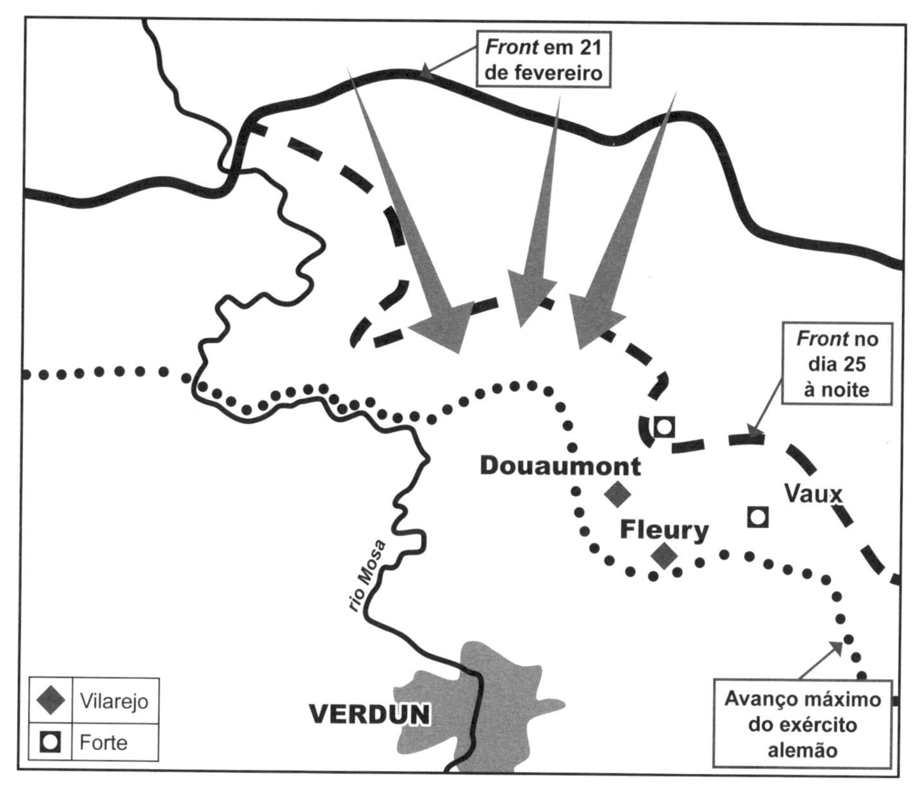


Mapa da Batalha de Verdun, de onde De Gaulle conseguiu escapar com vida. As flechas indicam o ponto de partida do ataque inicial alemão em 21 de fevereiro de 1916.

Vendo que o inimigo atacava com granadas o canto onde eu me encontrava acompanhado de outros homens e que, a qualquer momento, nós iríamos ser destruídos sem nada poder fazer, tomei a decisão de procurar nos juntarmos à seção Averlant [situada ao Norte]. O fogo que abrimos contra os alemães pareceu-me ter liberado o caminho que nos dava acesso a uma velha canaleta, já meio desmoronada, que passava ao sul da igreja. Não vendo mais ninguém, eu segui por ela me rastejando acompanhado de meu batedor e dois ou três soldados. Mas apenas dez metros adiante, ao fundo de uma canaleta perpendicular, eu vi alemães agachados para se proteger das balas que passavam. Eles me viram em seguida. Um deles me deu um golpe de baioneta que atravessou de lado a lado o meu bornal, me ferindo na

> coxa. Um outro matou o meu batedor. Uma granada explodiu literalmente sob o meu nariz alguns segundos depois, acabando de me deixar aturdido. Eu fiquei um momento deitado no chão. Depois, os alemães, vendo que eu estava ferido, me fizeram retornar de onde eu tinha vindo e onde eu os encontrei instalados... No que me diz respeito, o resto não merece mais nenhuma consideração.

Para desgosto do capitão De Gaulle, e talvez para sua sorte, sua participação ativa nas batalhas da Primeira Guerra Mundial terminaria em 2 de março de 1916. É possível que ele viesse a sobreviver se não tivesse sido capturado e continuasse lutando no Inferno de Verdun, como aquela batalha que mal se iniciava iria ficar conhecida. Mas também é igualmente possível que tivesse perecido nos dias seguintes. Em apenas quatro dias de luta, o 33° Regimento iria registrar perdas significativas e seria recolhido da linha de frente: 32 oficiais e 1.442 soldados entre mortos, feridos e desaparecidos. A violência daquela batalha seria sem precedentes na história: apenas do lado alemão, foram utilizados 1.500 canhões e 50 milhões de obuses. Os resultados daquela batalha são visíveis até hoje.

Os muitos hectares que foram campo de batalha antes haviam sido campos de cultivo de trigo e hoje se encontram cobertos por florestas. A mudança da sua utilização deve-se não apenas ao fato de se encontrarem inteiramente deformados e esburacados pelos obuses, o que dificultaria a sua utilização para a agricultura, mas também porque ali ainda restam soterrados obuses que não explodiram durante a guerra, e que poderiam ser detonados ao contato com arados e máquinas agrícolas. Nos lugares onde antes havia vilarejos, como Douaumont e Fleury-devant-Douaumont, que foram inteiramente destruídos durante a guerra e jamais reconstruídos, só restam hoje alguns marcos: uma capela no lugar onde se encontrava a antiga igreja de Douaumont; e um monumento à beira da estrada onde está escrito: "Aqui foi Fleury, destruída em 1916". No entanto, o mais impressionante de tudo é o ossário localizado no topo de uma colina, situada a meio caminho entre Douaumont e Fleury, que reúne os ossos de 130 mil soldados que morreram naquele campo de batalha, cujos corpos ficaram ali abandonados e cujas identidades nunca foram reconhecidas. Ao final da guerra, os ossos de todos os soldados – alemães e franceses, mas também árabes e africanos, que partiram das colônias francesas para lutar em Verdun sob a bandeira da metrópole – foram recolhidos dos campos e reunidos no ossário de Douaumont. Um imponente e sóbrio monumento encontra-se construído sobre a enorme montanha de ossos humanos, que pode ser vista através de pequenas escotilhas localizadas na base do prédio. Impossível ficar indiferente diante dos restos de uma das batalhas mais brutais da história da humanidade.

Foto do autor

Monumento erigido para lembrar o vilarejo de Fleury-devant-Douaumont, destruído em 1916 durante a Batalha de Verdun.

Foto do autor

Campo da Batalha de Verdun. Antes da Primeira Guerra, o terreno era coberto de plantações de trigo. A destruição causada pela guerra impede que o terreno volte a ser utilizado para agricultura.

## NO CÁRCERE, TENTANDO FUGIR

Para De Gaulle, o período vivido como prisioneiro de guerra iria ser presumivelmente difícil, como seria para qualquer pessoa que tem sua liberdade de movimento tolhida. Mas para ele, que havia tanto sonhado com o momento de se bater pela França contra o inimigo alemão, a prisão representaria ainda uma grande frustração: a perda da oportunidade tão desejada. Por querer ardentemente voltar a lutar e dar sua contribuição à revanche da França contra a Alemanha – caso contrário, por que teria ele desejado seguir a carreira militar em uma época em que a perspectiva de uma nova guerra era mais do que previsível? –, era certo que ele iria tentar se evadir quando aparecesse a oportunidade. Mas antes, ele precisaria estar devidamente curado do ferimento à baioneta que lhe atravessou a coxa esquerda de um lado ao outro.

Após a sua captura pelos alemães, De Gaulle seria encaminhado a um hospital em Mainz, uma cidade situada à margem oeste do Reno, na Renânia, Alemanha. Lá ele passaria as primeiras semanas em tratamento e acabaria sendo encaminhado a um campo de prisioneiros de guerra em Osnabrück, mais ao Norte, na Westfália, durante o mês de maio. Ali, ele logo começaria a estudar a possibilidade de escapar, descendo o Danúbio de barco. No entanto, antes mesmo que tivesse encontrado uma forma de tentar a fuga, ele seria transferido para outro campo de prisioneiros. Seu próximo destino foi uma pequena cidade chamada Sczuczyn, na Lituânia, situada relativamente próxima à frente de batalha russa, mas bastante longe da frente francesa, para onde ele pretendia se dirigir ao fugir. No novo campo, ele foi colocado em um barracão com outros 50 oficiais. Ali ele iria conhecer alguns colegas franceses, entre os quais o tenente-coronel Tardiu e o capitão Roederer, e com este ele não tardaria a arquitetar uma tentativa de evasão. Mas enquanto a oportunidade não aparecia, ele não iria ficar parado, vendo o tempo passar e se deprimindo por não estar em combate. Para alimentar o seu intelecto e o seu espírito, De Gaulle iria solicitar todos os jornais que pudessem chegar às suas mãos. A imprensa disponível era toda em alemão, língua que ele dominava por haver estudado tanto em Antoign quanto em Saint-Cyr. Publicados pelo inimigo, os jornais traziam, contudo, os comunicados de guerra feitos pela França, o que o manteria minimamente informando sobre o que se passava na França, permitindo-lhe acompanhar o curso dos acontecimentos durante a guerra.

Um dia, Roederer apresentou a De Gaulle um plano de fuga bastante simples e aparentemente factível: eles retiraram uma pedra da parede que separava o barracão, onde se encontravam, de um galpão a ele geminado que dava para o campo aberto. Por ali, eles fugiriam em direção à frente russa, além da qual se encontravam os seus aliados. Ambos se colocaram facilmente de acordo com esse plano, e enquanto Roederer começava o trabalho de soltar a pedra da parede, De Gaulle tratava de fazer um mapa da região, planejando o percurso da fuga. Mas não se sabe se por denúncia ou se por mero acaso, a pedra já meio frouxa na parede foi descoberta pelos alemães, que, em represália à não identificação dos responsáveis pela evidente tentativa de fuga, puniram a todos com o encarceramento no barracão e com a proibição de fumar. De Gaulle chegou a registrar em carta ser esta a menor e mais saudável privação. Até porque, os cigarros que chegavam até eles eram de péssima qualidade.

Depois de cinco meses no campo de detenção na Lituânia, ele e todos os demais oficiais presos como reféns foram transferidos para o 9º forte da cidadela de Ingolstadt, na Baviera. Lá começaram, de fato, as tentativas de fuga. Para De Gaulle, fugir de uma prisão militar exigia longa e paciente preparação, além de muito planejamento. A preparação começava sempre conseguindo o material necessário para viabilizar a fuga: mapas, bússola, serra, dinheiro, alimentos e roupas civis. E as formas de consegui-lo eram sempre as mesmas utilizadas por todos os prisioneiros que pretendem se evadir: encomendas recebidas, roupas transformadas, suborno dos guardas. Após as tentativas de fuga ou durante as frequentes revistas a que eram submetidos os prisioneiros, o material amealhado a tão duras penas que viesse a ser encontrado era confiscado, e a busca por eles tinha de, paciente e caprichosamente, recomeçar.

No entanto, em Ingolstadt havia uma dificuldade a mais. Era para lá que os detentos que já haviam tentado fugir eram encaminhados e, portanto, a vigilância ali seria redobrada. Mas De Gaulle não iria se abater por isso, e acabaria encontrando uma alternativa. Ele sabia que na mesma cidade havia um hospital militar, onde existia um anexo destinado aos prisioneiros de guerra; e, por mais controlado que fosse, não poderia ser comparado com a vigilância a que se encontrava submetido em Ingolstadt. Portanto, era para lá que ele deveria tentar ir para ter uma real possibilidade de evasão. E foi para lá que ele efetivamente iria utilizando-se da seguinte astúcia: primeiro, ele encomendaria um vidro de ácido pícrico, sob o pretexto de ter de tratar de frieiras. Ao recebê-lo, De Gaulle, que conhecia os efeitos que a absorção em grande quantidade daquele ácido poderia provocar no organismo, tomou dele uma boa dose e, já no dia seguinte, começou a apresentar os sintomas semelhantes ao de uma icterícia severa: tez e olhos amarelados, urina escura etc. Diante daquele quadro clínico, o médico alemão que o examinou logo o despachou para o hospital – tal como ele havia planejado.

No hospital, De Gaulle iria ser submetido a dieta alimentar e repouso. Lá, ele também acabaria conhecendo o capitão francês Dupret, que, como ele, compartilhava as mesmas intenções de fuga. Mas, para isso, eles teriam que conseguir sair do anexo onde se encontravam, reservado aos prisioneiros de guerra, e passar para o prédio central do hospital, onde havia um entra e sai de familiares e amigos que iam visitar os numerosos soldados alemães que chegavam feridos dos dois mais mortíferos campos de batalha de 1916: o de Verdun e o do rio Somme, onde os alemães se batiam, sobretudo, contra os britânicos. De lá, eles imaginavam conseguir fugir sem grandes dificuldades. Faltava encontrar quem fosse facilitar esse acesso a eles, e isso não tardaria a aparecer. Rapidamente, eles identificaram dois possíveis colaboradores: um soldado francês prisioneiro, que, por ser eletricista, passara a trabalhar para o hospital, tendo acesso livre a todas as suas unidades; e um enfermeiro alemão. O francês os ajudaria movido por sentimento cívico, levando pouco a pouco para a sua oficina de trabalho as roupas civis e os mantimentos com que De Gaulle e Dupret iriam fugir, além de lhes indicar o local onde eles poderiam encontrar a chave da oficina para recuperação do material no momento da fuga. E o alemão os auxiliaria mediante retribuição pecuniária, mas correndo riscos semelhantes ao francês que nada lhes cobrou. Sua colaboração iria consistir em comprar, na cidade, um capacete do exército alemão e lhes fornecer uma de suas calças sem o número de identificação, evidentemente. De posse de tudo aquilo de que eles necessitavam para tentar a fuga, os dois capitães franceses apenas esperavam o momento mais adequado para executar o seu plano.

A data escolhida foi 29 de outubro, um domingo, dia da semana em que as visitas eram mais frequentes e as possibilidades de evasão seriam maiores. Ao cair da noite, enquanto os enfermeiros encontravam-se absortos tomando sua sopa, o capitão Dupret colocou o capacete e vestiu a calça e um avental de enfermeiro. De Gaulle, por sua vez, manteve sua roupa hospitalar de interno. Com total facilidade, eles saíram do anexo, passaram pelos sentinelas, que nada notaram de anormal, entraram no hospital e se dirigiram à oficina onde o soldado e eletricista francês havia escondido suas roupas civis. Uma vez devidamente vestidos como cidadãos quaisquer, eles ganharam a rua e se misturaram à massa de gente que andava pela cidade no domingo à noite. Até aquele momento, tudo estava dando certo. O próximo objetivo era fazer a pé uns 300 km até o enclave suíço de Schaffhousen, onde eles, finalmente, estariam em território neutro e salvos do risco de serem identificados pelos alemães como fugitivos e capturados. Para conseguir tal façanha, eles teriam de ser muito prudentes: caminhar apenas à noite e passar os dias escondidos nas florestas. E assim eles iriam proceder. No entanto, o clima não iria com eles cooperar, pois aquele seria um outono bastante chuvoso.

No dia 5 de novembro, quando eles já haviam percorrido um terço do caminho, chegaram a Pfaffenhofen, uma pequena cidade a cerca de 30 km de Ulm. Como já era tarde, eles se arriscaram a atravessar a cidade, contando que poderiam passar despercebidos. Mas era um domingo e ao cruzarem o centro da cidade, onde havia muita luz, eles logo foram notados. Afinal, após uma semana caminhando sob a chuva, a sua aparência contrastava com a da multidão de jovens em suas roupas dominicais que por lá passeavam. Não demorou muito para que fossem seguidos, interpelados e, finalmente, identificados, presos e reencaminhados a Ingolstadt. Os oito dias de liberdade, após um pouco mais de meio ano de cativeiro, chegavam assim ao fim.

De volta a Ingolstadt, De Gaulle e Dupret seriam punidos com 60 dias de prisão em regime fechado e submetidos a várias restrições: janelas metálicas sempre fechadas, sem direito à luz; alimentação diferenciada para pior; nada para ler ou escrever; e apenas meia hora por dia de caminhada em um pequeno pátio. Mas a intenção de se evadir e voltar a combater junto ao exército francês não havia se arrefecido. De Gaulle simplesmente sabia que fugir de Ingolstadt de novo seria pouco provável, senão impossível. E por isso, durante oito meses, ele iria se comportar como um prisioneiro dócil, sem mais procurar escapar no intuito de poder ser transferido para outro campo de prisioneiros, onde tivesse melhores chances de tentar novamente a fuga. Em julho de 1917, a seu pedido, ele foi finalmente transferido para a fortaleza de Rosenberg, perto de Kronach, na Baviera.

O campo de prisioneiros de guerra de Rosenberg ficava num castelo fortificado, localizado no topo de uma montanha bastante escarpada. Ali, as condições de acomodação para os oficiais eram bem melhores que em Ingolstadt. O campo de Rosenberg dispunha de uma ala exclusiva para os oficiais, ao fim da qual havia uma torre, e lá De Gaulle teria um quarto digno desse nome com uma janela da qual poderia ver as duas muralhas que guardavam a fortaleza. Seria da janela do seu quarto, que ele iria examinar e avaliar as condições de fuga possíveis. De Gaulle logo iria perceber que a vigilância não era tão rigorosa quanto em Ingolstadt, mas, em compensação, a topografia impunha grandes dificuldades para quem dali quisesse se evadir.

Ele iria notar, e anotar, que em torno do castelo havia uma larga fossa onde os prisioneiros podiam caminhar. Essa fossa era limitada pela muralha interior, de cerca de seis metros de altura, além da qual havia uma segunda fossa utilizada como área de esportes pelos funcionários da fortaleza. As duas fossas se comunicavam por meio de uma passagem coberta existente sob a muralha interior, mas bloqueada por uma porta. Além da segunda fossa, havia outra muralha de seis metros erigida sobre uma parede rochosa de uns 40 m, abaixo da qual a descida se tornava mais suave até chegar ao vale. Eram esses os obstáculos a transpor.

A possibilidade vislumbrada pelo capitão De Gaulle para fugir de Rosenberg seria escalando a muralha exterior e descendo de rapel a rocha sobre a qual estava construída a fortaleza, o que só poderia ser feito em grupo. Mas, para isso, ele e os companheiros que quisessem acompanhá-lo nessa ousada tentativa teriam que: conseguir sair do castelo onde estavam presos sem serem vistos e ganhar a primeira fossa; em seguida, conseguir as ferramentas com as quais pudessem abrir a porta sob a primeira muralha; depois, arrumar uma escada para subir até topo da muralha exterior; e, por fim, arranjar uma corda de, no mínimo, 30 m para descer o paredão rochoso. Nada fácil, mas tudo possível.

O grupo de fugitivos foi, então, constituído por três tenentes e dois capitães: os tenentes Tristani, da infantaria colonial; Angot, da aviação; e Prévôt, do 33º Regimento. E os capitães De Gaulle e De Montéty, da engenharia, que acabava de se juntar a eles. Na noite de 1º de outubro, sob uma chuva

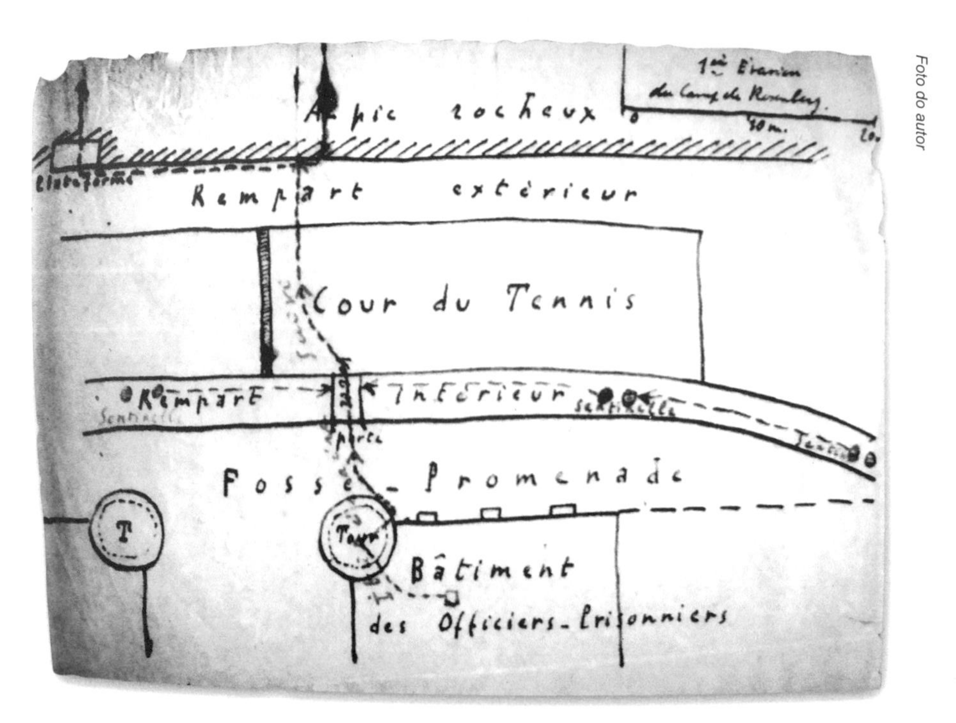


Foto do autor

Plano de fuga do campo de prisioneiros de Rosenberg, Alemanha.

torrencial, eles encontraram a condição mais propícia para executar o plano que havia sido minuciosamente preparado. Às 22 horas, os cinco se reuniram na torre localizada ao final da ala dos oficiais, cada qual munido dos instrumentos previamente combinados. Quando a chuva ficou mais forte, formando torrentes d'água que caíam do telhado e fazendo um barulho tal que pudesse encobrir o das suas ações, eles resolveram empurrar a pedra da torre, que já havia sido previamente solta, e por aquele buraco foram saindo, um a um. Depois de ganhar a primeira fossa, dirigiram-se todos à passagem sob a muralha interior. Lá, o tenente Tristani não teve dificuldade em abrir a porta, e todos, protegidos da chuva sob a muralha, montaram a escada, feita de madeira por eles encomendada a pretexto de construírem um armário nos seus respectivos quartos.

A escada montada deu perfeitamente conta para subir ao topo da muralha exterior, mas a corda, feita de lençóis amarrados uns aos outros, não era grande o suficiente para que eles descessem todo penhasco de uma só vez. Foi, portanto, necessário encontrar um ponto de apoio intermediário onde eles pudessem todos ficar, recuperar a corda e lançarem-se para a segunda e última etapa. No entanto, para que isso fosse possível, alguém dentre eles teria de renunciar à fuga, ficando no topo da muralha para soltar a corda e, em seguida, jogá-la para aqueles que se encontrassem no ponto intermediário, a fim de que pudessem reutilizá-la e vencer o último trecho. Foi o capitão De Montéty, o recém-chegado a Rosenberg e que acabara de aderir ao plano de fuga, que renunciou à liberdade para que seus companheiros a conquistassem. E assim tudo estava transcorrendo sem contratempos. De Gaulle e os três tenentes conseguiram chegar à base da montanha de Rosenberg, ganhar o campo e fugir.

Mas a liberdade não iria durar muito mais que uma semana. Após 10 noites de caminhada em direção de Schaffhousen, o frio e o cansaço lhes deram uma infeliz ideia: esconder-se em um pombal, encontrado no meio do campo, para repousar durante o dia. Por infelicidade deles, camponeses que trabalhavam nas redondezas os ouviram dentro do pombal e avisaram um soldado que guardava prisioneiros russos que trabalhavam em uma fazenda da região. Ao final do dia, eles acabaram sendo recapturados pelo soldado e por outros habitantes das redondezas. Dois dos fugitivos ainda conseguiram escapar e ficar livres por mais uns dias, mas De Gaulle e o tenente Tristani foram imediatamente reencaminhados à prisão.

De volta à fortaleza de Rosenberg, De Gaulle e Tristani logo tratariam de encontrar outro meio de fugir dali o mais rápido possível, pois eles sabiam que o destino deles seria, mais cedo ou mais tarde, Ingolstadt. Como não tinham mais tempo de preparar uma fuga escalando as muralhas, decidiram que teriam mesmo de sair pela porta. E não demoraram a descobrir uma forma. No castelo, havia uma pequena ala habitada por empregados do campo de prisioneiros. Da rua, o acesso dos moradores e seus visitantes às residências fazia-se atravessando um pátio interno que era limitado, de um dos lados, pelo bloco dos oficiais prisioneiros. Para esse pátio, davam as estreitas janelas gradeadas por onde entrava a luz que iluminava os quartos dos detentos. Foi observando o movimento no pátio a partir dessas janelas que De Gaulle e Tristani elaboraram o novo plano de fuga, que consistia basicamente no seguinte.

No pátio, havia um sentinela guardando permanentemente as janelas dos quartos dos detentos, que ia e vinha de um lado para o outro. Quando o sentinela estivesse de costas, indo em direção oposta ao bloco dos prisioneiros, o que levava em média meio minuto, De Gaulle e seu companheiro poderiam descer rapidamente da janela do seu quarto, em trajes civis e devidamente disfarçados, e se dirigir para a ala dos moradores. De lá, eles calmamente tomariam o caminho da rua como se fossem dois moradores ou visitantes, sem levantar qualquer suspeita. E isso teria de acontecer antes que a noite caísse, quando o portão do pátio era fechado. E assim eles iriam fazer. Em 30 de outubro, havia pouco menos de um mês da sua primeira fuga, eles tentaram a segunda. Durante o dia, serraram cuidadosamente e sem fazer barulho uma das barras de ferro da janela de um quarto. De lá, no final da tarde, eles desceram vestidos com roupas civis e portando disfarces, como bigodes e óculos, e correram para a ala dos empregados residentes. Enquanto isso, os prisioneiros que os ajudaram na fuga, recolheram o lençol que servira de corda para eles descerem e colocaram a barra de ferro no lugar. Ao dar meia-volta, o sentinela nada viu de anormal ao cruzar com os dois fugitivos que se dirigiam para o portão de saída.

No entanto, se o sentinela nada percebeu, alguém da cidade avistara dois detentos escapando por uma das janelas da fortaleza, avisando, em seguida, as autoridades. Estas foram, imediatamente, fazer a chamada dos prisioneiros e, ao identificar as identidades dos fugitivos, colocaram em alerta a polícia da cidade. Mas isso De Gaulle e seu parceiro só ficariam sabendo na manhã seguinte.

Dessa vez, o plano de fuga não era mais tentar chegar a pé ao enclave suíço de Schaffhousen, caminhando à noite e se escondendo de dia. Isso De Gaulle já havia feito duas vezes sem sucesso. A nova ideia seria ir de trem até Aachen, via Frankfurt, e de lá cruzar a fronteira da Holanda. Ao sair do castelo, eles foram a pé até Lichtenfels, uma cidade mais importante a 25 km de Rosenberg, onde eles poderiam tomar o trem. Chegaram lá por volta da meia-noite e, por não saberem quando partiria o primeiro trem para Aachen, se dirigiram até a estação para consultar os horários de partidas e conexões. Foi provavelmente neste momento, quando a estação se encontrava quase vazia, que eles foram identificados. Como o primeiro trem para Aachen partiria somente às cinco da manhã, eles resolveram ir para uma floresta próxima a Lichtenfels passar as horas restantes e não serem vistos perambulando pela cidade. Antes das 5 horas, lá estavam eles de volta à estação; em meio à multidão, compraram os seus bilhetes e embarcaram no trem. Mas, antes que a locomotiva desse partida, agentes de segurança bloquearam as saídas do vagão onde eles se encontravam e lhes deram voz de prisão. Ambos foram, então, diretamente encaminhados a Ingolstadt para cumprir pena.

Para cada tentativa de evasão, De Gaulle iria cumprir 60 dias de prisão em regime fechado e sob as mesmas restrições que lhe foram impostas na primeira vez. Portanto, de novembro de 1917 a abril de 1918, o capitão ficou encarcerado sem poder ler ou escrever; apenas pensar. No dia 18 de abril, ele ainda foi submetido a julgamento pelo conselho de guerra, em IngolStadt, por desacato à autoridade no momento de sua detenção no trem na estação de Lichtenfels. O desacato consistiria na forma como ele resistiu a ser embarcado num vagão de terceira classe, onde viajavam os presos comuns. A resistência dele justificava-se, pois, sendo um oficial, ele teria direito a viajar em segunda classe, conforme previsto nas convenções de guerra. Segundo consta dos autos do julgamento, De Gaulle reagiu aos empurrões do guarda gritando: "não me toque com suas mãos sujas!". Diante do júri, ele confirmou ter pronunciado essa frase, justificando que "as mãos dele estavam sujas mesmo". No meio da altercação, De Gaulle comentou ainda com o seu colega, tenente Tristani: "ele (o guarda) pensa que pode embarcar oficiais franceses como porcos", e, ao escutar essa frase, o guarda reagiu, dizendo conhecer o caráter injurioso da palavra porco (*cochon*, em francês). De Gaulle, então, com toda ironia, disse que aquela palavra era, certamente, a única que ele era capaz de entender. Essa reação altiva, ao chamar as autoridades alemãs aos costumes e ironizar o guarda, lhe valeria mais três semanas de punição, além dos 120 dias que ele estava terminando de cumprir. Mas De Gaulle não iria pagar a pena adicional em Ingolstadt, pois a prisão militar no forte nº 9 foi fechada no dia 18 de maio. Por essa razão, ele foi encaminhado à prisão militar de Passau para cumprir pena junto a prisioneiros alemães condenados por assassinato, roubo, deserção etc. De Gaulle, novamente, não iria se submeter a tal tratamento. Afinal, a sua pena não fora ampliada precisamente por ele ter se rebelado contra as condições indignas para um oficial francês? Ao cabo de três dias de protesto e sob a ameaça de entrar em greve de fome, ele foi transferido para o forte Scharnhorst, em Magdeburg, onde terminaria as suas três semanas de pena.

De lá, De Gaulle foi, em seguida, encaminhado à fortaleza de Wülzburg, perto de Weissenburg, também na Baviera. No novo cativeiro, ele iria conhecer vários oficiais franceses, entre os quais o tenente Meyer, com quem iria planejar a sua quarta tentativa de evasão. No entanto, dado o seu histórico de três fugas, a vigilância sobre ele era tal que lhe pareceria inimaginável outra forma de escapar que não fosse pela porta. Para isso, eles iriam se pôr de acordo sobre o seguinte plano: um deles, devidamente disfarçado em uniforme militar alemão, fingiria encaminhar o outro na condição de prisioneiro em transferência, o que era uma cena comum nas prisões militares. O papel de guarda da prisão iria caber ao tenente Meyer, que roubaria um uniforme alemão da sala de trabalho do alfaiate do presídio. Quanto aos trajes civis que eles teriam de vestir depois de conseguir escapar de Wülzburg, De Gaulle já vinha recebendo, havia algum tempo e a conta-gotas, as peças que ele necessitava para criar as novas roupas – tudo muito bem disfarçado entre as remessas de correio que a sua família, periodicamente, lhe enviava. Esse esquema engenhoso fora por ele comunicado à família por meio de um oficial francês repatriado por razões de saúde. E os seus pais procederam tal como o filho lhes havia solicitado.

No dia 10 de junho, o tenente Meyer vestiu o uniforme roubado e encaminhou o prisioneiro francês, capitão De Gaulle, que pretensamente estava sendo transferido para outro local de detenção. Para dar ares de veracidade à farsa, o capelão francês do presídio, abade Michel, foi acompanhá-los até o portão da prisão, dando-lhe adeus. Eles cruzaram, em seguida, a ponte elevadiça do forte, o tenente Meyer fez ao sentinela as habituais saudações entre militares alemães e ambos estavam, novamente, em liberdade. Já em trajes civis, tentaram chegar de trem até Aachen, tal como na sua tentativa de fuga anterior, mas, por simples acaso, seus documentos de identificação foram requeridos dois dias depois em um posto de controle no meio do caminho, o que fez com que eles fossem, imediatamente, reencaminhados a Wülzburg.

A guerra já se aproximava do fim e tudo indicava que a França sairia dela vitoriosa. De Gaulle sabia disso, mas não queria esperar o fim da guerra para ficar livre e iria tentar, menos de um mês depois, fugir pela quinta vez. Desta vez, ele tentaria escapar sozinho, contando com o auxílio de outros prisioneiros franceses. No início de junho, De Gaulle iria se esconder dentro de uma grande cesta de roupas sujas que toda semana era levada para a lavanderia de Wissenburg. Antes de sair com a cesta, o suboficial alemão encarregado desse serviço a fechou com um cadeado, que só seria aberto na lavanderia pela única pessoa que lá dispunha da cópia da chave – medida de segurança absolutamente normal, considerando que o seu conteúdo vinha de uma prisão militar. No entanto, abrir cadeados não é especialidade rara entre fugitivos e a questão mais delicada seria entrar e sair do cesto de roupas sem ser percebido.

Uma vez que a cesta tivesse sido transportada por prisioneiros franceses até as proximidades da porta de saída da fortaleza, o suboficial responsável por ela iria buscar os sentinelas que deveriam acompanhá-la, o que levava de cinco a dez minutos. Nesse meio-tempo, tudo deveria ser feito. Com De Gaulle, vieram também dois prisioneiros especialistas em fabricar os instrumentos necessários para possibilitar as fugas, chamados *canari*. Com apenas dois golpes, o cadeado foi estourado. Os prisioneiros que haviam transportado a cesta até ali se ocupariam de esvaziar o seu conteúdo e levá-lo de volta ao local de onde foram recolhidos. Enquanto isso, De Gaulle entraria na cesta e os *canari* iriam substituir a tranca do cadeado por um cabo de aço flexível, cujas extremidades seriam inseridas dentro da cesta de modo que De Gaulle pudesse abrir o falso cadeado quando chegasse o momento. Tudo seria executado dentro do tempo. A primeira etapa da preparação da fuga havia sido vencida. O carregamento e o transporte da cesta também foram realizados sem incidentes, e ela foi colocada no chão da lavanderia de Wissenburg com o descuido habitual com que se manipulam as cargas mortas, seguindo as instruções do próprio De Gaulle para que nada fosse feito de incomum que pudesse levantar suspeitas. Quando não havia mais barulho algum no recinto da lavanderia, ele saiu da cesta sem ser visto. Em seguida, pegou a estrada de Nuremberg, onde pretendia tomar um trem. Sua ideia inicial era tomar um trem noturno para Aachen, quando costumava haver menos controle da segurança ferroviária. Contudo, depois de caminhar por três noites e se esconder durante o dia e acometido de problemas intestinais, ele resolveu antecipar o seu embarque, tomando um trem diurno. Ele viajou em pé, com um curativo na boca para evitar ter de falar com os demais passageiros. Mas, uma vez mais, a sorte não o acompanhou até o final da viagem. Dois policiais entraram no vagão: enquanto um bloqueou uma saída, o outro chegou do lado oposto verificando a identidade de cada passageiro. Resultado: retorno a Wülzburg!

Como era previsível, as duas tentativas de fuga deveriam ser punidas com 120 dias de prisão em regime fechado e com as restrições habituais que ele bem conhecia. Mas, desta vez, ele não iria chegar a cumprir a pena, pois a guerra chegaria ao fim antes mesmo que houvesse sido legalmente determinada a sua execução. Afinal, o Império Alemão era um Estado de Direito, em que as ações do poder público, mesmo durante a guerra, decorriam do cumprimento estrito das leis. Após 11 de novembro de 1918, data da assinatura do armistício,

De Gaulle, finalmente, estaria livre. Mas quanta frustração ele havia acumulado durante todo aquele tempo de prisão e fora da luta! Esse sentimento ele mesmo iria expressar em carta à sua mãe ainda quando prisioneiro em Wülzburg:

> Querida mamãe,
> Não preciso lhe dizer que para mim nada acontece; sou um morto-vivo. [...] A senhora se propõe a me enviar livros! [...] Mas estudar para quê? [...] Para a minha carreira, a senhora iria me dizer. Mas se eu não posso mais combater até o fim da guerra, será que eu vou permanecer no exército? E que futuro medíocre eu terei? [...] Para ter algum futuro na carreira, para os oficiais da minha idade e que têm alguma ambição, a primeira e indispensável condição é ter combatido, ter aprendido a julgar, formar o seu juízo, seu caráter e sua autoridade à medida que a guerra vai mudando sua forma. [...] do ponto de vista militar, eu não tenho qualquer ilusão.

Mas, ao contrário do que ele imaginava nos momentos mais sombrios, em que o desânimo prevaleceria sobre a sua determinação, os longos anos de prisão durante a Primeira Guerra Mundial não lhe foram inteiramente perdidos. Se perdida estava a chance de lutar e amadurecer como militar no campo de batalha, o tempo de reclusão havia sido por ele bem aproveitado para estudar com afinco e enriquecer o seu espírito e intelecto.

## ALMA LIVRE EM CORPO CATIVO

Durante os anos como prisioneiro, De Gaulle nunca iria aceitar a sua condição de cativo; por isso, tentaria cinco vezes se evadir. E ele iria muito menos aceitar que as restrições ao movimento do seu corpo viessem a limitar o desenvolvimento do seu espírito. Desde os primeiros dias na prisão militar alemã na Lituânia, ele iria ler todos os jornais que pudessem chegar às suas mãos. Depois, já em Ingolstadt, onde passaria bastante tempo fazendo o papel de prisioneiro bem comportado, De Gaulle iria receber, periodicamente, encomendas enviadas por sua família com livros, papel para escrever e lápis, além, é claro, de produtos para a sua higiene pessoal, roupas e calçados.

Para De Gaulle, a leitura não seria mero passatempo nos intermináveis dias de cativeiro, nem apenas a retomada de um velho hábito, que tanto gosto lhe dava desde a adolescência. A atividade de ler seria também – e sobretudo – a forma de manter-se senhor de si mesmo, sem se deixar levar pela melancolia que frequentemente lhe assomava. O valor que ele atribuía à autodisciplina foi por ele registrado no seu diário nos seguintes termos: "O melhor procedimento para se ter sucesso na ação é saber dominar a si mesmo permanentemente". E, mais adiante, a explicação do que isso significava: "dominar a si mesmo deve se tornar uma espécie de hábito, de reflexo moral obtido por uma ginástica constante da vontade, sobretudo nas pequenas coisas". Entre estas, ele iria destacar "postura", "raciocínio", "método" e "trabalho". O estudo sistemático na prisão reuniria para ele todas as "pequenas coisas" necessárias a um homem poder dominar a si mesmo.

Em Ingolstadt, De Gaulle iria ler um livro publicado na Alemanha, um pouco antes do início da Primeira Guerra Mundial, e logo traduzido para o francês, intitulado *A Alemanha e a próxima guerra*, do general e historiador militar Friedrich von Bernhardi. Nessa obra, fortemente impregnada do social-darwinismo vigente na época, o autor equipara a guerra a uma necessidade vital, decorrente da lei natural da luta pela sobrevivência. Entre outras teses, ele sustentaria que a França tinha de ser derrotada para que a Alemanha pudesse vir a se tornar uma potência mundial. A crueza e lucidez de Von Bernhardi iriam impressionar o jovem capitão, e redobrar nele o desejo de sair de Ingolstadt para voltar à luta e combater o inimigo.

De Gaulle também leria obras de literatura durante esse tempo, como *O vermelho e o negro*, de Stendhal, *Pot-Bouille*, de Zola, e *En ménage*, de Huysmans. Como essas leituras indicam, o seu interesse pela cultura não iria ser ofuscado pela guerra. Mas o homem de cultura que havia nele iria amadurecer mesmo no período que seguiria a Primeira e antecederia a Segunda Guerra Mundial.

# O GUERREIRO NAS BATALHAS DO ENTREGUERRAS

*"Um grande chefe precisa menos de virtude do que de grandeza."*
De Gaulle, 1º de julho de 1925

Ao voltar à França, após 32 meses passados nas prisões alemãs sem poder combater, De Gaulle tinha pressa de se envolver nas campanhas militares que o seu país ainda mantinha na Europa. Apesar do armistício assinado por generais alemães, franceses e Aliados no dia 11 de novembro de 1918, que pôs fim definitivamente às hostilidades entre os beligerantes, ainda havia por toda a Europa focos de conflitos em que a intervenção militar francesa se fazia presente, particularmente nos territórios dos antigos Impérios Alemão, Russo, Austro-Húngaro e Otomano, que acabavam de desaparecer com o fim da guerra. Um desses locais de conflito era a

Polônia, que tinha parte do seu território ocupada pelos russos. De aliados na Primeira Guerra, os russos tornaram-se adversários da França após a Revolução Comunista de 1917; exatamente por essa razão, o governo francês tinha todo interesse em ajudar o jovem Estado polonês a expulsar o Exército Vermelho das suas terras. De Gaulle queria ir para lá combater, mas antes teria de passar pela escola militar de Saint-Maixent, onde fora organizado um estágio para os oficiais que, tendo sido presos durante a guerra, não puderam acompanhar a evolução do conflito.

Quatro dias após sua chegada em Saint-Maixent, De Gaulle escreveu entusiasmado à sua mãe que, "do ponto de vista moral", ele "renascia". Mas logo ele iria se entediar ao perceber que os oficiais ali reunidos não se interessavam por outra coisa senão pelo conforto e pela tranquilidade que usufruíam longe dos campos de batalha. No entanto, e para sua sorte, aquele estágio não iria durar muito, pois, em atendimento à sua demanda feita no início de 1919, De Gaulle em breve seria designado a integrar a Missão Militar Francesa na Polônia, deixando de vez aquele "triste pelotão" e tendo ainda o seu soldo dobrado.

## A EXPERIÊNCIA NA POLÔNIA E A BATALHA DO VÍSTULA

De abril de 1919 a janeiro de 1921, De Gaulle passou 18 meses servindo na Polônia, divididos em dois períodos separados apenas por um mês passado em Paris, o de maio de 1920. Ao todo, o seu envolvimento na Guerra Soviético-Polonesa foi equivalente ao seu tempo de combate na Primeira Guerra Mundial.

A Missão Militar Francesa tinha três funções básicas: a organização geral do exército polonês, a ser estruturado de acordo com o modelo francês; o apoio material; e a instrução militar. Devido ao seu conhecimento de História e teoria militares, à sua boa memória e à grande habilidade como orador, De Gaulle logo iria se tornar instrutor na Escola de Infantaria de Rembertow, criada pela Missão Francesa. Fazendo o que lhe dava prazer e o que sabia fazer bem, De Gaulle iria experimentar uma viva satisfação:

> Nossa escola de oficiais poloneses funciona, e é um trabalho grande estudar, tratar e apresentar todas as questões que nós temos de lhes ensinar. Devo dizer, contudo, que nosso trabalho não é em vão. Pouco a pouco, a verdade emerge e nós conseguimos inculcar sem grande dificuldade nesse jovem exército as doutrinas e métodos da nossa velha armada vitoriosa. De minha parte, eu aprendo muitas coisas trabalhando, e tudo isso me será de grande utilidade nos meus futuros exames para a Escola de Guerra.

A formação de um exército para o novo Estado que acabava de ser criado não era uma tarefa trivial, pois ao longo de muitos anos os poloneses viveram divididos sob as bandeiras dos Impérios Alemão, Russo e Austro-Húngaro. De Gaulle iria logo perceber a diferença de formação dos oficiais poloneses de acordo com o exército a que serviram durante a Primeira Guerra Mundial. Os oriundos do exército alemão pareciam intelectual e tecnicamente equivalentes aos franceses; os que lutaram pelo Império Austro-Húngaro exibiam um bom nível geral, mas careciam de um maior conhecimento das técnicas modernas de combate e de "rigor na execução"; e os que haviam servido junto ao exército russo não tinham mais que "uma formação rudimentar". Portanto, o desafio que se apresentava a ele e à Missão Francesa era transformar um grupo de oficiais tão heterogêneo em um exército capaz de garantir a integridade e a autonomia de um país que se encontrava espremido entre dois vizinhos poderosos: os russos, ao leste, e os alemães, a oeste.

Na escola de Rembertow, De Gaulle teria uma trajetória rápida e ascendente. De simples instrutor, ele passaria a orientador de estudos, em novembro, e a diretor do curso de formação dos oficiais superiores, em dezembro. Nas suas conferências, ele iria pôr em relevo duas questões às quais atribuía grande valor: o fator moral como elemento determinante da vitória – lição aprendida com a leitura da obra de Ardant du Picq ainda antes da guerra, quando servia no 33º Regimento em Arras; e a importância da história nacional como fundamento do Estado e sua lenta transformação ao longo do tempo, conforme a filosofia de Henri Bergson. De Gaulle não demoraria a se destacar como grande conferencista, atraindo ao seu auditório não apenas oficiais poloneses, mas também coronéis e generais do Exército Francês, interessados na verve e erudição do jovem capitão. Os temas de suas conferências seriam sempre instigantes e teórica e historicamente bem fundamentados. Por exemplo: "Quando o moral de uma tropa se mantém elevado, a vitória é possível, mas quando ele baixa, o fim se encontra próximo", inspirado na teoria de Ardant du Picq; ou "A aliança franco-polonesa", em que ele faria uma síntese da história da Polônia desde o século X até a situação presente, utilizando os princípios filosóficos de Bergson.

Após um ano passado em Varsóvia, De Gaulle começou ter a impressão de que a Polônia já lhe havia dado o que podia dar, assim como ele a ela. E, por pensar assim, ele iria recusar um convite do general-comandante da Missão Francesa para permanecer na Polônia ocupando outro posto e voltar à França. Mas ele logo iria perceber que estava enganado. Bastou-lhe um mês em Paris, desempenhando um trabalho fácil e burocrático no serviço de condecorações – que não tinha outra vantagem senão a de lhe deixar tempo suficiente para se preparar para a seleção da Escola de Guerra –, para De Gaulle se entediar e resolver retornar à Polônia. De volta a Varsóvia, em junho de 1920, o capitão não iria mais trabalhar na formação de oficiais, mas integrar uma missão franco-britânica cuja função era acompanhar e aconselhar, dos pontos de vista diplomático e militar, o governo polonês em sua guerra com a União Soviética.

A princípio, os militares franceses encontravam-se impedidos de se envolver diretamente no conflito, pois a França não estava em guerra com a Rússia bolchevique, e esse impedimento deixou De Gaulle furioso:

> Não posso deixar de pensar nos bravos oficiais que receberam as nossas lições na Escola de Infantaria de Rembertow, muitos dos quais eu sei que já morreram. Permanecer inativos, enquanto eles lutam perto daqui, é absolutamente contrário à tradição francesa!

Mas a inação francesa não iria durar muito tempo. Logo que o alto-comando militar francês tomou conhecimento dos propósitos soviéticos revelados pelo general Tukatchevski, que sem qualquer diplomacia ou meias palavras declarou que "é a oeste que se encontra em jogo o destino da revolução universal e é sobre o cadáver da Polônia que passa a estrada do incêndio do mundo", Paris iria deixar de lado as formalidades e se engajar ativamente na defesa do aliado polonês. Foi assim que De Gaulle pôde, finalmente, voltar a participar de uma guerra. Não lutando diretamente, o que significaria que a França estaria entrando em guerra com a Rússia, mas acompanhando as tropas polonesas nas frentes de batalha para lhes aconselhar *in loco* e *in continenti*.

De Gaulle foi, então, designado para acompanhar o general francês que servia de conselheiro do Grupo de Exércitos do Centro, comandado pelo jovem general polonês Rydz-Smigly, então com apenas 32 anos. Na relação entre aqueles dois generais, De Gaulle iria também perceber a profunda diferença entre os exércitos que representavam: o jovem exército polonês, "mais seguro do que experiente"; e o velho e experimentado exército francês, metódico e disciplinado, que nada deixava ao acaso daquilo que podia ser previsto e planejado. Nos campos de batalha da Polônia, De Gaulle iria conhecer outra forma de conduzir a guerra, bem diferente daquela que o cartesianismo francês lhe havia ensinado. E ficaria chocado com o que iria ver. Ao chegar à frente de batalha, ele logo iria notar que os poloneses não sabiam exatamente onde se encontrava o inimigo: "A defensiva" – escreveria ele – "no sentido que nós a entendemos no nosso *front* franco-alemão, ninguém sonha por aqui". E a mesma desordem observada entre os poloneses imperava entre o inimigo russo. Os efetivos poloneses se espalhavam por uma linha demasiadamente longa, mal organizada e mal protegida, o que dava ao adversário a chance de encontrar falhas na linha de defesa por onde penetrar. Começava, então, a retirada caótica das tropas das frentes de defesa rompidas até que o comandante resolvesse reagrupar suas forças e organizá-las para o ataque. Nesse momento, o inimigo, aparentemente do nada, batia também em retirada, e isso se repetia sucessivas vezes. Surpreso com o que via, De Gaulle concluiria admirado:"Eis o segredo das idas e vindas surpreendentes dos bolcheviques" e "poloneses": suas ações "se desenvolvem como nos romances russos, que parecem estar o tempo todo a ponto de terminar, mas que recomeçam sempre".

Quanto mais se deslocava ao longo da frente de batalha polonesa, mais ele iria se espantar com a forma de ser e agir dos eslavos e admirar a organização militar dos alemães. Ao atravessar as densas linhas de trincheiras e redes construídas pelos alemães naqueles campos entre 1915 e 1917, ele não podia deixar de reconhecer que "os alemães sabiam fazer a guerra", e entenderia como eles "sozinhos conseguiram segurar aquele gigantesco *front*", dispondo de meios reduzidos. Viajar por aqueles campos, onde pelo sexto ano consecutivo não haveria colheita por causa da guerra que se prolongava, disseminando a fome por toda a Polônia, não seria nada fácil. As proverbialmente ruins estradas polonesas se encontravam em condições ainda piores devido aos estragos produzidos pelos combates. Por esse motivo, parte do trajeto era feito de carro, e onde este não mais pudesse trafegar, usava-se uma *podwoda*, que era o meio de transporte dos camponeses, constituído de "uma larga prancha montada sobre quatro rodas, nada mais, nada menos", e puxada por um ou dois cavalos. Sobre *podwodas*, De Gaulle iria chegar a vilarejos longínquos do leste da Polônia e conhecer a rudeza e brutalidade da vida daquela gente, desconhecida de um ocidental como ele. Em seu diário de guerra, encontram-se registros interessantes do que ele viu e dos sentimentos e pensamentos que aquilo lhe provocou.

Ao passar por um vilarejo ruteno, onde não havia mais que casas de terra batida ou de madeira cobertas de palha e uma grande praça no centro da qual se encontrava um poço de onde era retirada a água utilizada por todos os moradores, ele observaria que "tudo: poço, praça e casas [era] irremediavelmente sujo pela negligência natural [sic] dos seus habitantes e pela perpétua passagem de tropas sem disciplina". No mesmo pobre vilarejo, ele também iria escutar

> o alarido típico dos judeus poloneses, amontoados, ali como em todo canto, por dezenas de medidas atrozes, procurando comercializar alguma coisa a despeito do escárnio e da brutalidade, vivendo na insegurança e no terror permanentes, detestando assim, de todo o seu coração, tanto um quanto o outro dos adversários: os cossacos russos e os cavaleiros poloneses.

Mais para o final da guerra, De Gaulle registrou um episódio que muito iria lhe marcar. Em uma ação para recuperar o controle de um vilarejo ocupado pelo inimigo, a investida polonesa seria forte, decidida e devidamente coberta por disparos de metralhadora para permitir a entrada dos seus soldados com segurança. A maioria dos russos já havia partido, restando ali apenas alguns resistentes que ainda respondiam com tiros de fuzil, sendo imediatamente mortos pelos poloneses quando consumada a retomada do local. Ao chegar lá, entre os soldados recém-abatidos, De Gaulle deparou-se com os cadáveres de duas "infelizes, jovens – e também belas – mulheres" em uniformes militares, que só diferiam dos masculinos pelas curtas saias que utilizavam. Essa visão inesperada o levou a se perguntar: "Que inexplicável sentimento teria levado essas mulheres à vida brutal de um soldado em campanha?". Na concepção do jovem De Gaulle, lutar em um campo de batalha era uma atividade exclusivamente masculina, como mostra o seu comentário, a seguir transcrito do seu diário de campo:

> Um indescritível mal-estar me tomou o coração ao vê-las. Foi ali que eu me senti ocidental. Outro dia, perto de Varsóvia, em meio à poeira e um calor tórrido, eu vi passar um batalhão de mulheres polonesas com mochilas às costas e fuzis ao ombro; um batalhão feminino. Soldadas polonesas! É claro que aquelas moças fortes do campo estavam acostumadas ao esforço físico, mas aquele espetáculo me pareceu odioso. E os transeuntes as viam desfilar sem manifestar a menor sombra de ironia, nem surpresa ou espanto.

O tempo passado na Polônia não lhe seria interessante apenas do ponto de vista do conhecimento de outra cultura e costumes diferentes dos seus – pois, além da França, ele até então só havia conhecido a Bélgica e a Alemanha –, mas também da perspectiva militar e das estratégias de guerra. A assessoria militar francesa à Polônia iria resultar em uma ação de guerra híbrida, orientada por certos princípios e pelo emprego de táticas diferentes, que se revelaria bem-sucedida. Como bem observou um dos estudiosos desse período da vida do general De Gaulle,

> [ele] fez parte daqueles raros oficiais que puderam viver duas formas de guerra diferentes e complementares, feitas de defesa de posição e movimentos em profundidade, de ataques limitados e de grandes manobras, de lentidão processual e velocidade, de método e audácia.[1]

De fato, De Gaulle havia intuído corretamente que do contato "daqueles dois chefes [o general francês, seu superior (grafado simplesmente como "general B" no seu diário) e o jovem general polonês Rydz-Smigly] só poderia resultar coisa boa". Além dessa feliz associação, também teve parte decisiva nos

Os generais poloneses Pilsudski, à esquerda, e Rydz-Smigly durante a Guerra Soviético-Polonesa.

destinos da Guerra Soviético-Polonesa o general Pilsudski, presidente da Polônia. Da mesma forma que Napoleão não comandava suas guerras dos palácios de governo, o general-presidente polonês a conduzia pessoalmente nos campos de batalha. Talvez daí tenha surgido a semente do que viria ser o artigo publicado por De Gaulle em 1928 intitulado "A ação de guerra e o chefe" (*L'Action de guerre et le chef*).

No início de agosto de 1920, um plano de defesa de Varsóvia foi finalmente traçado e posto em prática. Seguindo as instruções dos aliados franceses, foram construídas trincheiras interligadas por uma rede de canaletas de comunicação, tal como haviam feito franceses e alemães durante a Primeira Guerra Mundial. Além disso, as tropas foram racionalmente redistribuídas pelas trincheiras e na sua retaguarda, permitindo assim uma defesa mais robusta das posições ocupadas. Paralelamente, um plano geral de operações ofensivas foi também concebido e detalhado pelo comando de guerra em Varsóvia. Seguindo determinações claras e um ordenamento racional, os comandos das frentes de guerra passaram a trabalhar sobre uma base sólida e o moral das tropas polonesas logo iria se elevar.

"Antes mesmo que começasse a batalha", – escreveria o capitão De Gaulle, – "eu sentia passar sobre aqueles homens um vento de vitória que eu conhecia bem. Entre franceses, trocávamos sorrisos de augúrio."

A ofensiva polonesa na frente de batalha oriental começou de forma brilhante. O grupo de manobra, sob o comando do general Pilsudski, avançava rapidamente em direção ao norte. Os russos seriam surpreendidos com o ataque polonês vindo do leste e não conseguiriam resistir em nenhum ponto. Desorientados, começaram a fugir desordenadamente para todos os lados e os seus regimentos logo capitulariam. Na frente de batalha perto de Varsóvia, as investidas russas não prosperaram devido à sólida resistência das trincheiras. Enquanto isso, um exército de manobra partia da capital rumo ao norte sob a proteção da linha de defesa estabelecida a leste. "Sim: é a vitória, a completa e triunfante vitória", escreveu De Gaulle exultante em seu diário no dia 17 de agosto. Nesse mesmo dia, ele registrou ainda um fato curioso relativo ao clima moral reinante entre a tropa do adversário:

> Hoje, veio se render um regimento inteiro de cavalaria. Trezentos homens conduzidos por um capitão russo [...] um jovem distinto, falando francês e que me parecia bastante melancólico de se encontrar em um exército como aquele. – O que o senhor queria, meu comandante? É preciso viver! É isso o que o governo de Lênin permite a nós, oficiais, com a condição de aceitarmos servi-lo.

Assim, na Batalha do Vístula, a Guerra Soviético-Polonesa chegava ao fim. Os poloneses iriam colher a sua primeira vitória como Estado independente e os oficiais franceses retornariam a Varsóvia. Ainda em novembro de 1920, ao final da sua estada na Polônia, De Gaulle iria publicar o seu primeiro escrito militar, ainda que sem sua assinatura: *A Batalha do Vístula: diário de campanha de um oficial francês*, na *Revue de Paris*. Em meados de janeiro do ano seguinte, ele iria receber uma menção honrosa do ministro da guerra por seu desempenho na Polônia:

> Designado para integrar o estado-maior do general encarregado do grupo de exércitos poloneses do sul, e depois do centro, prestou serviços como oficial do 3º Gabinete. Destacou-se particularmente pela forma brilhante como desempenhou, nas condições mais difíceis, diversas missões junto aos exércitos durante as operações de agosto de 1920, dando provas de um sentimento muito claro das situações, de um julgamento seguro e se expondo mesmo ao contato com o inimigo para se documentar com precisão. Para o seu chefe, foi o mais precioso dos auxiliares e para os seus camaradas poloneses, o exemplo de um oficial de guerra completo.

Sua atuação na Polônia iria ainda lhe render condecoração e Medalha de *Virtuti Militari* em novembro daquele ano.

Em 1º de fevereiro de 1921, De Gaulle retornou finalmente a Paris, onde iria escrever um detalhado artigo sobre o exército polonês, abordando todos os aspectos relevantes: a forma de comando; a organização dos estados-maiores; a tática geral empregada; os problemas de comunicação entre os diversos escalões que compunham o comando; as virtudes e os defeitos da tropa; e a qualidade dos serviços de suporte e abastecimento. Além disso, iria descrever e analisar em minúcia as características e o uso das suas diferentes armas: infantaria, artilharia, cavalaria, engenharia, aviação e carros de combate. Em relação à utilização dessa última arma – os tanques de guerra –, ele faria ainda algumas considerações que já prenunciavam a importância que ele, no futuro, viria a ela conferir: "Na única circunstância em que o emprego dos tanques foi previsto em grande escala (a Batalha de Varsóvia), ele foi mal realizado". E em seguida, acrescentaria: "Os tanques são feitos para dar sustentação à infantaria no ataque, e não para defender QGs, ou para ajudar na defesa de um ponto de apoio. Eles devem ser postos em operação juntos, e não dispersos". A concepção de como a nova arma de guerra, representada pelos tanques, deveria ser utilizada iria ser, pouco a pouco, desenvolvida em vários artigos até encontrar a sua formulação mais consistente no livro *Rumo a um exército profissional* (*Vers une armée de métier*), publicado em 1934. A partir do seu retorno a Paris, o dedicado oficial, atento observador e talentoso escritor, iria dar novo impulso à sua carreira militar, notabilizando-se por suas numerosas publicações sobre temas militares.

## PROFESSOR, CONFERENCISTA E ESCRITOR

Recém-chegado de volta a Paris, De Gaulle iria conseguir o posto que queria: o de professor de História da Escola Militar de Saint-Cyr. Esse era o trabalho ideal para alguém que, como ele, tinha grande habilidade de conferencista, um vasto conhecimento de História e uma memória privilegiada, o que lhe permitia fazer uma longa conferência, rica em detalhes, sem ter de recorrer a anotações. Além disso, essa também seria uma ótima oportunidade para ele se preparar para o disputado concurso de admissão para a Escola Superior de Guerra, pois, enquanto estivesse preparando suas aulas, estaria também estudando. Durante o ano acadêmico de 1921-1922, De Gaulle ministrou o curso *História da armada francesa: da Revolução de 1789 aos dias atuais*, para um anfiteatro composto por 300 alunos selecionados de acordo com os mesmos critérios exigentes aos quais ele havia se submetido no outono de 1910, acrescidos de 39 antigos suboficiais que haviam combatido durante a Primeira Guerra Mundial.

Seu brilhantismo e sua desenvoltura como orador não iriam apenas encantar os *huiles* – o que já era esperado –, mas também fazer com que os *fines* se interessassem pelo assunto tratado, e não só por exercícios físicos. Além dos alunos, coronéis e generais iriam assistir às suas conferências. Durante a primavera de 1922, a imprensa oficial do Estado publicaria a admissão de Charles de Gaulle na Escola Superior de Guerra na 33ª colocação, entre os 129 admitidos. Mas até que o curso tivesse início, no outono daquele ano, ele e os demais aprovados teriam de passar por vários estágios em diferentes unidades do Exército.

A passagem pela Escola Superior de Guerra foi uma etapa importante na carreira do general De Gaulle, como, aliás, seria na de qualquer oficial com pretensões de ascensão na hierarquia militar. No entanto, os dois anos de formação não foram propriamente um reto caminho em direção àquilo que ele esperava. Embora ainda jovem, De Gaulle já havia acumulado uma importante experiência como professor e uma grande cultura, mas nenhuma modéstia. Não seria nada fácil a ele comedir-se na condição de simples aluno depois de já ter sido professor em Saint-Cyr e admirado tanto por seus alunos quanto por oficiais mais graduados que ele. Durante o tempo de Escola de Guerra, De Gaulle não iria se restringir à condição de mero aluno. Em dezembro de 1923, ele publicou na *Revue Militaire Générale* um artigo intitulado "O reverso da condecoração" (*L'Envers du décor*), em que discutiria as dificuldades encontradas pela Alemanha e seus aliados para conseguir unidade de comando durante a guerra de 1914-1918. E, no ano seguinte, publicaria o seu primeiro livro sobre História Militar.

*A discórdia entre o inimigo* (*La Discorde chez l'ennemi*) não iria ter grande acolhida pelo público, mas já revelava os temas que seriam recorrentes nos seus futuros trabalhos e sua percepção da realidade da guerra nos novos tempos. "Na guerra" – escreveu ele – "à parte alguns princípios essenciais, não existe um sistema universal, mas apenas circunstâncias e personalidade". Segundo o analista militar britânico Basil Liddell Hart, quando a Primeira Guerra Mundial eclodiu, em 1914, a Alemanha possuía então o melhor exército do mundo. No entanto, apesar da sua vantagem militar, ela acabou vencida em 1918. Para De Gaulle, a causa fundamental da sua derrota residira no fato de o Estado-Maior alemão ter-se mantido fiel ao modelo de guerra de 1870, quando a Prússia derrotara a França. Além disso, havia na Alemanha uma preponderância do poder militar sobre o civil, o que permitia ao Estado-Maior impor sua visão de guerra ao governo e ao parlamento. Contra a concepção nitzscheana, que confere um papel desmesurado aos chefes militares alemães, De Gaulle oporia o comedimento e o classicismo franceses, pois "somente o sentido do equilíbrio, do possível e da medida tornam duráveis e fecundas as obras da energia". Os atos desmedidos do comando militar alemão teriam, consequentemente, levado a Alemanha à derrota. Durante o último ano de guerra – escreveu De Gaulle - o povo alemão iria passar "da confiança à dúvida, da dúvida ao pânico, e da revolta à capitulação". Em suma, os alemães perderam a guerra por não mais acreditar que a vitória fosse possível. Essa grande lição aprendida pelo capitão De Gaulle não seria esquecida pelo general que, 18 anos mais tarde, iria assistir inconformado à França ficar de joelhos diante do invasor alemão simplesmente porque o alto-comando militar francês não acreditava na possibilidade de vitória.

Porém, antes que a história viesse comprovar o acerto da lição do capitão De Gaulle, a combinação entre juventude, talento, ousadia e certa dose de imprudência teria para ele custo elevado. O menor deles seria o apelido de *condestável*, o mesmo que lhe fora dado no tempo de prisão durante a Primeira Guerra Mundial, quando ele ocupava seu tempo estudando e fazendo conferências para os outros detentos, alguns dos quais seus colegas na Escola Superior de Guerra. O mais grave, no entanto, foi o conceito recebido ao final do curso, bem aquém do que ele esperava e imaginava merecer: um mero *assez bien* (suficiente). Porém, o mais ultrajante de tudo foi a menção recebida do coronel que o avaliara:

> Oficial inteligente, culto e sério. Tem brilhantismo, facilidade, vocação e muito estofo. Corrompem suas incontestáveis qualidades sua segurança excessiva, sua intransigência com as opiniões dos outros e sua atitude de rei no exílio. Além disso, parece ter mais aptidão para o estudo sintético e geral de um problema do que para o exame prático e aprofundado da sua execução.

Porém, graças à intervenção do marechal Pétain em seu favor, o conceito de Charles de Gaulle foi posteriormente elevado para *bien*, sem o que a sua progressão na carreira militar estaria definitivamente comprometida. Isso, contudo, não o impediria de deixar a Escola Superior de Guerra furioso, afirmando que ali "não mais iria pôr os pés, a não ser para dirigi-la". Entre os 129 egressos, De Gaulle obteria a 52ª classificação, ou seja, 19 posições atrás da obtida na sua admissão, dois anos antes. Por conta desse modesto resultado, a primeira missão que lhe foi atribuída não seria de dar inveja a ninguém: sua função seria a de responsável pela conservação dos alimentos da tropa junto ao 4º Gabinete do Exército do Reno, em Mainz, Alemanha. Felizmente, ele ficaria pouco tempo exercendo essa atividade, pois logo o marechal Pétain, que era inspetor do exército e vice-presidente do Conselho Superior de Guerra, iria chamá-lo para trabalhar no seu estado-maior. Antes de retornar a Paris, De Gaulle iria ainda publicar na *Revue militaire française* um artigo contrapondo-se frontalmente às teorias ensinadas na Escola Superior de Guerra: "Doutrina *a priori* ou doutrina das circunstâncias" (*Doctrine a priori ou doctrine des circonstances*). "O espírito militar francês" – escreveu ele – "rejeita reconhecer na ação de guerra o caráter essencialmente empírico que ela deve ter". Procurando a todo custo construir uma doutrina que lhe permitisse "*a priori* orientar a sua ação e forma", os ensinamentos da Escola Superior de Guerra relegariam a um segundo plano "as circunstâncias, que deveriam estar na sua base".

Não seriam apenas a falta de modéstia e a impetuosidade do jovem oficial De Gaulle as responsáveis pelos seus problemas na Escola Superior de Guerra. A questão de fundo era que, no Exército Francês da época, o conservadorismo mental era dominante, o que se chocava frontalmente com o espírito inquieto e investigativo de Charles de Gaulle. A vitória da França na Primeira Guerra Mundial – que resultou mais da ação do Exército Francês do que da colaboração dos seus aliados – iria fossilizar na mente dos generais vitoriosos a receita daquele sucesso, tornando-os surdos a vozes dissonantes. "Esse é o efeito perverso recorrente das vitórias. O vencedor tende a se fechar naquilo que ele acredita ser a chave do seu sucesso".[2]

Além do conservadorismo dos heróis da guerra de 1914-1918, havia também uma enorme dívida pública que a França havia acumulado durante o conflito, que tinha de ser paga também à custa de enormes cortes no orçamento militar. Isso mataria no nascedouro a consideração de qualquer proposta de inovação e renovação dos artefatos bélicos, como a formulada pelo general Estienne, em relatório encomendado pelo marechal Pétain:

> O surgimento nos campos de batalha de veículos mecânicos movidos por esteiras rolantes é um evento equivalente em importância ao da pólvora de canhão. A meu ver, isso mudará, em breve, os fundamentos seculares não apenas da tática, mas também da estratégia e, consequentemente, a organização dos exércitos, o que é de extrema importância no momento em que nos encontramos, às vésperas da refundação de nossas instituições militares.

Contudo, o visionário general Estienne foi aposentado por idade em novembro de 1922, e suas considerações sobre o que deveria ser feito para preparar a França para as guerras do futuro logo iriam cair no esquecimento geral, mas ficariam devidamente guardadas na memória de Charles de Gaulle. A partir dos anos 1920, o conceito de guerra defensiva iria se impor. O trauma criado na opinião pública francesa pela enormidade de mortos produzidos durante a Primeira Guerra Mundial desenvolveria no alto-comando militar um cuidado extremo em preservar vidas. Essa preocupação era, é e sempre será eticamente defensável, mas acabou sendo erroneamente aplicada pelos dirigentes das forças armadas francesas, como a História não demoraria a mostrar. De 1930 a 1935, a maior parte dos recursos destinados à defesa foi empregada na construção da Linha Maginot, uma sequência de fortificações erigidas ao logo da fronteira da Alemanha que, supostamente, seria capaz de proteger a França da invasão do seu maior inimigo sem arriscar a vida dos soldados.

Porém, bem antes que a Linha Maginot mostrasse a sua completa inutilidade, que De Gaulle elaborasse sua estratégia de combate com tanques de guerra e que ele viesse, finalmente, a se desentender com Pétain, ele iria trabalhar para o marechal e servir as forças armadas francesas em diferentes lugares do mundo, o que só viria ampliar a sua visão geoestratégica das necessidades e dos interesses da França.

Ao receber o capitão De Gaulle no seu estado-maior, em julho de 1925, Pétain sabia que estava pondo a seu serviço um oficial inteligente, com grande conhecimento de História Militar e com o dom de escrever. Por isso, ele o encarregou de redigir um livro, a ser posteriormente assinado por Philippe Pétain, intitulado *História do soldado* (*Histoire du soldat*). De Gaulle não iria se incomodar nem um pouco em escrever para seu superior hierárquico, o que não era incomum no exército. No entanto, ele veria nisso um apequenamento do marechal, pois, para o homem de letras que De Gaulle já era, escrever é uma atividade que não se delega. Enquanto escrevia o livro de Pétain, De Gaulle não deixaria, no entanto, de escrever por si mesmo, o que resultou em um artigo intitulado "O papel histórico das fortificações francesas" (*Rôle historique des places françaises*), publicado em dezembro daquele ano. Ao ler os manuscritos desse artigo, que De Gaulle apresentou em primeira mão ao seu marechal, Pétain se absteve de fazer qualquer comentário, exceto lhe determinar que trabalhasse exclusivamente na redação de *História do soldado*. É bem provável que, naquele momento, De Gaulle já tivesse percebido quanto de vaidade habitava o espírito do velho marechal. Mas se alguma dúvida havia em relação a isso, ela logo desapareceria quando Pétain aceitou a proposta do governo de substituir o marechal Lyautey no comando das forças encarregadas de acabar com a rebelião comandada por Abd el-Krim, no Marrocos. Para De Gaulle, era claro que a substituição de Lyautey fora movida por razões exclusivamente políticas – pois ele era considerado pela esquerda, então no poder, um monarquista –, e não por incapacidade militar. Ao aceitar aquela indicação por motivo tão torpe, De Gaulle veria em Pétain mais vaidade disfarçada de virtude do que grandeza. Anos depois, De Gaulle manifestaria a profunda decepção que essa decisão de Pétain lhe causou com a seguinte declaração: "O marechal Pétain foi um grande homem. Ele morreu em 1925".

Contudo, Pétain ainda iria propiciar a De Gaulle bons momentos em sua carreira militar. Esse foi precisamente o caso quando o marechal propôs ao seu pupilo fazer três conferências na Escola Superior de Guerra, onde ele havia dito que não mais poria os pés. Mas essa era uma proposta irrecusável! Por indicação do marechal Pétain, todos os oficiais deveriam ouvi-lo no anfiteatro, inclusive os generais e o coronel que o haviam avaliado mal e comparado-o a "um rei no exílio". A revanche que Pétain possibilitava a De Gaulle também seria sua. Afinal, quando coronel, Pétain também ali havia padecido por conta de suas ideias divergentes e só viria a se tornar o grande marechal da França na Batalha de Verdun, fazendo o que ele considerava adequado, e não aquilo que a Escola de Guerra lhe havia ensinado.

De Gaulle começaria a preparar com esmero as suas conferências já no final de 1926. Mas enquanto as elaborava e antes mesmo de realizar a primeira delas, ele iria publicar um diálogo imaginário entre um soldado do Antigo Regime e outro da Revolução sob o título *A tocha* (*Le Flambeau*), na *Revue militaire française*. O ficcionista da adolescência reapareceria assim na pena do capitão de 36 anos. Finalmente, nos dias 7, 15 e 22 de abril de 1927, De Gaulle realizou as três conferências no anfiteatro nobre da Escola Superior de Guerra, para regozijo seu e de Pétain e para humilhação daqueles que os haviam desmerecido. O marechal o apresentou à audiência com as seguintes palavras proféticas: "Senhores, escutem o capitão De Gaulle com atenção. O dia virá em que a França reconhecida apelará a ele". A primeira conferência teve por tema *A ação de guerra e o chefe*; a segunda, *Do Caráter*; e a terceira, *Do Prestígio*. O sucesso e a repercussão das suas conferências foram tamanhos que, no outono daquele mesmo ano, De Gaulle seria convidado a repeti-las no anfiteatro da Sorbonne para um público composto de intelectuais, ligados fundamentalmente a Charles Maurras e ao movimento monarquista L'Action Française. De Gaulle aceitaria sem hesitação o convite, pois não eram as ideologias dos grupos a quem ele falava que lhe importavam, mas o que ele tinha a lhes dizer. Os textos dessas três conferências viriam a ser publicados na *Revue militaire française*, entre 1930 e 1931, e posteriormente reunidos, reformulados e publicados no livro intitulado *O fio da espada*, em 1932 (*Le Fil de l'épée*).

Ainda no outono de 1927, De Gaulle seria promovido a chefe de batalhão e encarregado do comando do 19º Regimento de Caçadores da guarnição estacionada em Trier, na Alemanha. Sua nomeação à frente de um corpo de elite como aquele causou estranheza no exército, pois De Gaulle nunca fora caçador, mas um simples oficial da infantaria. Nos meios militares da época, corria à boca pequena que o general Matter, responsável pela sua indicação ao comando daquele regimento, teria justificado a escolha dizendo se tratar de "um futuro generalíssimo da França". Mas antes que De Gaulle se mudasse com sua família para Trier, ele ainda receberia outro reconhecimento do seu valor militar: a Medalha dos Evadidos, com citação equivalente à Cruz de guerra com palma, por suas cinco tentativas de fuga quando prisioneiro durante a Primeira Guerra Mundial e mais de duzentos dias de prisão em regime fechado: "modelo de coragem e tenacidade".

Em Trier, De Gaulle voltaria ao comando após 11 anos. A última vez em que ele esteve nessa posição tinha sido no dia 2 de março de 1916, em Douaumont, onde a sua divisão fora dizimada e ele capturado. Depois disso, ele voltaria às linhas de frente nos campos de batalha na Polônia, mas não como comandante, e sim como conselheiro. Já era, portanto, mais do que chegado o momento de ele passar por "um tempo de comando", como se dizia no jargão militar da época. Ao chegar a Trier, ele teria 721 subordinados. Durante os dois anos em que ele lá esteve à frente do 19º Batalhão, dois traços do oficial De Gaulle como chefe iriam se revelar: sua forte personalidade, com seus aspectos positivos e negativos; e sua dificuldade em se relacionar com os superiores hierárquicos.

O chefe De Gaulle iria se mostrar bastante rigoroso com seus subordinados. Da mesma forma que ele próprio se apresentava sempre impecavelmente vestido, usando luvas brancas e numa postura ereta que só salientava sua estatura, ele iria exigir da tropa todo cuidado com aparência e vestimenta, não admitindo que botões faltassem nos uniformes ou que a boina não estivesse adequadamente inclinada à direita, como havia sido por ele determinado. As atividades físicas impostas à tropa também seriam bastante exigentes: muitas manobras, alertas e sessões de tiros. No inverno de 1928, o seu batalhão bateria todos os recordes, percorrendo 50 km em um único dia, apesar da oposição dos médicos militares a esse tipo de excesso. Conferências sobre temas militares, História e cultura geral seriam também regularmente impostas aos seus soldados.

A rigidez da concepção do capitão De Gaulle sobre a atividade militar não lhe permitia admitir que alguém não considerasse, como ele, uma honra servir ao exército francês em Trier. Por isso, e para estancar a sangria de soldados que deixavam seu batalhão por outras unidades do exército localizadas na França, ele iria ameaçar de prisão aqueles que insistissem em ser transferidos. E iria cumprir a ameaça, prendendo um jovem que conseguira remoção para território francês por influência de um deputado. O caso evidentemente irritou o parlamentar que interviera pelo soldado, levando o fato ao conhecimento do ministro da Guerra. E, mais uma vez, iria caber a Pétain pôr panos quentes, apaziguar os ânimos e evitar que De Gaulle sofresse sanções por suas ações intempestivas.

Além de muitos soldados franceses não verem qualquer honra em servir na Alemanha – ao contrário, viviam aquela experiência como numa espécie de exílio –, outro fator reduziu ainda mais a atratividade do serviço militar naquele país junto à tropa, desfalcando ainda mais seu batalhão. No inverno de 1928-1929, uma epidemia de gripe causou a morte de 143 soldados em todo o Exército Francês estacionado na região do Reno, 30 dos quais em Trier e 7 no batalhão comandado por De Gaulle. Ao final dos dois anos no comando do seu batalhão, e em decorrência da conjunção de todos esses fatores, De Gaulle viu o número de efetivos sob o seu comando reduzido à metade. Em outubro de 1929, o 19º Batalhão foi então dissolvido.

Embora De Gaulle tenha consagrado a maior parte do tempo passado em Trier a preparar e dirigir o seu batalhão, ele não deixaria de manter uma viva atividade intelectual, dessa vez não mais como conferencista, mas como escritor. Em março de 1928, ele iria publicar na *Revue militaire française* um artigo sob o título "A ação de guerra e o chefe", tema que a ele sempre foi muito caro desde a descoberta da obra de Ardant du Picq, em Arras, antes da Primeira Guerra Mundial. Em abril do ano seguinte, ele publicaria ainda "Filosofia do recrutamento" (*Philosophie du recrutement*), na *Revue de l'infanterie*. Além disso, De Gaulle manteria uma correspondência frequente e proficua com o coronel Émile Mayer, que fora iniciada em 1925 e continuaria até a morte deste, em 1938. De Trier, em dezembro de 1928, De Gaulle escreveu ao coronel Mayer uma carta visionária em que, em um único parágrafo, apontava as futuras ações expansionistas da Alemanha até a eclosão da próxima guerra:

> O exército [francês] do Reno está com seus dias contados. A força das coisas destrói o que resta de barreiras simples e provisórias. É preciso ter claro que o Anschluss [em alemão, a anexação, referência à área a oeste do Reno, ocupada pela França desde o final da Primeira guerra Mundial] está próximo. Em seguida, virá a retomada pela Alemanha, por bem ou por mal, do que lhe foi tirado em benefício da Polônia. Depois, será a vez de ela nos reivindicar a Alsácia. Isso me parece escrito nas estrelas.

Essa visão apurada sobre o que se passava no mundo e sobre os eventos que estavam por vir acompanhariam De Gaulle por toda a sua vida. E a forma de registrar a sua arguta percepção seria sempre a escrita: nos seus diários de guerra; nos seus cadernos de notas, sempre à mão e em uso contínuo; nas frequentes cartas que enviava a seus pais, sua esposa e amigos; nos numerosos artigos que publicava nas revistas; e nos livros que preparava, entre os quais, o que lhe havia sido encomendado pelo marechal Pétain e no qual continuava a trabalhar. Para De Gaulle, escrever era como uma segunda natureza, tão essencial como respirar e comer, além de indissociável da personalidade de quem escreve. Por isso, ele não poderia, e sequer se proporia a, escrever para outrem sem revelar a si mesmo no texto. Foi provavelmente por isso que o marechal Pétain resolveu introduzir entre ele e De Gaulle um revisor do livro *História do soldado*.

Essa decisão do marechal iria enfurecê-lo, e Pétain sabia disso. Afinal, ambos tinham algo em comum, que os aproximava e distanciava ao mesmo tempo: um grau extremamente elevado de amor-próprio, que no velho marechal se transmutava em vaidade e no então nem mais tão jovem capitão, em orgulho. A ruptura definitiva entre ambos iria se consolidar em torno do livro e se consumar na correspondência trocada entre ambos: polida na forma, mas áspera no conteúdo. Em carta endereçada ao marechal, De Gaulle o lembraria que, no acordo inicial entre ambos, não havia terceiros envolvidos. E, não satisfeito com o chamamento do seu superior aos termos iniciais do que havia sido acordado, ele ainda iria precisar que "o estilo é o homem" e acrescentar: "todo o mundo conhece a sua aversão por escrever". Essa carta, porém, não ficou restrita a ambos, pois seu conteúdo acabou conhecido no meio militar parisiense, pois toda a correspondência do marechal passava pelas mãos do coronel por ele encarregado de fazer a revisão do livro. Porém, diferentemente do capitão De Gaulle, o marechal Pétain não era um homem de confronto direto e aberto, e lhe respondeu garantindo que os créditos pela redação do livro seriam mencionados no prefácio, a ser redigido por ambos. Mas esse prefácio nunca viria a ser redigido, nem muito menos o livro *História do soldado*, publicado. Anos mais tarde, com base nos manuscritos daquele livro, De Gaulle iria publicar sob o próprio nome *A França e seu exército* (*La France et son armée*), em 1938.

A relação colaborativa entre De Gaulle e Pétain terminou, então, em 1929. Ao ser dissolvido o 19º Batalhão de Trier, De Gaulle tentaria ainda retornar ao estado-maior do marechal, imaginando que este necessitasse dele para escrever o seu discurso de posse na Academia Francesa, onde ocuparia o lugar do marechal Foch, que acabava de falecer. Mas Pétain não o quis. De Gaulle ainda iria tentar tornar-se professor da Escola Superior de Guerra. Contudo, a recepção dos professores da escola foi a pior possível, ameaçando irem todos embora se De Gaulle fosse para lá. Fora isso, Pétain não mais estava disposto a bancá-lo, como fizera quando o impôs como conferencista dois anos antes. Ao contrário, Pétain o aconselhou a ir servir no Líbano e na Síria, colocados sob mandato francês desde o fim da Primeira Guerra Mundial. Ou seja, bem longe de Paris e fora da Europa.

De 1929 a 1931, De Gaulle moraria com sua família em Beirute, onde lhe coube a direção dos 2º e 3º gabinetes das tropas do Oriente (*Levant*). Durante esse tempo, ele iria circular bastante pela região, conhecendo bem o Líbano e a Síria. Ao final desse período, o historiador militar que nele habitava o levaria a participar de uma publicação coletiva chamada *História das tropas do Oriente* (*Histoire des troupes du Levant*). Dos dois anos passados no Líbano, ficou para a História seu discurso pronunciado na Universidade São José de Beirute, por meio do qual ele iria se notabilizar pela ousadia em conclamar a juventude libanesa a preparar-se para construir o seu próprio Estado sob o qual "cada um estivesse subordinado ao interesse geral". No entanto, apesar de sua exortação invocando os mais nobres valores liberais para a construção dos futuros Estados Sírio e Libanês, sua sensibilidade o faria intimamente mais cético. Em cartas escritas ao coronel Mayer, ele iria referir-se à situação na região e prospectar o seu futuro em termos que parecem descrever a sua situação presente, apesar de mais de 80 anos passados. Em 30 de junho de 1930, ele assim escreveu: "O Oriente é uma região por onde tudo passa: religiões, exércitos, impérios e mercadorias sem que nada mude. Há dez anos que estamos [o exército francês] aqui. E minha impressão é a de que acabamos de chegar e que as pessoas nos são tão estranhas quanto nós sempre fomos a elas". Meio ano depois, ele faria a seguinte descrição:

> O Oriente segue calmo como sempre, se assim se puder chamar a perpétua excitação dos espíritos orientais quando não há consequências sangrentas de imediato. Aqui se encontram populações que nunca estiveram satisfeitas com nada, nem com ninguém, mas que se submetem à vontade do mais forte por menos que ele a exprima e à de uma potência mandatária que ainda não descobriu direito em que sentido deve exercer o seu mandato. Isso provoca uma incerteza crônica que, aliás, se encontra em todo o Oriente. A questão fundamental é – a meu ver – que vão querer aplicar ao mundo do Oriente os princípios liberais e democráticos aos quais o Ocidente está acostumado e que aqui produzem resultados estranhos.

De volta a Paris, no outono de 1931, De Gaulle seria nomeado oficial redator do Secretariado-Geral do Conselho Superior da Defesa Nacional. Em maio do ano seguinte, ele publicaria, na *Revue d'infanterie,* um artigo sob o instigante título "Combates em tempos de paz" (*Combats en temps de paix*). Em 22 de julho, chegou às livrarias o seu segundo livro, *O fio da espada*, um ensaio de filosofia militar, "livro-chave que permite conhecer quem é o homem e quais são suas referências".[3] Diferentemente de *Discórdia entre o inimigo*, a nova obra foi muito bem recebida pela crítica, mas não venderia mais que 700 exemplares. Nela, De Gaulle revelaria com precisão não só sua visão do papel do comando e do chefe, mas também sua concepção do poder:

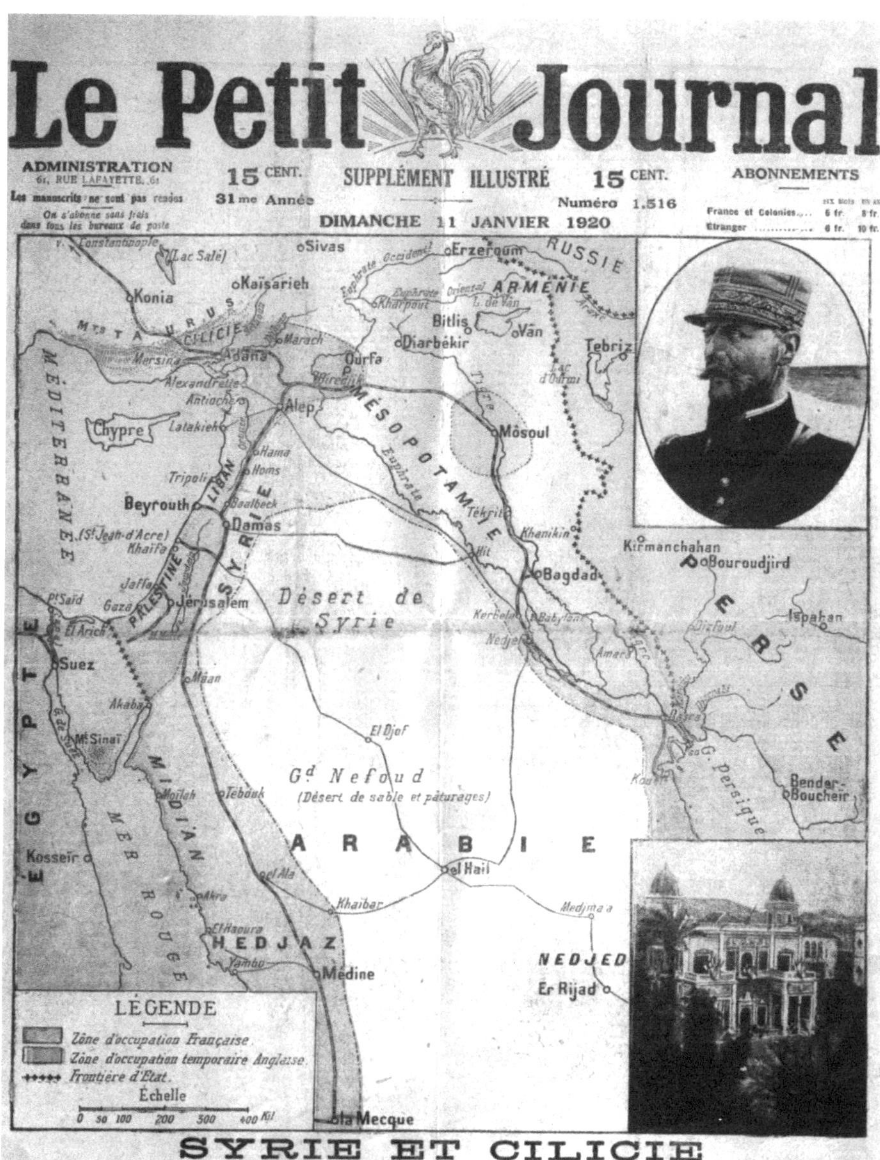

# Le Petit Journal

ADMINISTRATION
61, RUE LAFAYETTE, 61
Les manuscrits ne sont pas rendus
On s'abonne sans frais dans tous les bureaux de poste

15 CENT. SUPPLÉMENT ILLUSTRÉ 15 CENT.
31me Année Numéro 1.516
DIMANCHE 11 JANVIER 1920

ABONNEMENTS
France et Colonies ... 6 fr. 8 fr.
Etranger ... 6 fr. 10 fr.



**SYRIE ET CILICIE**

*Les pays du Levant occupés par la France*

**Le général Gouraud, haut commissaire de la France en Syrie — Sa résidence à Beyrouth**

Capa do *Le Petit Journal*, em 1920, com os mapas da Síria e do Líbano, então sob mandato francês, onde De Gaulle iria servir de 1929 a 1931.

> Sem a força, poderíamos, nós, conceber a vida? Se se impedisse de nascer, se se esterilizassem os espíritos, congelassem as almas, adormecessem as necessidades, então, a força desapareceria em um mundo imóvel. Do contrário, nada fará que ela deixe de ser indispensável. Recurso do pensamento, instrumento da ação, condição do movimento, ela é quem dá à luz progresso no mundo.

De Gaulle iria dedicar ao marechal Pétain essa obra, explicando-lhe o seguinte: "nada mostra melhor que a vossa glória que virtudes da ação podem ser tiradas das luzes do pensamento". A homenagem ao grande marechal era justa pelo seu papel decisivo desempenhado em Verdun, em 1916, e merecida por ter sido ele quem propôs a De Gaulle fazer as três conferências na Escola Superior de Guerra, pronunciadas em 1927, e que resultaram naquele livro. No entanto, Pétain rejeitou a dedicatória, solicitando que ele "a modificasse imediatamente", retirando a expressão "que a vossa glória", embora reconhecesse que o livro fosse "absolutamente notável, tanto no conteúdo quanto na forma". É impossível saber por que a menção à "vossa glória" incomodou tanto Pétain. No entanto, pode-se especular que o desejo do capitão De Gaulle com aquela obra era o de sacudir a corporação militar francesa da letargia em que se encontrava imersa, o que apontava em sentido oposto ao desejo do velho marechal, que passava a querer a paz a qualquer custo, ainda que este fosse o da submissão ao inimigo, como viria a se comprovar em 1940.

Porém, o ânimo do marechal Pétain era compartilhado por muitos naquele início dos anos 1930, embora o provérbio latino *si vis pacem para bellum* (se queres a paz, prepara-te para a guerra) se aplicasse mais do que nunca. Em uma Europa ainda traumatizada com o morticínio produzido na Primeira Guerra Mundial e majoritariamente pacifista, só uns poucos consideravam seriamente a lição ensinada pelos romanos. De Gaulle era um deles. Por todo o lado, ele via sinais inquietantes: da quebra da bolsa de Nova York à emergência do nazismo na Alemanha, nada lhe parecia indicar que a sequência de conflitos que se sucediam no mundo pudessem ser resolvidos pacificamente. Por isso, seu livro iria chamar a atenção da elite militar francesa para que ela se concentrasse naquilo que era seu objeto e sua razão de ser: a guerra.

Apesar do marasmo reinante no alto-comando militar francês e da quase impossibilidade de se fazer por ele ouvir, De Gaulle iria encontrar no ambiente cultural parisiense alguns interlocutores de grande estatura moral e intelectual com quem poderia discutir suas ideias. A despeito de suas origens sociais tradicionais e conservadoras, De Gaulle não iria discriminar e excluir do seu convívio homens de esquerda que fossem inteligentes, íntegros e patriotas, como o coronel Mayer. Às segundas-feiras, ele iria se reunir na Brasserie Dumesnil, localizada na esquina da rua de Rennes com o bulevar Montparnasse, com um pequeno grupo de homens dessa estirpe, entre os quais se encontrava o coronel reformado Émile Mayer e seu genro, Grunebaum-Ballin, o capitão Lucien Nachin e o tenente Étienne Répessé, com quem teria inflamadas discussões sobre a dinâmica da guerra e o papel das diferentes armas no mundo que lhes era contemporâneo.

O coronel Mayer era um homem que já passara dos 80 anos e havia mantido convívio próximo com personalidades do mundo político e militar do seu tempo, como o deputado socialista Jean Jaurès e os grandes marechais da Primeira Guerra Mundial Joffre e Foch. Embora já idoso, o coronel Mayer ainda recebia os amigos na casa em que então morava com sua filha e genro. Por vezes, participavam daqueles encontros dominicais alguns deputados para conversar e discutir os temas que lhes eram caros: a defesa e a guerra. Nesse meio intelectualmente instigante, De Gaulle teria a oportunidade de ouvir e debater as ideias do coronel Mayer, expor e discutir as suas – nem sempre convergentes com as dele – e conhecer aqueles que poderiam, um dia, vir a sacudir o Exército Francês da apatia em que se encontrava e adotar as medidas que ele considerava necessárias: os políticos da Assembleia Nacional, responsáveis pela formação dos governos do país. Naquele ambiente fecundo, e estimulado pelas suas atribuições à frente da 3ª Seção da Secretaria-Geral da Defesa Nacional, em que se encontrava encarregado da elaboração do projeto de lei relativo à *Organização da Nação para o tempo de guerra*, De Gaulle iria gestar a sua mais importante obra de estratégia de guerra: *Rumo a um exército profissional*.

Observador perspicaz e ávido leitor, De Gaulle estaria sempre atento a tudo o que se passava na Europa. Em 1933, Hitler foi eleito chanceler da Alemanha e, a partir daquele momento, ele não teria mais qualquer dúvida quanto à inevitabilidade de uma nova guerra. Para sabê-lo, não era necessário ser tão arguto quanto fora o marechal Foch, que, ao tomar conhecimento dos termos do Tratado de Versalhes, assinado em 1919, declarou: "isso não é um tratado de paz, mas apenas um armistício por 20 anos". Bastava atentar para o discurso belicoso de Hitler e conhecer o conteúdo do seu livro, *Mein Kampf* (*Minha luta*), para estar certo do que estava por vir. Porém, poucos na França e na Inglaterra queriam ouvir falar do risco de uma nova guerra. Felizmente, além do capitão De Gaulle, do outro lado do canal da Mancha encontrava-se outro homem que não se negava a encarar os riscos: Winston Churchill, então simples parlamentar pelo partido conservador.

Contudo, seria incorreto afirmar que De Gaulle fosse uma voz isolada no Exército Francês. No debate militar de sua época, ele não se constituía propriamente em um revolucionário em ruptura com tudo o que lhe antecedera, mas um representante daqueles que acreditavam que o desenvolvimento tecnológico exigia mudanças nas táticas de guerra. A seu ver, os tanques passariam a ter papel fundamental nos combates, e era precisamente nesse ponto que residiam as diferenças entre ele e o coronel Mayer, que atribuía à aviação o papel determinante.

O uso dos tanques na guerra já vinha sendo discutido na Europa: por Fuller e Liddell Hart, na Inglaterra, e Guderian, na Alemanha. Na França, a primeira divisão leve mecanizada foi criada em 1933, e nas manobras realizadas, em 1936, ficaria bem demonstrado quanto a sua utilização tática poderia render. De Gaulle não era, portanto, uma estrela solitária e o único a perceber que a próxima guerra não seria feita como a anterior. Contudo, entre os oficiais superiores do Exército Francês, ele era aquele que mais conhecia o assunto e sobre este discorria com invejável desenvoltura.

O seu terceiro livro, *Rumo a um exército profissional*, publicado em 1934, foi antecedido por uma série de artigos, em que De Gaulle paulatinamente desenvolveu e maturou sua teoria. Em março de 1933, foi publicado na *Revue bleue* um artigo seu intitulado "Para uma política de defesa nacional" (*Pour une politique de défense nationale*). Em 10 de maio, apareceu um artigo sob o mesmo título do futuro livro – "Rumo a um exército profissional" – na *Revue politique et parlementaire*. E em dezembro, a revista *Études* publicou *Profissão militar* (*Métier militaire*). Nesse mesmo mês, De Gaulle foi promovido a tenente-coronel, aos 43 anos. No início de janeiro de 1934, foi ainda publicado mais um artigo seu, "Criemos um exército profissional" (*Forgeons une armée de métier*) no primeiro número da *Revue des vivant*. E, por fim, o livro *Rumo a um exército profissional* chegaria às livrarias no início de maio.

A proposta do novo livro era clara: modernizar o Exército Francês para fazer face às exigências dos novos tempos e das próximas guerras. Entre as suas propostas – ignoradas pelo Estado-Maior Francês, mas lidas com atenção por Hitler – encontra-se a criação de unidades blindadas. Para apresentar ao leitor o seu plano, não haveria melhor forma senão transcrever o que ele mesmo escreveu nas suas *Memórias de guerra*: "Seis divisões de linha e uma divisão leve, inteiramente motorizadas e parcialmente blindadas", constituiriam o "instrumento de manobra preventivo e repressivo" necessário.

> Cada divisão de linha deveria comportar: uma brigada blindada composta por dois regimentos – um de tanques pesados e o outro de tanques médios – e um batalhão de tanques leves; uma brigada de infantaria, comportando dois regimentos e um batalhão de caçadores, equipada de veículos capazes de se

> movimentar em todo tipo de terreno; uma brigada de artilharia, equipada com todo tipo de armas, formada por dois regimentos – um com canhões curtos e o outro com canhões longos – e completada por um grupo de defesa antiaérea. Para apoiar essas três brigadas, a divisão ainda teria: um regimento de reconhecimento; um batalhão de engenharia; um batalhão de transmissão; um batalhão de camuflagem; e serviços. A divisão leve, destinada à exploração e à segurança a distância, seria dotada de carros mais rápidos. Além disso, o exército teria à sua disposição reservas, em geral: tanques e canhões muito pesados, engenharia, transmissões e camuflagem. Por fim, uma forte aviação de observação, de caça e assalto estaria organicamente vinculada a esse grande corpo: um grupo para cada divisão e um regimento para o conjunto, sem prejuízo das ações conjuntas a serem deflagradas pelas armas de ar e de terra.
>
> Mas para que a armada de choque pudesse extrair o melhor rendimento possível do material complexo e caro com que estaria equipada, para que pudesse agir de imediato, em qualquer teatro, sem necessitar de complementos nem treinamentos, ela precisaria ser composta por um pessoal profissional: cem mil homens. A tropa seria, portanto, formada por quadros militares permanentes. Após terem servido seis anos no corpo de elite, eles estariam formados na técnica, na emulação e no espírito de corpo. Eles possibilitariam, posteriormente, o enquadramento dos contingentes e reservistas.

A tese da necessidade de um exército profissional iria chocar especialmente a esquerda da época, que via na proposta o risco de levar a França a uma espécie de cesarismo, como fora o caso de Júlio César, em Roma, e de Napoleão Bonaparte, na França. Mas De Gaulle não iria se abater por isso. Afinal, os movimentos da Alemanha rumo a uma nova guerra lhe pareciam mais que evidentes: em 1933, Hitler havia rompido com a Liga das Nações, criada após a Primeira Guerra Mundial, ficando livre de qualquer compromisso internacional; nos dois anos seguintes, o Estado alemão iria empreender um grande esforço de rearmamento e recrutamento militar; e, em 1936, a região desmilitarizada da Renânia por força do Acordo de Versalhes voltou a ser reocupada militarmente. Não eram esses indícios mais do que suficientes para se deduzir qual seria a intenção de Hitler?

A partir de 1934, De Gaulle passaria a se dedicar à procura do apoio político necessário à implantação do seu plano de rearmamento e defesa da França, pois ele sabia que argumentando apenas junto ao comando das forças armadas as suas propostas não iriam prosperar. Nesse ano, ele iria conhecer na casa de um amigo o deputado Paul Reynaud, de quem obteve uma favorável recepção às suas ideias. Reynaud apresentou e sustentou o plano do tenente-coronel De Gaulle em sessão da Câmara de Deputados, em março de 1935, sem, no entanto, conseguir convencer os seus pares. No final do mesmo mês, Reynaud apresentou à

Câmara um projeto de lei propondo a criação no exército de um corpo militar conforme o imaginado por De Gaulle, também sem sucesso. Enquanto isso, De Gaulle não deixaria de seguir publicando seus artigos em revistas especializadas para suscitar o debate. "Como fazer um exército profissional" (*Comment faire une armée de métier?*) foi publicado no início de 1935 e "As origens do exército francês" (*Les Origines de l'armée française*), um ano depois. No outono de 1936, o tenente-coronel De Gaulle, que no ano anterior fora promovido a oficial da legião de honra, foi recebido pelo primeiro-ministro Léon Blum. Embora a sua proposta de criação urgente de uma armada blindada tenha sido ouvida com interesse por Blum, este não quis modificar os planos estabelecidos pelo estado-maior, concentrados no fortalecimento da Linha Maginot.

Apesar do pacifismo que cegava os espíritos civis e militares na França dos anos 1930, quando regimes totalitários emergiam por todo lado, o governo francês teve, ao menos, clarividência suficiente para formalizar um pacto franco-soviético, por meio da assinatura de um tratado de assistência mútua, em 1935. A opção francesa por associar-se à Rússia não teve acolhida unânime entre os franceses, pois havia aqueles que consideravam um mal menor a aliança com o regime totalitário alemão contra o comunismo russo. De Gaulle achava o oposto, como ele explicou em carta escrita à sua mãe, em dezembro de 1936:

> Nós não temos como recusar a cooperação com os russos, por mais que tenhamos horror pelo seu regime. [...] Eu bem sei que a propaganda hábil e bem orquestrada de Hitler conseguiu convencer muitos bons franceses de que ele não tem nada contra nós, e que compraríamos a paz se lhe permitíssemos conquistar a Europa Central e a Ucrânia. Mas eu, pessoalmente, estou convencido de que isso não passa de hipocrisia e que o seu principal objetivo é esmagar a França, após tê-la isolado; como ele o diz em *Mein Kampf.* [...] É preciso ter a coragem de olhar as coisas de frente. Neste momento, tudo deve ser feito de acordo com um único plano: reunir contra a Alemanha todos aqueles que lhe são opostos, quaisquer que sejam as suas motivações, e assim dissuadi-la de fazer a guerra; e se ela o fizer, vencê-la.

No início do dezembro de 1937, De Gaulle foi promovido a coronel e assumiu o comando do 507º Regimento de tanques em Metz, na Lorena. Ali, à frente das unidades blindadas, ele pôde ensaiar os movimentos que julgava necessários para a tropa defender a França na próxima guerra, que não tardaria a acontecer. No ano seguinte, a situação na Europa iria se degradar ainda mais. Em março de 1938, a Alemanha anexou a Áustria, e, no início de outubro, os primeiros-ministros francês e britânico, Daladier e Chamberlain, assinaram com Hitler e Mussolini o Acordo de Munique, que reconhecia à Alemanha o direito de anexar a região dos sudetos na Tchecoslováquia, habitada por população majoritariamente alemã. Ao referir-se a esse vergonhoso acordo, Churchill assim se dirigiu ao primeiro-ministro Chamberlain: "entre a desonra e a guerra, você escolheu a desonra e terá a guerra". Churchill e De Gaulle não haviam se enganado. Meio ano após a Alemanha anexar aquilo que lhe havia sido concedido, ela ocuparia o restante do território tcheco que já não estivesse sob controle dos grupos separatistas por ela estimulados. Dessa forma, dois dos Estados criados após a Primeira Guerra Mundial – Áustria e Tchecoslováquia – desapareceram do mapa e foram engolidos pela Alemanha. O terceiro desses Estados deixaria de existir um ano depois: a Polônia, que teve sua parte oeste ocupada pelo exército nazista e a outra pelo Exército Vermelho. Não sobraria então à França e ao Reino Unido alternativa senão declarar guerra à Alemanha.

Assim começava a Segunda Guerra Mundial, que tanto os governos e povos da França e do Reino Unido quiseram de toda forma evitar. Durante esse trágico período da história da humanidade, De Gaulle deixaria de ser coronel, passaria a general e viria a se tornar no maior herói da França no século XX.

# O guerreiro na Segunda Guerra Mundial

*"Não se faz nada grandioso sem grandes homens;*
*e estes se fazem por o terem querido."*
Charles de Gaulle, *O fio da espada*, 1932

Diz-se que o guerreiro se faz na guerra e no caso do general De Gaulle não iria ser diferente. Mas além do guerreiro, também o político iria nela se formar e amadurecer. Entre 3 de setembro de 1939, dia em que a França declarou guerra à Alemanha, e 8 de maio de 1945, data da capitulação alemã, De Gaulle deixaria de ser um coronel desconhecido da maioria dos franceses para se tornar o grande herói nacional do século XX. Uma tão notável transformação não teria ocorrido se ele não contasse com os dois elementos essenciais que, segundo Maquiavel, têm de estar presentes na vida de todos os grandes homens de Estado: a *virtù* e a *fortuna*.

De Gaulle era, sem dúvida, um homem de virtude. Com inteligência, visão estratégica, galhardia e obstinação, soube perseguir os seus objetivos sem se abater com as adversidades encontradas pelo caminho e fazer as escolhas certas nos momentos certos. Mas ele foi também um homem de sorte. No período mais sombrio da guerra na França, quando a máquina bélica alemã ostentava sua indiscutível superioridade e tudo parecia irremediavelmente perdido, uma sequência de acontecimentos que fugiam inteiramente do seu controle o fez estar na posição certa e junto às pessoas certas que lhe deram as condições necessárias para migrar para Londres e, do exílio, continuar a guerra. É claro que toda a *fortuna* do mundo não bastaria a quem não tivesse qualquer *virtù*, da mesma forma que nenhuma *virtù* seria suficiente a quem não contasse com alguma *fortuna*. E é certo que, na vida do general De Gaulle, *virtù* e *fortuna* intervieram na proporção e nos momentos adequados.

A Segunda Guerra Mundial na Europa durou 60 meses e, ao longo desse tempo, diversas e diferentes etapas se sucederam. Nas suas *Memórias de guerra*, De Gaulle dividiu aquele período fundamental da sua vida em três momentos: o inicial, que foi objeto do primeiro volume intitulado *O chamamento* (*L'Appel, 1940-1942)*, publicado em 1954; o intermediário, tratado no segundo volume publicado em 1956 sob o título *A unidade* (*L'Unité, 1942-1944*); e o final, abordado no terceiro e último volume, *A salvação* (*Le Salut, 1944-1946)*, publicado em 1959. Entre os muitos diferentes recortes que aquele dramático momento da história da humanidade permite, esse pareceu a De Gaulle o mais adequado para contar a sua própria história aos seus conterrâneos e contemporâneos. No entanto, para que o leitor que não é francês e nem viveu no tempo do general possa, a partir desta biografia, compreender melhor a importância e o significado desse grande personagem na história, o mais adequado parece ser alterar ligeiramente a periodização feita pelo seu protagonista, retrocedendo um pouco ao início oficial da guerra, em 1939, e enfocando o seu desenrolar a partir de algumas questões que mereceram a sua especial atenção e que, por isso, fizeram dele herói: o dever de continuar a guerra contra a Alemanha de onde fosse possível; a consciência de que, naquelas circunstâncias, somente uma comunicação frequente com os franceses lhes traria esperança e lhe daria sustentação no esforço de guerra; a necessidade de encontrar um território dentro do imenso Império colonial Francês onde a autoridade da França que não se rendeu ao invasor seria exercida; e a preocupação com a criação de instituições capazes de garantir à França a sua autonomia após a libertação dos franceses do jugo do invasor inimigo. Será esse o curso da narrativa que o leitor encontrará ao longo deste capítulo.

# *LA DRÔLE DE GUERRE* OU EM GUERRA, MAS SEM GUERREAR

O período que vai da declaração de guerra à Alemanha, em setembro de 1939, até a invasão da França pelas tropas alemãs, no verão de 1940, passaria para a História conhecido como *la drôle de guerre*, que literalmente significa a *guerra engraçada,* no sentido de estranha, bizarra. Aquela era uma guerra estranha porque diferente de todas as anteriores. Apesar da declaração formal das hostilidades e da mobilização das tropas, ninguém de fato combatia. Para ocupar e passar o tempo dos soldados durante aqueles oito longos e tediosos meses, o governo francês promovia espetáculos musicais nas frentes de batalha onde não se batalhava. Entre os mais frequentes astros a se apresentar encontrava-se Maurice Chevalier, que acabou, de fato, dando certa graça àquela *drôle de guerre*.

No entanto, De Gaulle não via naquela situação graça alguma. Ele havia sido nomeado comandante interino do 5º Exército, estacionado na Alsácia, às vésperas da declaração de guerra e tinha plena consciência de que faltava ao governo e ao Estado-Maior das Forças Armadas da França o devido ânimo para combater. Por isso, escreveu De Gaulle mais tarde, ele iria assistir, "sem nenhum espanto", às forças francesas se acomodarem na "estagnação, enquanto a Polônia era arrasada em duas semanas pelas divisões blindadas e pela força aérea alemãs". Por essa mesma razão, ele compreenderia sem qualquer dificuldade a aparentemente estranha atitude de Stalin, que, de uma hora para outra, se pôs de acordo com Hitler sobre a divisão da Polônia. Certo de que a França não moveria uma palha para defender o Estado polonês da agressão alemã, Stalin preferiu dividir a presa a deixá-la inteiramente ao inimigo.

No início de 1940, pressentindo que a investida militar alemã contra a França aproximava-se a passos largos e inconformado com a passividade do governo francês, De Gaulle fez uma última tentativa de acordar os espíritos entorpecidos dos seus compatriotas. No dia 26 de janeiro, ele escreveu um memorando e o encaminhou a 80 pessoas, entre personalidades do governo, do comando militar e do mundo político. No memorando, De Gaulle procurava convencê-los de que a Alemanha estava pronta para lançar uma grande ofensiva aérea e terrestre contra a França e que as frentes de defesa do país poderiam ser rompidas a qualquer momento. Diante da invasão iminente, De Gaulle propunha que a França deveria utilizar todos os meios disponíveis, como os armamentos existentes e os que ainda pudesse produzir, para criar uma reserva de equipamentos motorizados e bem armados capazes de fazer frente à tentativa de invasão alemã. E ao concluir o seu argumento, De Gaulle fez um alerta grave e premonitório:

> Sob nenhum pretexto, o povo francês deve cair na ilusão de que o imobilismo militar atual é adequado à guerra em curso. É o contrário que é verdadeiro. O motor confere aos meios de destruição modernos um tamanho poder, velocidade e raio de ação de forma que o conflito atual irá superar, mais cedo ou mais tarde, os mais impressionantes eventos do passado em movimento, surpresa, irrupções, perseguições em rapidez e amplitude jamais vistas. Não nos enganemos! O conflito que acaba de começar poderá ser o mais longo, o mais complexo, o mais violento de todos os que já arrasaram a Terra.

Mas, como diz o dito popular, o pior cego é aquele que não quer ver, e nem mesmo o quadro sombrio e carregado nas tintas pintado por De Gaulle foi capaz de sacudir o governo da sua letargia. Ao contrário, tanto o primeiro-ministro Édouard Daladier quanto membros destacados do seu gabinete refutaram de imediato as advertências. Para eles, aquela estratégia imobilista, de estar em guerra sem guerrear, estava correta e não tinha por que ser mudada. Com ela, a França iria não só garantir a defesa do seu território, como fazê-lo sem o sacrifício de vidas humanas, o que equivalia ao melhor dos mundos numa situação de hostilidades declaradas. Contudo, a tranquilidade do governo em meio àquela guerra bizarra não conseguia tranquilizar ninguém, e por essa razão o gabinete de Daladier não demoraria muito a cair.

No dia 21 de março, Daladier apresentou sua demissão e, já no dia seguinte, o presidente da República, Albert Lebrun, indicaria Paul Reynaud para formar um novo governo. Reynaud, que já havia alguns anos mantinha uma relação bastante próxima com De Gaulle, chamou-o então imediatamente a Paris. Sua tarefa seria redigir a primeira declaração a ser lida por Reynaud diante do Parlamento na condição de futuro líder do governo. O objetivo era um só: deixar claro que seu governo – contrariamente ao anterior, que fora marcado pela ambiguidade – iria ter uma posição firme e continuaria a guerra contra o inimigo. Com essa mensagem, Reynaud e De Gaulle imaginavam dar uma resposta satisfatória à opinião pública e assim afirmar a autoridade do novo governo junto ao Parlamento. Mas o tiro quase acabou saindo pela culatra. A acolhida das palavras de Reynaud pela assembleia foi menos que morna, e não fosse a vigorosa sustentação que da tribuna o deputado socialista e ex-primeiro-ministro, Léon Blum, lhe deu, o novo governo não teria sequer conseguido a pequena margem de votos favoráveis com que foi aprovado. Assim tinha pateticamente início o último governo da Terceira República: fraco e desacreditado, o que nunca é um bom começo; menos ainda em tempos de guerra!

Após a posse de Reynaud, De Gaulle resolveu passar ainda alguns dias em Paris antes de retornar à Alsácia e reassumir as suas funções. Foi quando ele pôde perceber o quanto a falta de ânimo para a guerra encontrada no Parlamento estava espalhada pela sociedade. "Em todos os partidos, na imprensa, na Administração, no mundo dos negócios, nos sindicatos, havia núcleos muito influentes que abertamente defendiam a ideia de que a guerra tinha de terminar", escreveu ele mais tarde. E essa era também a posição do marechal Pétain, segundo aqueles que se diziam bem informados. O velho marechal, que à época ocupava o cargo de embaixador da França na Espanha, país que mantinha boas relações com Hitler, teria obtido a informação junto ao governo espanhol de que a Alemanha estava disposta a fazer um acordo de paz com a França. Os opositores à guerra encontravam-se ainda por todos os lados do espectro político. À direita, muitos enxergavam mais em Stalin do que em Hitler o verdadeiro inimigo da França; outros nutriam sincera admiração e simpatia por Mussolini; e ainda havia os que, mesmo dentro do governo, defendiam a compra da paz com os fascistas por meio da cessão à Itália de alguns territórios franceses na África, como Djibuti, o Tchad e uma parte da Tunísia, que eram áreas vizinhas à colônia italiana da Líbia. À esquerda, os comunistas, que haviam apoiado a guerra enquanto Berlin se opunha a Moscou, "passaram a maldizer a guerra 'capitalista' a partir do momento em que Molotov se pôs de acordo com Ribbentrop", dividindo a Polônia. "Quanto à massa desorientada" – concluiria De Gaulle – "sentindo que na cabeça do Estado nada nem ninguém tinha condições de controlar os acontecimentos, ela oscilava entre a dúvida e a incerteza."

Foi nesse ambiente adverso que Paul Reynaud teve de tentar afirmar sua autoridade. Com um agravante: o ex-primeiro-ministro Daladier, que havia assinado com Hitler o Acordo de Munique, teria de permanecer no seu governo como ministro da Defesa Nacional e da Guerra, imposição que lhe fora feita pelo Partido Radical para assegurar ao seu governo maioria na assembleia. Estavam, assim, dadas todas as condições internas para se estabelecer na França um regime de colaboração com a Alemanha nazista. Faltavam ainda as condições externas, que logo emergiriam no meio da primavera, quando a Alemanha decidiu invadir a França e pôr fim à *drôle de guerre*. Como Reynaud não quis se entender com Hitler por bem, preferindo manter a aliança militar com a Inglaterra, os franceses tiveram de se entender com os alemães por mal. E, para a Alemanha nazista, entendimento não significa outra coisa senão a submissão. Começava, assim, a Batalha da França.

## A BATALHA DA FRANÇA

Entre 10 de maio e 17 de junho de 1940, a Alemanha atacou, invadiu e levou a França à rendição, consumada com a assinatura do armistício pelo general Pétain no dia 22 de junho. Em apenas cinco semanas, a inutilidade da

Linha Maginot foi cabalmente comprovada e o acerto das teses do coronel De Gaulle, confirmado da forma mais paradoxal possível: desprezadas pelo governo francês para defender a França, elas foram competentemente empregadas pelo inimigo para invadi-la. É claro que a tática de invasão da França pela Bélgica através das Ardenas com veículos blindados apoiados pela aviação foi obra dos estrategistas militares alemães. Mas ela só foi posta em prática pelo exército alemão porque Hitler fora convencido do seu acerto pelos argumentos apresentados por De Gaulle no livro *Rumo a um exército profissional*, que havia sido traduzido para o alemão, o inglês e o russo. A influência das ideias do coronel De Gaulle sobre Hitler foram reveladas pelo seu ministro do Armamento, Albert Speer, em suas *Memórias*. Às vésperas da assinatura do armistício entre a França e a Alemanha, quando o alto-comando alemão estava exultante pela sua façanha, Hitler teria dito: "Eu li e reli o livro do coronel De Gaulle sobre as possibilidades em combates modernos de unidades inteiramente motorizadas; e aprendi muito.[4] E como!".

No dia 10 de maio, após a ocupação da Noruega e da Dinamarca, a Wehrmacht (exército alemão) deflagrou, então, o *Fall gelb* (Plano Amarelo). Dez Panzerdivisionen (divisões blindadas), distribuídas em quatro Panzerkorps (corpos blindados) e devidamente apoiadas pela Luftwaffe (força aérea), começaram o ataque em direção ao oeste, invadindo a Bélgica. Duas divisões blindadas seguiram pelo centro do território belga em direção ao mar, afrontando-se com duas divisões blindadas leves e com o corpo de cavalaria blindado do exército francês em Hannut e Gambloux. Mas isso seria apenas um chamariz para atrair as forças francesas para o norte, levando-as a deixar a França e adentrar em território belga. O grosso do esforço bélico alemão (sete divisões blindadas) ficou reservado para a travessia das Ardenas, uma região ao sul da Bélgica e fronteiriça com o centro-norte da França, de topografia acidentada e coberta de florestas, razão que fazia o estado-maior das forças armadas francesas considerar improvável, senão impossível, a invasão do país por aquela fronteira. Mas foi exatamente por ali que o exército alemão, comandado pela nata dos seus generais, como Rommel e Guderian, iria invadir a França. Ao entrar pelas Ardenas, o exército alemão não apenas elidiu a Linha Maginot como também avançou mais rapidamente em direção ao oeste, isolando as tropas francesas que se encontravam na Bélgica da sua retaguarda.

No dia 14 de maio, os tanques alemães cruzaram o rio Mosa, que corre do centro para o norte, em Dinant, na Bélgica, e Givet, Monthermé e Sedan, na França. Nesse momento, já começava a ficar claro que a sorte da Batalha da França se inclinava a favor da Alemanha. Contudo, ainda era necessário resistir, lutar e procurar deter o avanço alemão o máximo tempo possível, de forma a permitir que as tropas francesas pudessem refluir ao sul, evitando ficar cercadas pelas forças alemãs. Foi nesse momento que o coronel De Gaulle entrou em campo no comando da 4ª Divisão Encouraçada de Reserva (Division Cuirassée de Reserve – DCR). Chegava finalmente o momento de o "Coronel Motor" – como ele ficou conhecido quando estava à frente do 507º Regimento de Tanques, em Metz, pois costumava pôr as suas unidades motorizadas em exercício permanente, tanto durante o dia quanto à noite – trocar os "tanques de papel", que habitavam os seus escritos, pelos "tanques de metal", mostrando sua habilidade no comando.

No entanto, as forças de que a França dispunha para enfrentar as Panzerdivisionen encontravam-se muito aquém do que De Gaulle julgava necessário para, senão vencê-las, ao menos defender adequadamente a França. E o pouco que havia devia-se à insistência do general Billotte, que conseguira fazer o conselho de guerra aprovar a criação de duas divisões, no final de 1938. Porém, cada divisão blindada francesa tinha em sua composição apenas 120 tanques, e não 500; 1 batalhão de infantaria transportado por caminhão, e não 7 batalhões deslocados em veículos capazes de circular em todo tipo de terreno; 2 grupos de artilharia, ao invés de 7; e nenhum grupo de reconhecimento. Mas isso já era melhor que nada e, felizmente, às divisões já existentes seriam acrescidas duas mais por decisão do general Gamelin, em março de 1940, totalizado 4 divisões blindadas francesas.

Contudo, esse número era claramente insuficiente para enfrentar com êxito as nove bem armadas divisões que a Alemanha iria empregar na Batalha da França. E para piorar a situação, a forma como o comando militar resolveu utilizá-las iria reduzir em muito o seu rendimento. Ao invés de fazer de cada uma delas uma nova unidade, constituída como um corpo armado autônomo e específico, as divisões francesas tiveram os seus efetivos e equipamentos distribuídos entre os diversos corpos do exército convencional e subordinados ao comando do dispositivo geral. Isso fez com que três das quatro divisões francesas fossem neutralizadas ou postas fora de combate. Apenas a 4ª DCR, criada por último e posta em ação ainda incompleta sob o comando do coronel De Gaulle, iria conseguir se bater até o fim com algum sucesso.

A 1ª DCR, composta por 160 tanques, entrou em ação no dia 14 de maio, mas foi completamente desestruturada e parcialmente destruída em apenas dois dias de combate em Flavion, Bélgica. A rapidez de deslocamento e o ataque das duas Panzerdivisionen, somados ao maciço bombardeio da força aérea alemã, foram decisivos para sua aniquilação. Foi somente mais tarde que essa divisão viria a ser parcialmente reconstituída.

A 2ª DCR foi distribuída ao longo das ferrovias ao sul de Signy-l'Abbaye, França. Sua utilização nos combates acabou ficando completamente comprometida, pois, além de ser violentamente atacada pela Luftwaffe, seu deslocamento dependia das mesmas composições de trem que estavam sendo empregadas, prioritariamente, para o transporte da 1ª DCR rumo à Bélgica. Durante a Batalha da França, essa divisão não seria mais reagrupada e sua utilização ficou limitada à proteção das pontes sobre o rio Oise, que nasce na Bélgica e deságua cerca de 300 km depois no rio Sena, a noroeste de Paris.

Quanto à 3ª DCR, esta acabou inteiramente paralisada pelos ataques da 10ª Divisão Panzer na região de Mont-Dieux, um pouco ao sul de Sedan, no departamento das Ardenas. Diante desse quadro desastroso, não havia mesmo qualquer chance de evitar que os alemães chegassem a Paris e ocupassem todo o território da França. Mas, antes que o inevitável acontecesse, caberia a De Gaulle demonstrar os seus dotes de guerreiro e provar a todos que o Coronel Motor sabia manejar tão bem os tanques de metal quanto os de papel.

## De Coronel Motor a general

A 4ª DCR deveria entrar em ação no mês de junho, mas, devido à precipitação dos acontecimentos, sua estreia foi antecipada para 15 de maio, ainda que incompleta. A missão de De Gaulle à sua frente não era propriamente a de impedir, mas a de retardar ao máximo a chegada do exército alemão a Paris, de forma a dar tempo para que as tropas francesas que se encontravam na Bélgica retornassem ao país e que as forças do Exército Francês inutilmente localizadas ao leste ao longo da Linha Maginot viessem em reforço de sua divisão.

No dia 17 de maio, a 4ª DCR recebeu três batalhões de tanques e os encaminharia em direção a Montcornet, um entroncamento rodoviário que dava acesso a Saint-Quentin, Laon e Reims. Se conseguisse ocupar Montcornet, De Gaulle poderia impedir o avanço da 1ª Divisão Panzer rumo ao oeste, na direção de Saint-Quentin, e barrar a rota de acesso ao sul (Laon e Reims), poupando a frente guardada pelo 6º Exército. Para aquela batalha, De Gaulle contava com uma verdadeira brigada encouraçada: cerca de 50 tanques leves e de 40 tanques médios ou pesados. Durante os combates da manhã daquele mesmo dia, a vantagem ficou do lado da França, que teve perdas insignificantes, mas conseguiu impor perdas consideráveis ao inimigo. Ao interceptar um comboio alemão, a 4º DCR conseguiu apreender dois canhões de 77 mm, uma autometralhadora, 18 caminhões e outros veículos, 6 motocicletas, e fazer 33 prisioneiros e 23 mortos.[5] No entanto, a falta de um grupo de infantaria começou a ser sentida desde o início da operação, sobretudo para proteger os tanques nos combates de rua, momento em que estes se encontram mais vulneráveis. Foi somente no meio da tarde que o 4º Batalhão de Caçadores conseguiu se juntar à 4ª DCR, quando então foi desferido novo ataque e foram impostas novas perdas ao inimigo. Porém, ao final do dia, a Luftwaffe entrou em ação e bombardeou pesadamente as forças francesas, obrigando De Gaulle a recolher seus tanques e encerrar a operação.

Dessa forma, e em apenas um dia, terminava a Batalha de Montcornet. Nesta, a 4ª DCR perdeu 23 dos seus 85 tanques e 30 homens. Os alemães, por outro lado, tiveram ainda um comboio incendiado e canhões antitanque destruídos durante os embates da tarde, com um saldo total de perdas humanas bem superior ao dos franceses: entre mortos e feridos, foram mais de cem soldados colocados fora de combate. Mas, apesar da vantagem francesa, Montcornet foi uma batalha sem vencedor. Os franceses, entretanto, tinham a comemorar o fato de suas forças terem conseguido, pela primeira vez, barrar o avanço alemão, ainda que temporariamente. Esse resultado, por si só, comprovava quanto as ideias do coronel De Gaulle sobre a natureza e a dinâmica daquela guerra eram procedentes e as do Estado-Maior Francês, ultrapassadas.

A segunda batalha da 4ª DCR ocorreu dois dias depois em Crécy-sur-Serre, a poucos quilômetros de Montcornet. Para essa nova batalha, De Gaulle pôde contar com o reforço de dois esquadrões de tanques e de um regimento de artilharia, mas perdeu o batalhão de infantaria, que fora requisitado para outra frente. Ao todo, ele teve à sua disposição 150 tanques, entre leves, médios e pesados. Mas o reforço recebido não seria suficiente, pois, diferentemente da batalha anterior, o inimigo se encontrava mais preparado, organizado e equipado para enfrentar os franceses. Durante todo o dia 19 de maio, a 4ª DCR teve sua ação e movimentação comprometidas pela investida ainda mais agressiva da força aérea alemã. A batalha foi renhida como a anterior, mas, dessa vez, desfavorável à França. Para piorar a situação, no dia seguinte chegou uma notícia nada alentadora para as forças Aliadas: o exército holandês havia sido dizimado, o belga encontrava-se em fuga em direção ao mar e os britânico e francês haviam sido cercados e cortados do contato com o restante da França. O destino da guerra na Europa Ocidental estava selado. Não restava à 4ª DCR alternativa senão marchar a oeste, em direção a Abbeville. Em meio à tão dramática situação, o comando militar em Paris foi dissolvido. Em substituição ao general Gamelin, assumia o comando da guerra o general Weygand, que era pouco inclinado a lhe dar continuidade. A Batalha da França estava com os seus dias contados. Mas, antes que os belgas resolvessem se render, os ingleses começassem a reembarcar suas tropas de volta às ilhas britânicas e o general Weygand começasse a negociar o armistício com a Alemanha – como previsível –, era preciso ainda combater.

Recém-terminada a Batalha de Crécy-sur-Serre, a 4ª DCR começou a se deslocar para o oeste. Após cinco dias de marcha em que percorreram 180 km,

De Gaulle e sua divisão chegaram a Abbeville. Sua missão era atacar o inimigo, que já havia cruzado o rio Somme e instalado uma sólida cabeça de ponte na sua margem sul. Para o ataque, De Gaulle contava com 140 tanques, 6 batalhões de infantaria e 6 grupos de artilharia, armamentos e efetivos que foram sendo agregados à 4ª DCR durante o seu deslocamento para o local de batalha. Entretanto, ainda iriam lhe faltar recursos essenciais a uma batalha daqueles novos tempos, como apoio da força aérea, comunicação de rádio entre o comando e as linhas de frente e um eficiente sistema de abastecimento, o que o inimigo tinha de sobra.

Havia ainda uma desvantagem a mais para os franceses: na área da cabeça de ponte conquistada pelos alemães encontrava-se o monte Caubert, de uns 50 m de altura, o que lhes permitia controlar as pontes do rio Somme e dali divisar as extensas planícies. Portanto, se alguma chance De Gaulle teria em atacar o inimigo, seria fazendo-o de surpresa. Por isso, ele tomou a decisão de começar a operação durante a noite do dia 27 de maio.

Após identificar as principais posições estabelecidas pelos alemães na cabeça de ponte, de Gaulle iria traçar os objetivos a ser atingidos pela sua divisão. O primeiro deles, tomar os pontos fortes da linha de frente inimiga: Huppy, a oeste; o bosque de Limeux, ao centro; e Bray-les-Mareuil, à beira do rio Somme, a leste. Depois, avançar e ocupar a sua retaguarda organizada em Bienfay, Huchenneville e Mareuil. E, por fim, tomar o monte Caubert. Seguindo esse plano, o ataque teve início às 18 horas, ainda sob a luz do dia em meados da primavera. A meia brigada de tanques pesados e um batalhão de caçadores avançaram em direção a Huppy; a meia brigada de tanques leves e um regimento de infantaria colonial atacaram pelo centro; e os tanques médios com o regimento de dragões seguiram pelo leste, rumo a Bray-les-Mareuil. A artilharia ficaria na retaguarda, apoiando fundamentalmente as investidas das forças que avançavam pelo centro. Ainda naquela noite, alguns objetivos conseguiram ser atingidos, com a captura, em Huppy, de soldados alemães e, em Limeux, de baterias antitanques. No dia seguinte, a investida recomeçaria.

Contudo, a partir dali o avanço das forças francesas passou a ser mais difícil, pois não só não havia mais o efeito surpresa, como a artilharia pesada alemã, instalada do outro lado do Somme, começou a bombardeá-las impiedosamente. Mesmo assim, em apenas dois dias, a 4ª DCR conseguiu avançar 14 km, chegando ao pé do monte Caubert, único dos objetivos estabelecidos a não ser conquistado. De qualquer forma, a missão da 4ª DCR foi cumprida com sucesso, limitando ao monte Caubert a área ocupada pelo inimigo na margem sul do rio Somme.

No dia 30 de maio, a 4ª Divisão foi finalmente rendida pela 51ª Divisão escocesa, que acabava de chegar à França. Terminava, assim, a participação do coronel De Gaulle e da sua divisão blindada na Batalha da França. As perdas

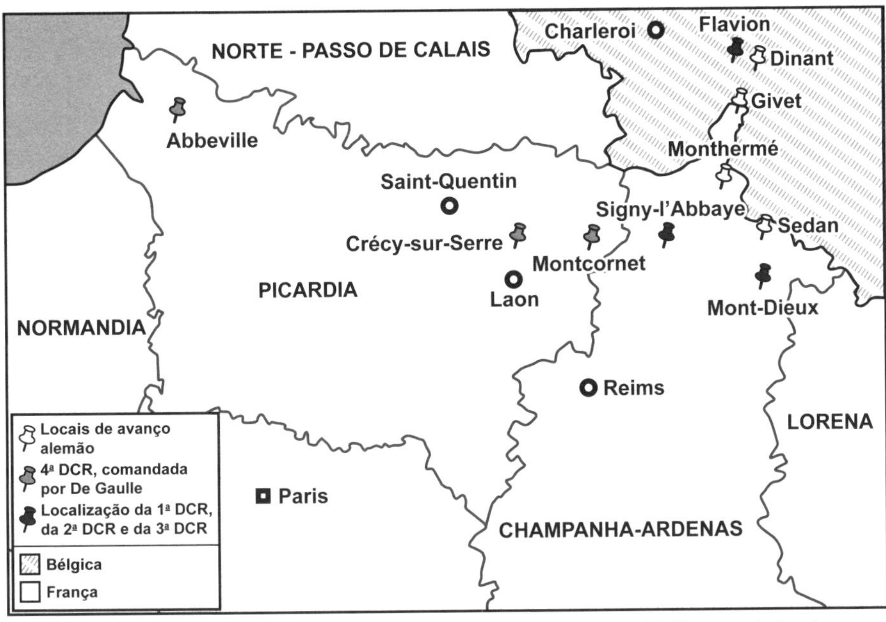


Mapa das Batalhas da 4ª DCR comandada pelo coronel e depois general De Gaulle, ao Norte da França.

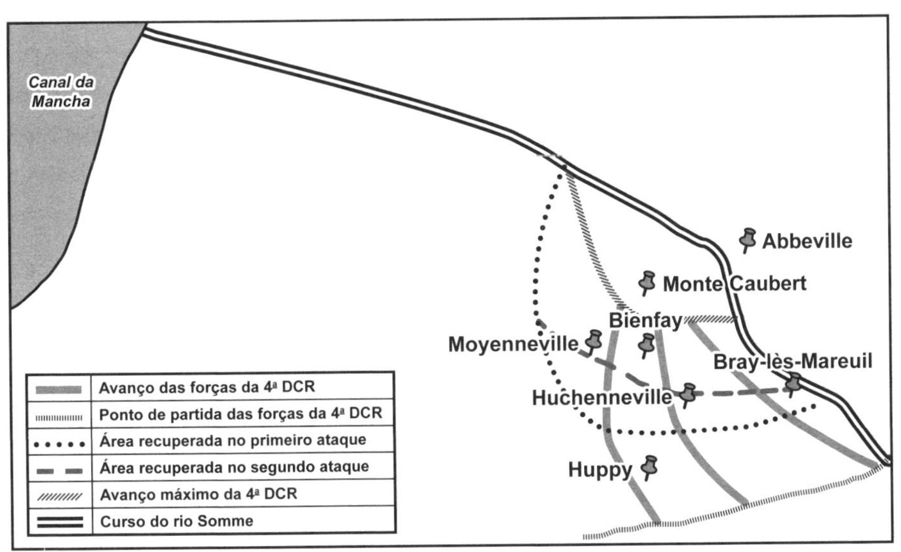


Mapa da última batalha da 4ª DCR, em Abbeville. Os sucessivos avanços conseguiram recuperar em apenas dois dias 14 km ocupados pelo inimigo na margem sul do rio Somme, fazendo-o recuar ao pé do monte Caubert.

materiais para a França foram pesadas: de 30% a 45% do equipamento blindado da 4ª DCR. Contudo, as perdas humanas para a Alemanha foram cinco vezes superiores às da França, considerando as três batalhas em conjunto.

Montconet, Crécy-sur-Serre e Abbeville foram batalhas que ficaram na memória dos alemães pela inesperada capacidade de ataque e poder de fogo dos tanques franceses. O general Guderian, no seu livro *Lembranças de um soldado*, reconheceria ter ficado irritado e mesmo inquieto com os contra-ataques franceses. E o major Gehring, no livro *Abbeville*, revelaria o pavor que se estabeleceu entre as tropas alemãs em meio a ataques tão intensos e à perda de tantos camaradas de farda. No entanto, em 1940, a superioridade material e organizacional do exército alemão estava muito além de qualquer outra potência europeia. O sucesso pontual do comandante De Gaulle à frente dos seus tanques blindados mostrava apenas o acerto de suas ideias, mas não era capaz de reverter o rumo da guerra. Ao menos naquele momento e com aquele desequilíbrio de forças.

Durante as três semanas em que comandou batalhas contra um inimigo até então invencível, De Gaulle teve um desempenho considerado notável pelo Alto-Comando do Exército, o que acabou lhe valendo a promoção a general de brigada, ainda que a título provisório, no dia 1º de junho. Havia 15 anos que De Gaulle não progredia na hierarquia militar. Não devido à insuficiência de seus méritos militares, pois, ainda coronel, ele fora nomeado comandante do 5º Exército, na Alsácia, função reservada a generais, mas devido às suas posições sempre muito firmes, críticas e frequentemente opostas às do alto-comando. Contudo, naquelas circunstâncias e diante dos seus admiráveis feitos à frente da 4ª DCR, a sua promoção a general se impôs quase que naturalmente.

Quatro dias depois, o reconhecimento das habilidades militares do general De Gaulle durante a guerra chegou da parte do governo: Paul Reynaud o nomearia subsecretário de Estado para a Guerra. Essa seria a primeira vez que De Gaulle iria ocupar uma função política e, portanto, não submetida à hierarquia militar. Naquele momento, De Gaulle já tinha certeza de que a Batalha da França estava irremediavelmente perdida, mas ainda mantinha a convicção de que a guerra podia ser ganha. Afinal, a França, assim como a Inglaterra, sua aliada, possuía um imenso império colonial para onde poderia o seu governo refluir, se armar e reorganizar para depois retornar à Europa e recuperar o terreno perdido para o inimigo. Essa era a ideia geral que De Gaulle apresentou a Reynaud na sua primeira audiência como seu subsecretário para a guerra, no dia 6 de junho. E Reynaud de pronto a encampou, enviando De Gaulle a Londres para, em nome do governo francês, discutir com o primeiro-ministro britânico, Winston Churchill, as formas possíveis de cooperação e resistência entre os dois países.

## Doze dias no governo e o encontro providencial com Churchill

No dia 9 de junho, um domingo, De Gaulle tomou um avião rumo a Londres para encontrar-se com Churchill, que o recebeu na residência oficial do primeiro-ministro britânico. Era a primeira vez que ele cruzava o canal da Mancha. Ao conhecer Churchill, De Gaulle teve a convicção de que a Grã-Bretanha, "conduzida por um lutador daquele tipo, certamente não se renderia". A clareza de julgamento de Churchill, sua enorme cultura e conhecimento do que se passava pelo mundo e, sobretudo, "sua paixão pelos problemas próprios à guerra", além do "seu caráter, feito para agir, arriscar e jogar o jogo", fizeram De Gaulle considerá-lo "bem colocado no seu lugar de guia e de chefe".

A confiança mútua que, de imediato, se estabeleceu entre aqueles dois homens seria decisiva para o futuro da França durante a Guerra, assim como para o destino do próprio De Gaulle naqueles tempos adversos. Contudo, as diferenças que sempre existiram entre eles e o afastamento que acabou se produzindo entre os dois com a entrada dos Estados Unidos na guerra, cujo presidente não nutria nenhuma simpatia por De Gaulle, contribuíram para forjar a falsa ideia, amplamente disseminada entre os franceses até hoje, de que Churchill sempre teria mantido reservas em relação a De Gaulle; e vice-versa. Nada mais equivocado, como comprovam as declarações de um sobre o outro nas suas respectivas memórias de guerra.

Churchill assim se referiu a De Gaulle:

> [...] é certo que tive dificuldades contínuas e muitos antagonismos acirrados com ele. Mas houve um elemento dominante em nosso relacionamento. Eu não conseguia encará-lo como um representante da França cativa e prostrada, nem tampouco, a rigor, da França que tinha o direito de decidir livremente seu futuro. Eu sabia que ele não era amigo da Inglaterra. Mas sempre reconheci em De Gaulle o espírito e a concepção que, através das páginas da História, a palavra "França" sempre há de proclamar. Eu compreendia e admirava sua postura arrogante, embora me ressentisse dela.

E em seu estilo enfático e teatral, Churchill concluiu, com um misto de surpresa e admiração, a descrição daquele que foi o seu primeiro e grande interlocutor estrangeiro naquele sombrio início da guerra:

> Ali estava ele – um refugiado, um exilado de seu país, sentenciado à morte, numa situação inteiramente dependente da boa vontade do governo britânico e também, a essa altura [janeiro de 1943], dos Estados Unidos. Os alemães haviam conquistado sua pátria. Ele não tinha sustentação real em parte alguma. Mas isso não importava: ele desafiava tudo. Mesmo quando se portava da pior

maneira possível, sempre parecia expressar a personalidade da França – uma grande nação, com todo o seu orgulho, autoridade e ambição.[6]

De Gaulle teve sobre Churchill uma percepção simétrica, mas a expressou no seu próprio estilo, mais sóbrio e grandiloquente:

> Os incidentes rudes e difíceis que se produziram diversas vezes entre nós, em função do atrito entre nossas duas personalidades, a oposição de certos interesses entre nossos respectivos países, os abusos que a Inglaterra cometeu em detrimento de uma França ferida influíram sobre a minha atitude em relação ao primeiro-ministro, mas em nada sobre o meu julgamento. Winston Churchill me pareceu, do início ao fim do drama, como o grande campeão de um grande empreendimento e o grande artista de uma grande história.[7]

Essas duas declarações mostram inequivocamente que, se não havia amizade entre ambos, havia sim admiração e respeito recíprocos. De Gaulle e Churchill eram como duas feras no mundo selvagem que, por sua própria natureza e na defesa dos seus respectivos grupos, não podem nunca ser amigas, embora se respeitem e se reconheçam como pertencentes à mesma espécie.

Naquele primeiro e histórico encontro, De Gaulle iria transmitir ao primeiro-ministro britânico a "firme" decisão do governo francês em continuar a guerra comum contra a Alemanha a partir do seu império colonial. Churchill, por sua vez, demonstraria clara satisfação ao tomar conhecimento da boa-nova, mas não esconderia o seu descrédito e rejeitaria peremptoriamente a demanda que logo lhe seria feita: manter a Real Força Aérea britânica (RAF) no continente, apoiando as ações em terra do Exército Francês contra o invasor alemão. Afinal, os atos de Reynaud durante o mês anterior haviam causado uma péssima impressão no governante britânico. No dia 9 de maio, Reynaud chegou a apresentar pedido de demissão ao presidente da França, ato que aos olhos de Churchill mostrava que sua determinação de ir até o fim na guerra contra a Alemanha era mais vocal que real. E a demissão de Reynaud só não se concretizou porque, no dia seguinte, teve início a invasão alemã pela Bélgica, obrigando-o a retirar o seu pedido e enfrentar a guerra, contando com comandantes militares que não demonstravam disposição de lutar, pois não haviam se preparado para o conflito no campo de batalha, uma vez que apostaram todas as suas fichas na falida Linha Maginot. Após isso, com a penetração das tropas alemãs em território francês, em 14 de maio, Reynaud ainda deixou claro a Churchill, durante uma conversa telefônica, o seu pessimismo em relação ao futuro da guerra. E, para agravar esse quadro, Reynaud ainda iria indicar o marechal Pétain como seu ministro da Guerra seis dias depois. Não bastassem todos esses indícios de uma fraca disposição em combater, no dia 26, em visita a Londres, o chefe do governo francês revelou ao colega britânico que, se os alemães conseguissem avançar ainda mais em território francês, Pétain provavelmente iria propor o armistício. Como então o experiente e astuto Churchill poderia acreditar na determinação de Paul Reynaud em continuar a guerra?

A negativa de Churchill em aceitar a demanda do aliado foi interpretada por De Gaulle como uma ruptura, na prática, da união estratégia entre a França e o Reino Unido. No entanto, o curso dos acontecimentos iria mostrar que a razão estava do lado de Churchill ao não querer arriscar a sua força aérea na defesa do que não podia ser defendido, reservando-a para proteger o próprio território. Afinal, naquela época todos acreditavam que, depois de invadida e dominada a França, seria a vez de o exército alemão atacar a Grã-Bretanha. Embora as ilhas britânicas não tivessem conhecido nenhuma invasão estrangeira havia mil anos, a agressividade e superioridade bélicas alemãs faziam os mais prudentes pensar que isso seria possível. Esse risco estava inclusive nos cálculos do governo britânico, que já havia planejado, em caso de invasão, transferir a Coroa, a si próprio e as demais Coroas e governos dos países europeus ocupados pela Alemanha e exilados em Londres para o Canadá. O avanço alemão parecia inevitável.

Ao retornar à França, no dia 10 de junho, De Gaulle não apenas traria a desagradável notícia da recusa britânica em ajudar a França como ainda iria tomar conhecimento de duas péssimas novidades: a primeira era a de que o exército alemão já havia cruzado o rio Sena, e que, portanto, a sua chegada a Paris era iminente; e a segunda, a de que também a Itália acabava de declarar guerra à França. Diante dessa situação desastrosa, o Conselho de Ministros tomou a decisão de declarar Paris cidade aberta e, naquela mesma noite, transferir o governo da França para alguma localidade mais ao sul do país. Como tudo se precipitava numa velocidade inesperada, já no dia seguinte, a meio caminho entre Paris e Bordeaux, foi realizada uma reunião do conselho supremo franco-britânico, copresidida por Reynaud e Churchill, no quartel-general do comandante do exército, general Weygand, em Briare, no centro da França. O objetivo dessa reunião era conseguir aquilo que De Gaulle havia tentado sem sucesso dois dias antes, em Londres: convencer Churchill a manter a força aérea britânica lutando na França. Mas o primeiro-ministro britânico mostrou-se novamente inflexível. Afinal por que iria ele envolver a sua aviação na defesa de um país cujo comando militar demonstrava querer mais a paz com o inimigo do que a guerra, apesar das declarações em contrário do seu chefe de governo? Nessa reunião, De Gaulle iria perceber claramente que os laços de solidariedade entre a França e a Inglaterra haviam se rompido, que o governo francês perdera completamente a sua autoridade e não mais contava com a lealdade do comando das forças armadas. Contudo, Paul Reynaud ainda não quis se dar por vencido e determinou que De Gaulle se sentasse ao lado de Churchill durante o jantar que se seguiu à reunião. Quem sabe a sincera determinação do jovem general francês de continuar lutando amoleceria o duro coração daquela velha raposa britânica? O resultado obtido não foi o esperado pelo primeiro-ministro francês, mas não deixou de ser favorável à França na medida em que, naquele momento e uma vez mais, De Gaulle e Churchill puderam conversar e fortalecer a percepção mútua de que estavam diante de um homem de fortes convicções e com a determinação inquebrantável de lutar e vencer o inimigo.

Ao que tudo indica, De Gaulle não suspeitava que estava sendo usado por Reynaud para arrancar concessões de Churchill e acreditava firmemente na determinação do primeiro-ministro francês em transferir o governo do país para a Argélia, que era a mais próxima e próspera das colônias francesas, de onde poderiam melhor conduzir a luta contra o inimigo até reconquistar o território ocupado na Europa e vencer finalmente a guerra. Por isso, ele continuava a trabalhar com afinco na preparação da transferência do governo da França para Argel. Mas essa confiança duraria pouco, pois, no dia seguinte, o chefe de gabinete de Reynaud lhe telefonou comunicando uma nova reunião de cúpula franco-britânica, a realizar-se em Tours, no dia 13 de junho – isto é, após apenas dois dias da reunião de Briare. Curiosamente, para essa reunião De Gaulle não foi convocado, mas o chefe de gabinete o aconselhou a participar dela mesmo assim. Na reunião, ele logo iria entender por que havia sido dela propositalmente excluído.

O objetivo daquele encontro era convencer Churchill a aceitar que a França assinasse, em separado, um armistício com a Alemanha, rompendo com a aliança militar que até então unia os dois países. Durante aquela tensa reunião, Churchill se mostrou sinceramente tocado pelos argumentos apresentados pelo lado francês: as penas e os prejuízos daquela guerra, que era de ambos os países, estavam recaindo exclusivamente sobre a França, donde a necessidade de pôr imediatamente fim às hostilidades com a Alemanha. No entanto, embora o primeiro-ministro britânico declarasse *compreender* as razões dos franceses em querer abreviar o seu sofrimento, ele não podia estar *de acordo* com sua proposta. E, diante da intransigência britânica em liberar o aliado para fazer um acordo com o inimigo, as partes acabaram se acertando em torno de três pontos: que nenhuma decisão definitiva a respeito seria tomada antes que um último apelo fosse feito ao presidente Franklin Roosevelt; se os Estados Unidos, que já eram então a maior potência mundial, decidissem entrar na guerra, a sorte passaria para o lado dos Aliados, não fazendo qualquer sentido um acordo franco-alemão. Que mesmo no caso de a França vir a optar unilateralmente pelo armistício com a

Alemanha, o aliado francês deveria assumir o compromisso de não deixar que sua poderosa frota naval fosse parar nas mãos dos inimigos alemães e italianos. E que, antes mesmo que um eventual armistício começasse a ser negociado com a Alemanha, a França deveria encaminhar à Grã-Bretanha os 400 aviadores alemães que lá se encontravam presos, pois seria inadmissível que o aliado francês restituísse ao inimigo aqueles que iriam bombardear uma Inglaterra tão mal armada quanto a França, mas que permaneceria solitária na luta.

Finda a reunião, Churchill tomou o rumo do avião que o levaria de volta a Londres e, no caminho, cruzou rapidamente com De Gaulle. Nas suas *Memórias da Segunda Guerra Mundial*, Churchill narrou esse encontro nos seguintes termos: "Ao descermos para o pátio [na companhia de Paul Reynaud], vi o general De Gaulle imperturbável e com o semblante inexpressivo, de pé na soleira da porta. Cumprimentando-o, disse-lhe a meia-voz em francês: '*l'homme du destin*'. Ele continuou impassível".[8]

Como De Gaulle nunca fez referência a esse encontro, e provavelmente nem mesmo tenha ouvido o que Churchill lhe disse em voz baixa, não é possível saber com certeza a razão de sua postura imperturbável e seu semblante inexpressivo. No entanto, pode-se imaginar que a sua aparente indiferença se devesse à situação vergonhosa e deplorável que o governo do qual ele fazia parte havia se colocado. É o que leva a crer a decisão tomada por De Gaulle após aquele infeliz encontro: pedir demissão do cargo de subsecretario de defesa naquela mesma noite.

De Gaulle chegou mesmo a redigir sua carta de demissão, mas, antes que fosse enviada a Paul Reynaud, ele recebeu um telefonema de George Mandel, ministro do Interior, que havia tomado conhecimento de sua decisão por intermédio do seu chefe de gabinete, Jean Laurent. Mandel foi extremamente hábil ao abordar De Gaulle; com um discreto otimismo, disse-lhe: "quem sabe nós, finalmente, não vamos conseguir fazer com que o governo se mude para Argel?" – afinal, não era exatamente isso que De Gaulle queria? Mas o argumento que realmente o convenceu a voltar atrás em sua decisão foi bem mais sombrio e desafiador:

> De toda maneira – disse-lhe o ministro – nós estamos apenas no início da guerra mundial. Você terá grandes deveres a desempenhar, general! Mas com a vantagem de ser, no meio de todos nós, um homem intacto. Pense somente naquilo que deve ser feito pela França; e imagine que, no caso de ser bem-sucedido, sua função atual poderá lhe facilitar as coisas.

Além dos encontros com Churchill, essa rápida conversa telefônica com Mandel foi decisiva para o seu futuro. Se naquela noite ele tivesse deixado o governo, De Gaulle não teria voltado a Londres, dois dias depois, para negociar com Churchill um novo acordo em nome do governo da França e, muito provavelmente, não teria conseguido reunir as condições providas pelas circunstâncias de retornar à Inglaterra e se tornar o líder da resistência francesa logo a seguir. Era novamente a *fortuna* a pavimentar o caminho de um homem de *virtù*.

Ao reunir-se com Paul Reynaud no dia seguinte, como se nada tivesse acontecido na noite anterior, o primeiro-ministro voltaria a reafirmar ao seu subsecretário para a guerra que sua determinação de continuar a guerra e transferir o governo da França para Argel seguia inalterada. E, para concretizá-la, era fundamental contar com o auxílio do aliado britânico para transportar o governo francês para a outra margem do Mediterrâneo. Em vista dessa demonstração de firmeza de intenções do governo, De Gaulle iria se propor a voltar a Londres e combinar os detalhes dessa operação com Churchill.

No dia 16 de junho, depois de uma viagem por mar, ele chegou a Londres, mas antes se encontraria com o embaixador da França. Este lhe apresentou uma proposta elaborada pela diplomacia francesa, que consistia na fusão dos poderes públicos da França e da Grã-Bretanha. A proposta era bastante ousada, pois não só propunha que os dois Estados iriam compartilhar os seus recursos e arcar com as perdas comuns durante a guerra, como também conferir direitos iguais a cidadãos franceses e britânicos nos seus territórios. Em nenhum momento, a França propôs à Inglaterra uma união tão profunda para combater e derrotar o inimigo.

De Gaulle, que sempre fora um patriota que se relacionava com reservas com as nações aliadas, duvidou inicialmente da viabilidade de uma proposta tão audaciosa; mas acabou convencendo-se da sua conveniência e adequação naquele grave momento. Por isso, resolveu propô-la a Churchill. O primeiro-ministro britânico, apesar de ter lá também as suas reticências em relação à proposta que lhe fora feita, resolveu submetê-la e defendê-la perante o conselho de ministros, que foi imediatamente convocado para deliberar sobre ela.

Após entrar e sair diversas vezes da sala onde o conselho de ministros se encontrava reunido para discutir com De Gaulle detalhes do texto que uniria os Estados britânico e francês, Churchill conseguiu a sua aprovação em termos muito próximos ao original que lhe fora apresentado. Naquele mesmo fim de tarde, De Gaulle ainda iria telefonar a Reynaud e lhe ditaria os termos do acordo celebrado com o governo britânico que, para ser validado, deveria ser aprovado pelo conselho de ministros da França, que iria se reunir às 17 horas. Tudo parecia bem encaminhado. Churchill e Reynaud chegaram mesmo a combinar, em uma rápida conversa telefônica, de se encontrar no dia seguinte, em Concarneau, para assinar o acordo de união entre os dois países.

Depois de toda essa longa negociação, De Gaulle voltou a Bordeaux em um avião britânico que lhe foi emprestado por Churchill e que ficaria à sua disposição caso ele tivesse necessidade de retornar a Londres por um motivo qualquer. Sábia e providencial medida! Ao chegar a Bordeaux, por volta das 21h30 daquela mesma noite, dois oficiais do gabinete do general De Gaulle o aguardavam no aeroporto com a pior de todas as notícias possíveis: o primeiro-ministro Paul Reynaud havia renunciado ao governo e o presidente Lebrun havia indicado o marechal Pétain para formar o novo gabinete. A partir daquele momento, não havia mais qualquer dúvida: o armistício era certo e não lhe restava outra opção senão tomar o avião de volta para Londres na manhã seguinte, trocando o território francês pelo britânico, de onde ele iria tentar comandar a resistência ao invasor e continuar a guerra. A magnitude do desafio que ele tinha pela frente era incomensurável. Naquele momento, De Gaulle sentiu-se "só e destituído de tudo, como um homem diante de um oceano que pretende atravessar a nado".

## O EXÍLIO EM LONDRES E A FORMAÇÃO DA FRANÇA LIVRE

De Gaulle sabia que a acolhida do governo britânico, a determinação de Churchill em continuar a guerra e os 100 mil francos do fundo secreto do governo francês que o demissionário primeiro-ministro Paul Reynaud lhe dera antes de embarcar para a Inglaterra não eram mais que uma pequena contribuição para o início de uma longa e penosa jornada. Continuar a guerra a partir de Londres não seria tarefa trivial e ele estava convicto de que não haveria França Livre sem a espada. Por isso, organizar as forças francesas para o combate seria sua tarefa número um. Alguns equipamentos e combatentes já se encontravam na Inglaterra, como as unidades da divisão ligeira alpina, que, após terem lutado na Noruega, retornaram à Bretanha no mês de junho, sendo em seguida embarcadas com as últimas forças britânicas no continente rumo ao Reino Unido. Havia também alguns navios da marinha de guerra francesa, totalizando cerca de 100 mil toneladas e reunindo quase 10 mil marinheiros, além de milhares de soldados feridos nas batalhas da Bélgica que acabaram sendo levados para hospitais na Grã-Bretanha. Mas essas forças se encontravam dispersas e precisavam ser reunidas e reorganizadas sob um comando único para poderem voltar à guerra.

De Gaulle também sabia que a vitória não poderia depender apenas do uso das armas, mas tinha igualmente de zelar pela manutenção do moral elevado dos franceses. Para tanto, ele teria de fazer uso frequente do rádio para se comunicar com os seus conterrâneos na França ocupada; mostrar-lhes que nem tudo estava perdido; que ainda havia uma França que resistia e que, com ela, os franceses inconformados com a ocupação alemã poderiam contar e também resistir. De Gaulle sabia que não poderia permitir que se reproduzisse no seu país o que ele vira acontecer na Alemanha durante a Primeira Guerra Mundial: "a decomposição da unidade nacional" que – como ele argutamente observou – se encontra "na origem de toda derrota", lição por ele aprendida e registrada no livro *A discórdia entre o inimigo*. Ao deixar a França, no dia 17 de julho, De Gaulle viu o país mergulhado no caos e na desordem, onde civis e militares corriam desesperados e desordenadamente pelas estradas rumo ao sul, fugindo do avanço do invasor. Diante daquele triste espetáculo e do sério risco de desestruturação nacional, De Gaulle tomaria para si a incumbência de ser a voz a unir a nação e injetar confiança no seu povo. Sua mensagem seria clara: embora a Batalha da França estivesse perdida, a guerra não estava e seria ganha com a união dos franceses em torno dele.

Além de continuar a luta e manter viva a esperança nos franceses, De Gaulle sabia que o futuro de uma França livre e independente após a guerra dependia, desde já, da criação de algumas instituições que fossem capazes de mostrar aos franceses e ao mundo que o legítimo Estado francês nunca tinha deixado de existir, e tampouco era representado pelo governo do marechal Pétain, estabelecido em Vichy. Por isso, era preciso encontrar urgentemente um território no imenso Império colonial Francês onde a legítima autoridade do Estado francês pudesse exercer plenamente seu poder de forma autônoma, e de onde a França Livre pudesse passar a combater sem depender do aliado britânico até recuperar integralmente seus territórios ocupados pelo inimigo. Entre os diversos territórios da França espalhados pelos quatro cantos da Terra, o mais estratégico parecia-lhe ser o da África.

Essa foi a agenda que De Gaulle estabeleceu para si e para a França, e na sua implementação ele passaria a trabalhar desde o seu primeiro dia de exílio em Londres. Mas por onde começar tão imensa obra? Por aquilo que se encontrava imediatamente à sua disposição: o rádio. Churchill lhe franqueou sem hesitar a utilização dos estúdios e das ondas da BBC para que pudesse travar a batalha da comunicação, que era o novo campo de luta das guerras do século XX.

## A batalha da comunicação

A primeira alocução radiofônica do general De Gaulle foi transmitida pela BBC um dia após o comunicado de Pétain, anunciando o armistício. Esse pronunciamento à nação francesa não foi gravado e seu conteúdo só é hoje conhecido a partir do seu manuscrito. Contudo, o chamado de 18 de junho de 1940 entraria para a História por sintetizar a mensagem que De Gaulle passaria insistentemente a transmitir aos franceses a partir de então:

> Os chefes que há vários anos estão à frente das forças armadas francesas formaram um governo.
> Esse governo, sob a alegação da derrota de nossas forças armadas, se pôs em relação com o inimigo para cessar o combate.
> É verdade que nós fomos e nos encontramos submetidos pela força mecânica, terrestre e aérea, do inimigo.
> Infinitamente mais que o seu número, foram os tanques, os aviões e as táticas dos alemães que nos fizeram recuar. São os tanques, os aviões e as táticas dos alemães que surpreenderam nossos chefes a ponto de levá-los onde hoje eles se encontram.
> Mas a última palavra foi dita? A esperança deve desaparecer? A derrota é definitiva? Não!
> Acreditem! Eu lhes falo com conhecimento de causa e lhes digo que nada está perdido para a França. Os mesmos meios que nos venceram podem vir um dia a fazer a vitória.
> Pois a França não está só! Ela não está só! Ela não está só! Ela tem um vasto império atrás dela. Ele pode fazer bloco com o Império Britânico, que controla os mares e continua a luta. Ela pode, como a Inglaterra, utilizar sem limites a indústria dos Estados Unidos.
> Esta guerra não está limitada ao território infeliz do nosso país. Esta guerra não foi decidida pela Batalha da França. Esta guerra é uma guerra mundial.
> Todos os erros, todos os atrasos, todos os sofrimentos não impedem que haja no universo todos os meios para esmagar um dia nossos inimigos.
> Derrotados hoje pela força mecânica, nós poderemos vencer no futuro com uma força mecânica superior. O destino do mundo se encontra aí.
> Eu, general De Gaulle, atualmente em Londres, convido os oficiais e soldados franceses que se encontram em território britânico ou que vierem a se encontrar, com suas armas ou sem armas; eu convido os engenheiros e trabalhadores especializados na indústria de armamentos que se encontram em território britânico ou que vierem a se encontrar, a entrar em contato comigo.
> O que quer que aconteça, a chama da resistência não deve se apagar e não se apagará.
> Amanhã, como hoje, eu falarei pela rádio de Londres.

Essa primeira alocução radiofônica foi captada e ouvida por muito poucos franceses, dada a precariedade das condições de sua transmissão. Entre esses poucos se encontravam os habitantes da minúscula colônia de pescadores de Île-de-Sein, na costa da Bretanha, que devido à proximidade com as ilhas britânicas puderam ouvir perfeitamente a mensagem do general De Gaulle. Esse fato deu origem a uma anedota ainda hoje contada naquela ilha: após o chamado de 18 de junho, todos os homens, empolgados com a mensagem que acabavam de ouvir, foram se unir a De Gaulle em Londres, deixando para trás apenas as mulheres e crianças, além do padre e do padeiro – pois ninguém na França poderia sobreviver sem pão. No dia seguinte, a voz do general De Gaulle voltaria às ondas da BBC, mas seria somente no dia 22, quando os termos do armistício assinado por Pétain com a Alemanha foram conhecidos, que a sua fala aos franceses seria gravada pela primeira vez e transmitida em melhores condições técnicas.

A batalha da comunicação estava apenas começando e se anunciava árdua. De um lado, encontrava-se o marechal Pétain, velho conhecido dos franceses e herói da Primeira Guerra Mundial; de outro, o general De Gaulle, ilustre desconhecido do público em geral, cuja reputação era restrita a um pequeno grupo de especialistas em estratégia militar que o conhecia por meio de suas obras. Foi somente mais tarde, pouco a pouco, e devido à insistência com que recorria ao rádio que De Gaulle se tornaria conhecido dos franceses. Nos poucos mais de seis meses que ainda restavam daquele ano de 1940, De Gaulle se pronunciou 25 vezes pela BBC e 2 vezes pela rádio de Brazzaville, durante sua primeira estada na África, da qual trataremos mais adiante. Em 1941, foram mais 17 emissões de Londres e 7 outras de Brazzaville. Em 1942, foram 20 mensagens enviadas à França da Inglaterra, 5 da África e 2 dirigidas aos Estados Unidos, que acabavam de entrar na guerra. Diariamente, a França Livre teria um espaço nas ondas da BBC para enviar notícias e mensagens aos franceses do continente. Além de se dirigir aos franceses em algumas datas precisas, como o Ano-Novo e o feriado nacional de 14 de julho, De Gaulle utilizaria suas frequentes locuções para fazer um balanço do curso da guerra, mostrando o erro que fora a capitulação em 1940, e mantendo vivo o orgulho nacional, a confiança na vitória e no retorno da França à sua grandeza. Após 1942, quando De Gaulle já havia se tornado bem conhecido entre os franceses e conquistado o comando-geral de todas as forças de resistência, suas alocuções diretas iriam diminuir sensivelmente: um total de 17 em 1943 e apenas 3 em 1944. A batalha da comunicação estava finalmente vencida, enquanto a luta pela reorganização do Estado na França estava apenas começando.

Todavia, não foi apenas De Gaulle que se esforçou por se fazer conhecido dos franceses, pois estes também tiveram de pelejar para escutar sua mensagem, o que não era fácil nem destituído de riscos. Desde o início da ocupação, os alemães procuraram dificultar a recepção das ondas da BBC, interferindo na sua frequência de transmissão. Além disso, proibiram a população de escutar rádios de países inimigos – no caso, as inglesas – e aqueles que fossem pegos ouvindo a BBC seriam severamente punidos pelo delito. Mas, apesar da proibição e dos riscos, os franceses que se opunham à invasão alemã passaram a escutá-la trancados em suas casas, com as janelas e cortinas bem fechadas, sentados junto ao rádio, no mínimo volume possível, e com os ouvidos colados ao autofalante para ouvir o que De Gaulle teria a lhes dizer. Nos dias seguintes às suas locuções, as pessoas na rua – e à boca pequena – trocavam impressões sobre o que tinham ouvido. A França estava ocupada, mas não aniquilada, e a mensagem do general De Gaulle alimentava a chama da esperança na alma dos franceses.

Entretanto, o general não era o único a procurar organizar a resistência ao invasor nazista e, por isso mesmo, ele teve de constantemente disputar a liderança com diversos grupos de variadas orientações ideológicas e partidárias. No interior da França, desde o início da ocupação, se formaram grupos independentes, como: Ceux de la Libération, de direita; Combat, democrata-cristão; Franc-Tireur e Libération-Sud, de esquerda; Libération-Nord, socialistas (SFIO); e Front National, comunistas. No entanto, nenhum deles dispunha de uma rádio para se comunicar com a população, nem contava com o apoio da Inglaterra, como a França Livre, liderada por Charles de Gaulle. Por isso, aquelas organizações iriam se utilizar da distribuição de panfletos e jornais clandestinos para se comunicar com a população. Essa literatura alternativa à versão oficial dos fatos e subversiva da ordem vigente era largada por aviões em voos clandestinos. Não diretamente sobre as cidades, o que seria muito arriscado, mas nas periferias e florestas vizinhas. E não era nada difícil a quem quisesse encontrar esses panfletos e jornais; nem mesmo a quem vivesse em grandes cidades, como Paris. Bastava ir a uma das muitas florestas próximas à capital e às grandes cidades, sob o pretexto de colher cogumelos – hábito muito comum entre os franceses até hoje –, para encontrar sem dificuldade esses panfletos e jornais. Entre todos, o mais frequente e conhecido informativo a cair do céu era o *Combat*, de centro. Entretanto, o maior adversário do general De Gaulle na batalha da comunicação, que também era a batalha pela liderança política da resistência à ocupação nazista, seriam os comunistas, e as rivalidades entre ambos iriam perpassar todo o período da guerra e ultrapassar o fim do conflito. Mas a divisão entre as forças de resistência representava apenas uma pequena parte da múltipla fratura que separava os franceses em diferentes campos, que De Gaulle precisava reunir.

A primeira fratura a dividir os franceses foi inicialmente territorial. Após a assinatura do armistício, o território da França na Europa foi basicamente partido em dois: o ocupado e controlado diretamente pela Alemanha, que compreendia toda a região Norte, incluindo Paris, e a costa atlântica; e a chamada Zona Livre, administrada pelo Estado Francês (e não mais pela República Francesa), sob o comando de Pétain, estabelecido em Vichy. Além dessas duas grandes áreas, a Alsácia e o Norte da Lorena seriam anexados ao Reich, voltando à situação que tiveram entre 1871 e 1918, e algumas pequenas partes das regiões fronteiriças à Itália seriam ocupadas pelas tropas de Mussolini. O mapa da França encontrava-se, assim, completamente desfigurado, com sua população passando a viver submetida a diferentes governantes e leis.

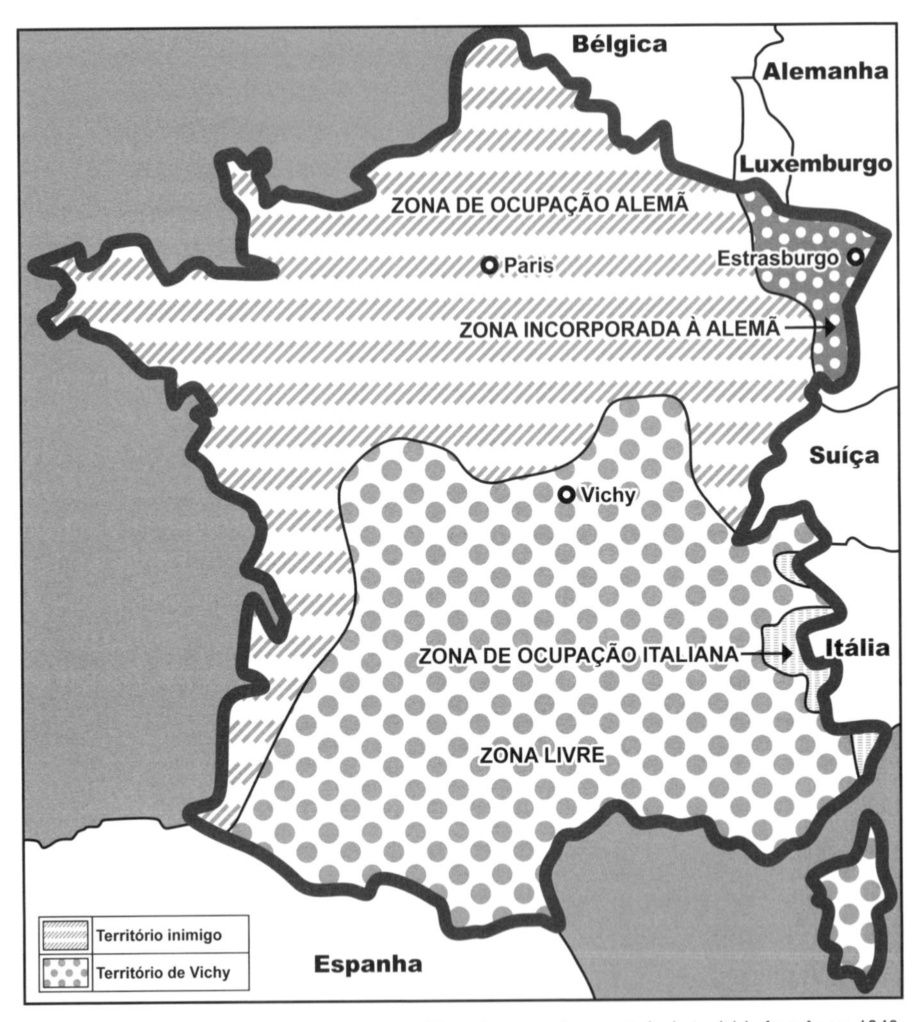


Mapa de ocupação e controle do território francês em 1940.

No início da guerra, as condições de vida dos habitantes da Zona Livre eram claramente melhores do que as da população que vivia nos territórios sob domínio direto da Alemanha, onde havia mais controle, repressão e toque de recolher. Por isso, muitos franceses, sobretudo os judeus, sempre que podiam, migravam para o território governado de Vichy. Assim foi até 1942, quando os ventos da guerra se voltaram contra a Alemanha e em contrapartida a repressão recrudesceu em toda a França, culminando com a ocupação da Zona Livre pela Alemanha. Mas enquanto isso não acontecia e oficialmente havia uma região livre do controle alemão na França, o acordo celebrado entre o marechal Pétain e a Alemanha nazista parecia a muitos franceses, senão bom, ao menos aceitável e preferível à guerra total contra uma potência até então imbatível.

A solução de compromisso do governo do marechal Pétain com o invasor alemão, que entrou para a História da França sob o nome de colaboracionismo, produziu a maior, mais profunda e dolorosa divisão entre os franceses durante a guerra. Essa grave ferida na alma francesa foi tratada e coberta após a guerra, mas nunca inteiramente supurada e cicatrizada, seguindo até hoje uma questão tabu na memória da França contemporânea. A divisão entre os que aceitaram o armistício e os que desaprovaram o compromisso celebrado com o velho inimigo foi mais um dos grandes problemas a ser enfrentados por De Gaulle, tanto durante a guerra, quando precisava aglutinar os franceses sob o seu comando na luta contra o invasor, quanto nos tempos de paz que se seguiram. Para que o leitor possa dimensionar o tamanho do desafio que se impunha a De Gaulle em conquistar a confiança dos seus compatriotas, organizá-los e assumir a liderança de resistência e combate contra o invasor, é preciso conhecer as razões que levaram tantos franceses a aceitar aquele vergonhoso acordo com a Alemanha nazista.

Como já foi destacado no capítulo anterior, durante o período que precedeu a eclosão da Segunda Guerra Mundial, a grande maioria dos franceses não queria mais se ver envolvida em outro conflito de proporções equivalentes ao da Primeira Guerra. Essa, aliás, era a opinião pública dominante não só na França, mas também na Inglaterra e até nos Estados Unidos, que não mais queriam se envolver com os problemas daquele continente belicoso, que era a Europa. Mas esse não era, e nem poderia ser, o sentimento majoritário na Alemanha, que, tendo sido derrotada na Primeira Guerra Mundial e humilhada depois dela, foi reencontrar a sua autoestima nacional no discurso racista e belicoso de Hitler. Isso, porém, a maioria dos franceses não podia e nem queria ver, razão pela qual o anúncio do armistício feito pelo marechal Pétain foi recebido como um alívio por muitos deles. E o que Pétain lhes oferecia parecia, de fato, tentador.

Com o armistício, a França não só ira ser poupada dos pesados bombardeios com que a Luftwaffe costumava castigar seus inimigos, como seus jovens não seriam obrigados a se sacrificar combatendo um exército até então invencível. Além disso, o acordo previa a liberação e o repatriamento dos muitos combatentes franceses veteranos da Primeira Guerra Mundial que haviam sido capturados pelo exército alemão na Bélgica. Estes eram majoritariamente chefes de família, e a perspectiva de sua libertação certamente teve grande peso nas considerações de muitos daqueles que acabaram por aceitar a nova ordem de convívio e colaboração com o invasor alemão.

De fato, a Alemanha cumpriu o que fora acordado e libertou os combatentes veteranos que eram seus prisioneiros. Contudo, a maior parte dos soldados franceses capturados durante a Batalha da França era composta por jovens que não tinham combatido na guerra de 1914-1918, e estes iriam permanecer encarcerados na Alemanha até 1945. Porém, havia um atenuante: o exército alemão sempre fora altamente profissional e civilizado, e os acordos internacionais de Haia relativos à guerra sempre haviam sido fielmente cumpridos nas suas frentes de batalha no Ocidente – embora o mesmo não possa ser dito em relação à sua atuação nas guerras travadas ao Leste e, muito menos, à ação da Gestapo. Por essa razão, os mais de um milhão de prisioneiros de guerra franceses que seguiriam detidos na Alemanha não pareciam expostos a grandes riscos e abusos. Essa garantia que a Alemanha oferecia à França foi, sem dúvida, mais um bom argumento a justificar, se não a colaboração, ao menos a aquiescência de muitos que permaneceram na França.

A conquista dos corações e mentes dos franceses não seria, portanto, uma batalha fácil; mas as boas guerras são normalmente feitas de batalhas difíceis, e De Gaulle não tinha o menor temor em enfrentá-las. Ele sabia que a batalha da comunicação se vence com bons argumentos, tempo e persistência. Mas ele também sabia que nenhuma guerra pode ser ganha sem combatentes em armas organizados em um território próprio onde a autoridade nacional é exercida com plena soberania. Do contrário, não se trataria de guerra, mas de guerrilha. E De Gaulle nunca fora guerrilheiro, mas guerreiro. Mas a sua legitimação como guerreiro ainda estava inteiramente por ser construída, e da França só vinham ordens em sentido contrário.

Nos dias 18 e 19 de junho, o marechal Pétain ordenou que De Gaulle retornasse imediatamente à França. Em virtude do seu desacato à ordem superior, o ministro da Guerra, em Vichy, decidiu, no dia 22, anular a sua promoção temporária a general de brigada e, no dia seguinte, o presidente da República assinou decreto aposentando o coronel De Gaulle por indisciplina. Mas ele iria ignorar todas as ordens e medidas vindas do regime de Vichy, contra o qual ele se encontrava em aberta disputa pela legítima condução da França e, por isso, faria frequentes apelos à resistência dos franceses pelas ondas da BBC a cada dois dias. Começava, assim, uma acirrada batalha de ordens e contraordens, mas ainda sem disparo de tiros.

A primeira manifestação em favor da legitimidade do general De Gaulle veio de Churchill, no dia 28, que pessoalmente o reconheceu como chefe de todos os franceses livres. Não se tratava ainda do reconhecimento da sua autoridade pelo governo de Sua Majestade, mas pelo chefe do governo britânico, o que não era pouca coisa. Dois dias depois, foi a vez de o ministro do Exército da França agir em sentido contrário, expedindo ordem ao coronel De Gaulle de se apresentar como prisioneiro na casa de detenção de Saint-Michel de Toulouse, França. A contenda já começava a se intensificar, o que era previsto, e ainda iria subir alguns graus em tensão no início do mês de julho, quando De Gaulle fez espalhar por Londres cartazes reiterando os termos do chamado de 18 de junho, e a marinha britânica abriu fogo contra navios de guerra franceses atracados na costa da Argélia. No dia seguinte ao ataque inglês, o governo de Vichy rompeu relações diplomáticas com o de Londres, e um tribunal militar na França condenou De Gaulle a quatro anos de prisão e ao pagamento de multa por desobediência. Mas o pior ainda estava por vir na chamada Zona Livre da França. No dia 10 de julho, os deputados da Assembleia Nacional concederam plenos poderes ao marechal Pétain para alterar a Constituição do país. Estava, assim, morta a Terceira República francesa.

De Gaulle não podia deixar de aproveitar a data da grande festa cívica na França, 14 de julho, quando se comemora a Queda da Bastilha, para, na véspera, fazer novo discurso pela BBC, denunciado a pusilanimidade do novo regime que se instalara na França: "uma vez que aqueles que têm o dever de empunhar a espada da França a deixaram cair e se quebrar, eu resolvi então juntar o gládio partido". E para mostrar que ele, de fato, havia recolhido o que sobrara da combatividade das forças armadas do seu país, De Gaulle passou em revista os primeiros contingentes das Forças Francesas Livres, que desfilaram nas ruas de Londres em comemoração ao 14 de julho, e em seguida colocou uma coroa de flores junto à estátua equestre do marechal Foch, grande herói francês da guerra de 1914-1918, localizada nas proximidades da Victoria Station, no centro da capital inglesa. Todos os atos simbólicos dos estadistas franceses durante a grande festa nacional foram protagonizados por De Gaulle no exílio.

Mas o guerreiro não iria se limitar às ações simbólicas. Uma semana depois, os aviões da França Livre participaram de um bombardeio da Alemanha em uma operação conjunta à aviação inglesa. Essa primeira ação militar da França Livre tinha de ser devidamente conhecida pelos franceses do continente. Por isso, De Gaulle fez novo discurso pela BBC, no dia 23 de julho, comunicando o ataque à Alemanha e exortando os soldados franceses da África do Norte a seguir o exemplo e não se submeter ao armistício com o inimigo. Na semana seguinte, a mesma mensagem seria dirigida às autoridades civis dos territórios coloniais da França. Paralelamente a suas alocuções radiofônicas, De Gaulle iria manter uma intensa correspondência com os governadores e comandantes das forças armadas espalhados pelo imenso Império colonial Francês, procurando atraí-los para o lado da França Livre. E o resultado desses apelos logo começaria a surtir efeito. O primeiro a alinhar-se com De Gaulle foi Henri Sautot, governador do arquipélago das Novas Hébridas. Dias depois, veio a adesão do governador do Taiti. A conquista desses dois territórios para a França Livre tinha mais importância simbólica do que prática, pois, estando localizados no longínquo Pacífico Sul, não tinham muito como contribuir no esforço de guerra na Europa. Contudo, esse conjunto de elementos materiais e simbólicos, amealhados em pouco mais de um mês, mostrava que a França Livre começava a deixar de ser apenas o apelo de um homem solitário e a ganhar existência coletiva. Faltava-lhe ainda um símbolo e uma bandeira sob a qual reunir os combatentes. E isso não demoraria a aparecer.

Essa bandeira não podia ser o pavilhão tricolor, que identificava a França republicana desde os tempos da Revolução Francesa. Embora o regime de Vichy tenha abolido dos seus atos oficiais a denominação *República Francesa*, substituindo-a por *Estado Francês*, a bandeira nacional havia sido mantida. Era, portanto, necessário diferenciar simbolicamente a França Livre, que continuava a guerra contra o inimigo, da França que havia se associado e submetido ao invasor. A solução encontrada foi adotar a Cruz de Lorena, símbolo dos duques de Lorena durante a Idade Média, como identidade visual da França Livre. Além de ser bem familiar aos franceses, essa Cruz tinha uma história que remontava às origens cristãs do povo e da formação do Estado monárquico na França. Adicionalmente, essa era uma cruz que se erguia contra outra: a cruz gamada, ou suástica, adotada pela Alemanha nazista. A Cruz de Lorena apareceria, então, pintada em todos os tanques, aviões e demais equipamentos de guerra utilizados pela França Livre, simbolizando uma cruzada da liberdade contra a opressão.

A resposta de Vichy a tanta ousadia do oficial De Gaulle não iria tardar. Em 2 de agosto, o Tribunal Militar Permanente, com sede em Clermont-Ferrand, condenou o coronel à degradação militar, ao confisco de todos os seus bens móveis e imóveis e à pena de morte pelos crimes de traição, deserção durante a guerra e fuga para o território de uma potência estrangeira em estado de guerra. Contudo, para De Gaulle, todas aquelas decisões emanadas de Vichy eram ilegítimas, pois respaldadas apenas pela força do inimigo. Por isso, ele continuaria a assinar todas as suas correspondências e todos os atos oficiais da França Livre como *general* De Gaulle.

Ainda no início de agosto de 1940, De Gaulle conquistaria uma importante vitória: o reconhecimento da França Livre pelo governo britânico.

Foto do autor

Cruz de Lorena erigida do alto da colina de Colombey-les-Deux-Églises, de onde se vislumbram vastos campos e florestas do leste da França. Essa Cruz foi o símbolo escolhido por De Gaulle para representar a França Livre.

Era o primeiro reconhecimento no plano internacional de que havia uma organização e um líder que representavam a verdadeira França e que esses não se encontravam em Vichy associados ao inimigo. Mas isso, embora bom, ainda era pouco, pois faltava à França Livre um território próprio. De Gaulle seguia firme na ideia de que a França podia continuar a guerra e vencer o inimigo a partir dos territórios que compunham o seu império colonial. No entanto, quanto mais próximo esses territórios estivessem da Europa, que era então o único palco da guerra, melhor. E não havia nada mais próximo à Europa do que a África, em especial o norte do continente, onde se encontravam as mais importantes colônias francesas. Contudo, os governadores do Marrocos, da Argélia e da Tunísia não atenderam aos apelos do general De Gaulle, preferindo alinhar-se ao governo de Vichy. Era então necessário garantir algum território para a França Livre mais ao sul.

## Em busca de um território para a França Livre e as batalhas na África

Dacar, no Senegal, localizada na costa ocidental da África, parecia a melhor opção. Se a França Livre conseguisse ali se estabelecer, ela não só traria um importante reforço em efetivos para a guerra como ofereceria também ao aliado britânico um ponto estratégico de apoio para as batalhas no Atlântico. Por isso, De Gaulle e Churchill passaram a discutir longamente a estratégia de trazer Dacar para o lado da França Livre: se não pelo convencimento e pela força das palavras, pela imposição e força das armas. Contudo, essa não era uma empreitada trivial e comportava alguns riscos, uma vez que a administração dos territórios da África Ocidental encontrava-se fortemente centralizada e estreitamente vinculada à da África do Norte, sob domínio de Vichy. Por isso, a notícia da adesão dos territórios da África Equatorial, que chegou dias antes do embarque rumo a Dacar, foi recebida com tanto alívio. A primeira adesão à França Livre veio do governador do Chade, Félix Éboué, em 26 de agosto. No dia seguinte, veio a dos Camarões, sob o impulso do então capitão Leclerc – que posteriormente viria a ser talvez o mais importante general da França Livre –, e do Congo, graças à ação decisiva do coronel Larminat. No dia 28, foi a vez de Ubangui-Chari, que passaria a denominar-se República Centro-Africana após a sua independência. Assim, um território grande e contíguo na África acabava de passar para o lado da França Livre, embora ainda faltasse a adesão do Gabão, o que só iria acontecer em novembro, após uma batalha comandada pelo já então coronel Leclerc contra as tropas fiéis a Vichy. Portanto, mesmo que a tomada do Senegal viesse a falhar, a França Livre já havia garantido um território próprio onde poderia exercer plenamente sua soberania e de onde poderiam partir suas ações militares na África.

Finalmente, no último dia de agosto de 1940, a estratégia foi posta em ação. Do porto de Liverpool partiram as embarcações aliadas, sob diversas bandeiras, rumo à tomada de Dacar. De Gaulle encontrava-se a bordo do Westerland na companhia do general Spears, que havia sido designado por Churchill como seu contato, diplomata e informante. Naquele momento, menos de três meses após ter deixado a França rumo à Inglaterra, De Gaulle, que nunca fora modesto, iria, novamente, sentir-se pequeno diante daquela imensa empreitada:

> tendo deixado o porto sob alerta total de bombardeio aéreo, com minha pequenina tropa e meus minúsculos barcos, senti-me como esmagado pela dimensão do dever. Ao largo, na noite escura, sobre as longas vagas que ondulavam o oceano, um pobre navio estrangeiro, sem canhões e com todas as luzes apagadas carregava a sorte da França.

Mas tudo conspirou contra a primeira investida das forças comandadas por De Gaulle: desde a meteorologia, que manteve toda a frota franco-britânica encoberta sob uma forte neblina, de tal forma que nenhum navio de guerra pôde ser visto do litoral, anulando o efeito psicológico tão esperado por Churchill, passando pela resistência das autoridades locais em aderir à França Livre, até a batalha que se seguiria, contrapondo franceses opostos e franceses fiéis ao governo de Vichy, que receberam um reforço de naus de guerra para defender a cidade. A derrota na Batalha de Dacar, como seria de se imaginar, foi festejada em Vichy como uma grande vitória sobre aquele grupo de insubordinados e suscitou muitas críticas não só a De Gaulle, mas também a Churchill, que emprestara o apoio de sua força naval à fracassada ação militar da França Livre. Não só a imprensa inglesa iria atacar pessoalmente Churchill, como também o Parlamento britânico entraria em ebulição, questionando o envolvimento do seu primeiro-ministro numa aventura militar sabidamente arriscada. Na França, De Gaulle era um ilustre desconhecido e, na Inglaterra, menos conhecido ainda. Segundo Gaston Palewski, chefe de gabinete do general De Gaulle, em Londres, e gaullista de primeira hora, para a alta administração britânica, o rebelde general francês não passava de mais uma das fantasias sem futuro que frequentemente acometiam Churchill. No entanto, o experiente e habilidoso primeiro-ministro britânico, a quem não faltava o dom da oratória, conseguiu, sem grandes dificuldades, apaziguar os ânimos no Parlamento e convencer a todos que as decisões tomadas haviam sido acertadas e que De Gaulle deveria continuar contando com o decidido apoio do governo britânico. Essa sustentação pública do primeiro-ministro britânico a De Gaulle num momento tão adverso consolidaria ainda mais a já forte relação que unia os dois únicos guerreiros europeus que ousavam combater Hitler. Contudo, a derrota na Batalha de Dacar iria deixar sequelas. Segundo o próprio De Gaulle, "no coração dos britânicos ficaria uma ferida sempre aberta e no espírito dos americanos a ideia de que, se um dia fosse necessário desembarcar nos territórios ocupados por Vichy, a ação deveria ser executada sem a França Livre e sem os ingleses".

Mas não havia tempo para ficar lamentando o insucesso daquela batalha, nem os aliados ingleses iriam mais investir naquela tentativa. Por isso, ficou acertado que a esquadra britânica iria apenas acompanhar os navios franceses até a costa de Camarões, onde De Gaulle ficaria, e retornar em seguida à Grã-Bretanha.

Durante o mês passado no continente africano, De Gaulle aproveitou para visitar todos os territórios que compunham a África Equatorial Francesa, discutir com suas autoridades civis e militares, afirmar a sua liderança à frente da França Livre e injetar ânimo em todos os combatentes a continuar a guerra.

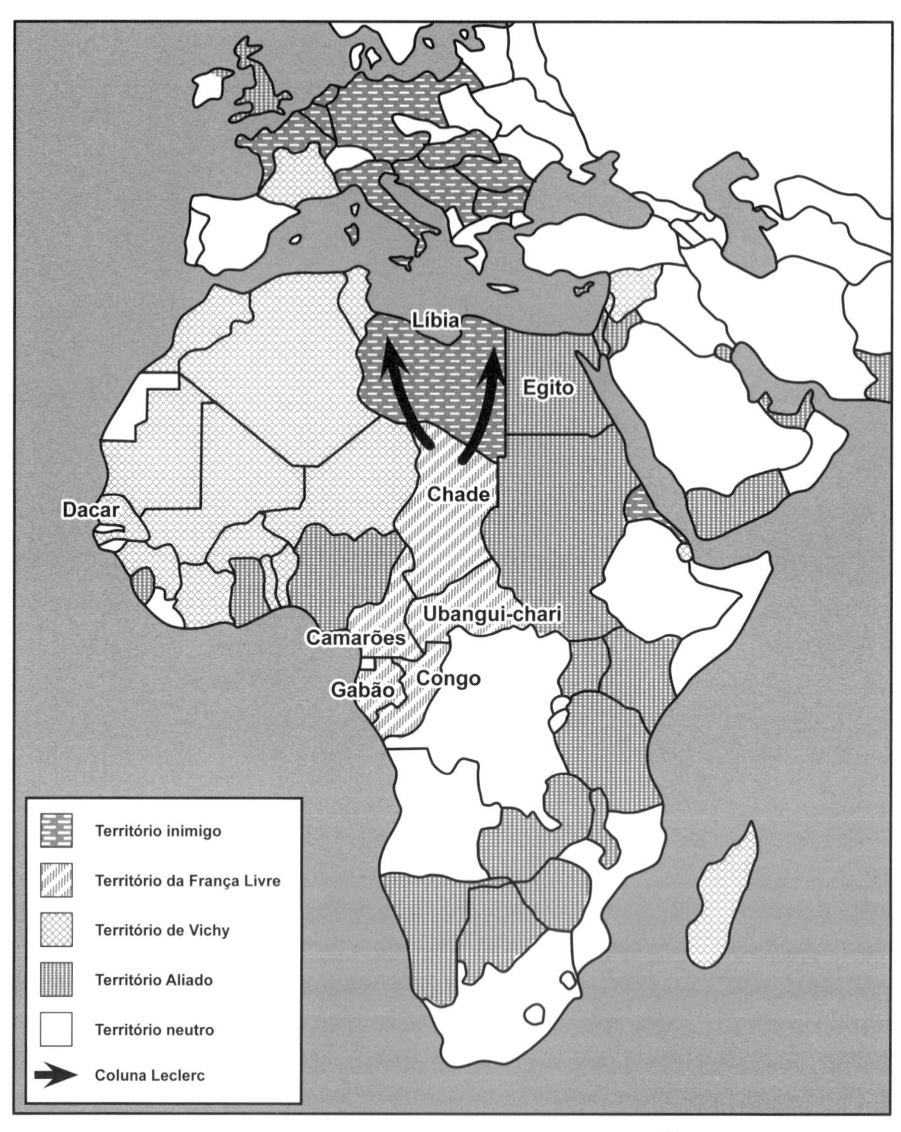


O território ocupado na África Equatorial pelas forças da França Livre permitiu atacar a Líbia pelo sul, comprometendo o avanço das tropas alemãs rumo aos campos de petróleo do Oriente Médio.

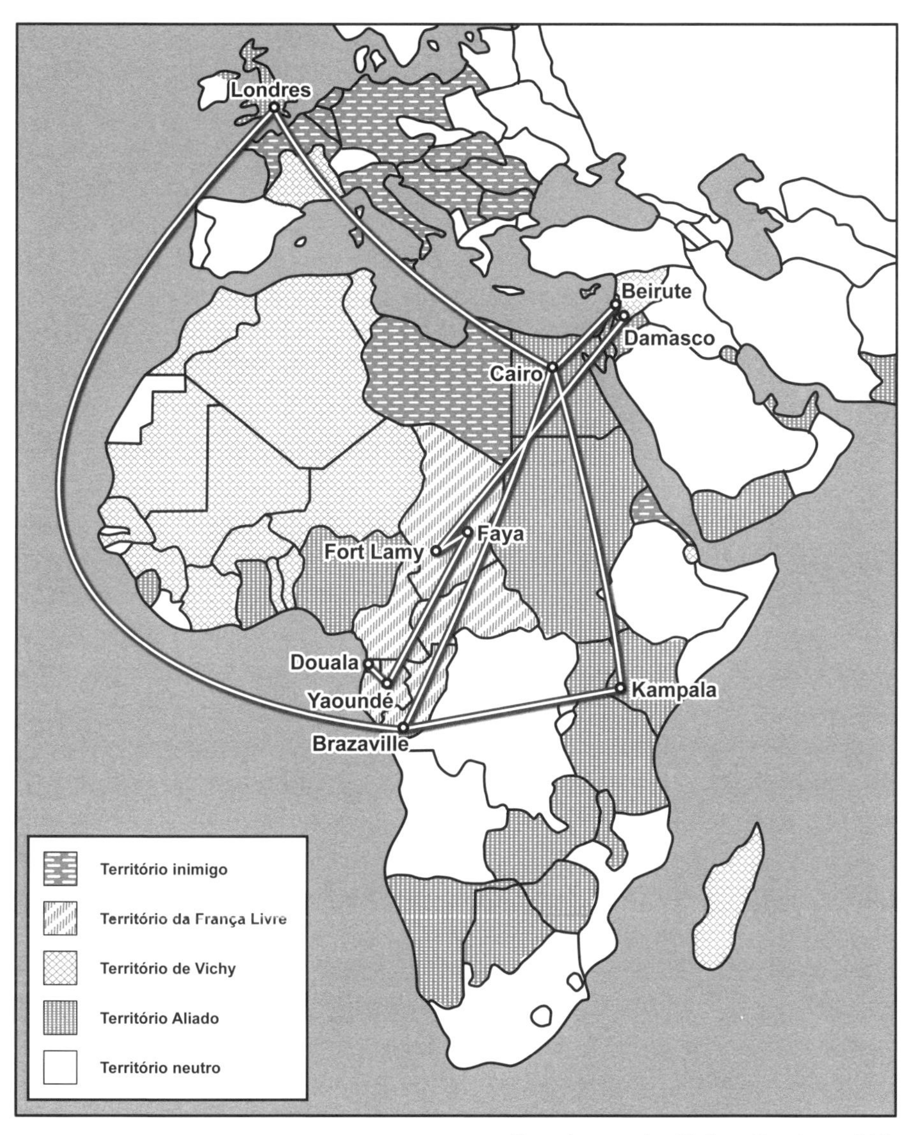


Mapa das rotas dos Aliados utilizando o território da França Livre na África Equatorial para assegurar a defesa do Egito e do Oriente Médio.

Nessa viagem a uma região até então desconhecia, ele pôde mensurar a dimensão das dificuldades que teria de enfrentar. Aquele era não apenas o mais pobre dos territórios do Império Francês, mas também onde grandes distâncias, cerca de 6 mil km, tinham de ser percorridas por terra em meio às rudes condições da África Central para estabelecer uma ligação entre o Atlântico e o Mediterrâneo. Para enfrentar esses desafios, De Gaulle tratou logo de criar o Conselho de Defesa do Império, no dia 26 de outubro, indicando para compô-lo os mais determinados e competentes dos seus colaboradores, como Larminat, Leclerc, Sautot e o general Catroux, entre outros. Como governador-geral da África Equatorial Francesa, ele nomeou o até então governador do Chade, Félix Éboué, com quem iria definir o plano de ação para os próximos meses, antes de retornar a Londres. Ficou acertada a preparação e organização para os primeiros ataques terrestres e aéreos à Líbia, colônia da Itália. Se conquistada uma pequena faixa ao sul do território líbio que separava o Chade do Egito, as forças da França Livre ganhariam acesso ao Mediterrâneo e os ingleses teriam à sua disposição um caminho bem mais curto para assegurar o abastecimento e a manutenção das suas tropas que se encontravam sob a investida do exército italiano. Sem os territórios da França Livre na África Equatorial e com o Mediterrâneo dominado pelo inimigo, os navios ingleses teriam de contornar toda a costa do continente africano pelos oceanos Atlântico e Índico até chegar aos portos do mar Vermelho, por onde finalmente conseguiriam abastecer o Egito. Esse seria um caminho muito longo, demorado e caro que, se tivesse de ser percorrido, poderia comprometer a tão necessária defesa do Egito, território estratégico que se constituía em barreira ao acesso aos campos de petróleo do Oriente Médio pelas forças inimigas, que necessitavam tanto daquele insumo essencial para continuar a guerra quanto a Inglaterra e a França.

Após a conquista do Gabão, em 9 de novembro, toda a África Equatorial francesa encontrava-se sob o domínio da França Livre e Brazzaville passou a ser sua capital. A rádio de Brazzaville, que progressivamente começava a aumentar a sua capacidade de emissão, se tornaria a rádio da França Livre. Contudo, a proximidade de Londres da França metropolitana, onde se encontravam os ouvintes-alvo das mensagens do general De Gaulle, fizeram com que ele, apesar de já dispor de um território próprio da França Livre, resolvesse retornar à Inglaterra e utilizar as ondas da BBC para insuflar ânimo nos seus compatriotas a aderir à resistência. Antes, porém, de retornar a Londres, em meados de novembro, De Gaulle reuniu-se com o coronel Leclerc e detalhou seu plano de ataque à Líbia e à Eritreia. Em torno de um grande mapa da África, ele indicou as estratégias de curto e longo prazos na Líbia, apontando as regiões de Al Kufrah e Fezzan, no sudeste e oeste do território, como pontos de ataque francês. Sua ideia era a de que as forças francesas deveriam avançar do sul em direção ao Mediterrâneo, em ação combinada com as forças inglesas, que deveriam partir do Egito rumo ao oeste ao longo da costa. Dessa forma, as tropas italianas seriam cercadas e ficariam neutralizadas, abrindo espaço para chegar às colônias francesas do Norte da África sob controle de Vichy. Anos mais tarde, Leclerc declarou não ter nunca recebido diretrizes tão breves quanto aquelas, nem ter seguido orientações com tanta convicção.

As ações da Coluna Leclerc na Líbia iniciaram-se em janeiro de 1941, em Al Kufrah, conquistando o oásis e a cidade do mesmo nome e dominando a fortaleza italiana ali existente em 1° de março. Em fevereiro de 1942, teve início a investida da França Livre pela região de Fezzan, culminando com a tomada de Trípoli em janeiro de 1943. As batalhas da Líbia foram difíceis e duraram dois longos anos não apenas em função da extensão territorial e das adversidades geográficas, mas sobretudo pela força e capacidade militar do inimigo. Naquelas terras áridas, as tropas francesas e inglesas, comandadas respectivamente pelos generais Leclerc e Montgomery, tiveram de se bater contra as potentes divisões Panzer comandadas pelo não menos hábil marechal Rommel, que entraria para a História conhecido como o *Raposa do Deserto*.[9] Foi um verdadeiro duelo de titãs! No mês seguinte à tomada de Trípoli, começaria a invasão da Tunísia, seguindo o plano estratégico traçado por De Gaulle dois anos antes.

## Os conflitos com os aliados

O ano novo de 1941 brindaria De Gaulle com a primeira crise diplomática entre a França Livre e o Reino Unido. Em 1° de janeiro, o ministro britânico das Relações Exteriores, Anthony Eden, chamaria De Gaulle para lhe expor a constrangedora descoberta de um caso de traição envolvendo um alto oficial da França Livre. O almirante Muselier estaria colaborando com Vichy e teria tentado repassar a Darlan, ministro da Marinha de Pétain, informações sobre o plano de tomada de Dacar, entre outros segredos de guerra. A prova dessa relação secreta eram algumas notas datilografadas em papel timbrado da embaixada da França em Londres, sob o controle de Vichy, que foram interceptadas pelo serviço de inteligência britânico. Por essa razão, Churchill, com o apoio do gabinete britânico havia determinado a prisão do almirante. De Gaulle imediatamente suspeitou da autenticidade daqueles documentos, mas, antes de se pronunciar de forma definitiva, ruminou e investigou o caso durante 48 horas. Considerando a origem suspeita dos documentos incriminatórios e conhecendo a personalidade e fidelidade de Muselier, De Gaulle logo formaria a convicção de que se tratava de uma armadilha, que ele inicialmente atribuiu ao regime de Vichy, mas que logo se revelou sido obra de dois agentes franceses que integraram o seu próprio serviço de inteligência – segundo ele, por insistência dos britânicos – durante sua estada na África. Diante da inutilidade dos argumentos apresentados em favor de Muselier e da obstinação das autoridades inglesas em mantê-lo preso, De Gaulle resolveu dar um ultimato: se o almirante francês não fosse libertado em 24 horas, as relações entre a França Livre e a Grã-Bretanha seriam rompidas, custasse o que custasse. E era claro que esse custo era incomensuravelmente mais elevado para os franceses do que para os ingleses. Mas, apesar de muito arriscada, a jogada do general De Gaulle surtiu o efeito desejado, pois, naquele mesmo dia, o erro de interpretação do serviço britânico foi reconhecido e Muselier, libertado. Além disso, o próprio primeiro-ministro e o seu ministro das Relações Exteriores apresentaram as desculpas do governo britânico, prometendo reparação do ultraje imposto ao oficial aliado. A reparação prometida foi cumprida e o constrangimento do governo inglês acabou produzindo um resultado positivo. Alguns assuntos importantes na pauta de negociação entre a França Livre e o Reino Unido que se encontravam emperrados foram rapidamente destravados. Ainda em janeiro, foi assinado um acordo relativos à jurisdição sobre os franceses vivendo em território britânico, e em março outro envolvendo questões financeiras, econômicas e monetárias entre as partes.

Antes de uma nova viagem à África e ao Oriente Próximo, que desta vez duraria quase seis meses, De Gaulle foi passar o fim de semana na casa de campo oficial do primeiro-ministro britânico. Na manhã do domingo, 9 de março, ele foi despertado por Churchill que, segundo ele, veio "literalmente dançando de alegria" lhe dar uma notícia e lhe fazer um pedido. A notícia era a de que o congresso americano havia, finalmente, aprovado o *Lease-Lend Bill,* que autorizava os Estados Unidos a fornecer equipamentos e serviços aos países Aliados em guerra contra o eixo Berlim-Roma-Tóquio. Esse ato, além de garantir o suprimento pela maior economia do mundo daquilo que a Inglaterra e seus aliados necessitavam desesperadamente para continuar a guerra, também sinalizava uma mudança de posição dos Estados Unidos, que, de potência neutra em relação aos beligerantes, tinham tomado partido. Essa vitória de Roosevelt junto ao congresso americano indicava também que, mais cedo ou mais tarde, os Estados Unidos acabariam entrando na guerra ao lado dos Aliados. Aquela era, de fato, uma ótima notícia! Quanto ao pedido, De Gaulle teve de aceitá-lo, embora a contragosto. A demanda era a de que o general Spears o acompanhasse em sua viagem pelo Oriente. Churchill sabia perfeitamente das diferenças que existiam entre ambos e, por isso mesmo, fez questão de frisar que se tratava de um serviço de ordem pessoal. Afinal, Spears sempre esteve ao lado de Churchill nos momentos mais difíceis e não lhe parecia justo deixá-lo de fora daquela nova ação envolvendo a França. De Gaulle não teve como se opor.

O general Spears era também diplomata especializado em assuntos franceses, além de membro do Parlamento britânico, homem de negócios e escritor. Era um homem inteligente e dotado de muitos talentos. Conhecia a França tão bem quanto um estrangeiro podia conhecê-la e nutria por ela uma sincera admiração e gosto quanto a um homem de Estado britânico seria possível. Para De Gaulle, ele tinha pela França "uma espécie de amor inquieto e dominador", o que fatalmente os colocava em posição de confronto. Afinal, como poderia De Gaulle admitir que alguém – muito menos um estrangeiro – pudesse pretender disputar com ele o papel de defensor e condutor dos negócios de interesse da França durante aquela guerra? Assim sendo, o convívio entre ambos durante uma viagem tão prolongada por uma região sensível como o Oriente Próximo, onde os interesses de ingleses e franceses se encontravam em jogo, às vezes os colocando em lados opostos, não poderia deixar de elevar o nível de tensão entre os até então principais aliados naquele ainda início de guerra.

Para De Gaulle, a quem nunca faltou visão geoestratégica, os Orientes Próximo e Médio seriam palco importante do conflito em curso, no qual o canal de Suez era o ponto decisivo. Por ali passava o petróleo do qual todos necessitavam e quem ali tivesse o controle, também teria vantagem no curso da guerra. Para manter o canal de Suez sob o comando anglo-egípcio, era fundamental manter as forças do inimigo dele afastadas o quanto mais possível. Por isso, De Gaulle havia dado tanta importância à conquista da Líbia, cuja guerra encontrava-se apenas no início, e ainda conheceria muitas idas e vindas. Pela mesma razão, ele considerava que a conquista da Eritreia, colônia italiana no mar Vermelho, era importante, tendo sido objeto de uma ação vitoriosa da França Livre, em Keren, entre os dias 22 e 24 de março de 1941. Mas, além dessas posições na África a conquistar e a defender, havia no Oriente Próximo territórios a tirar do controle de Vichy, trazendo-os para a órbita da França Livre: o Líbano e a Síria.

Para De Gaulle, tão importante quanto a reconquista dos territórios da França ocupados pelo inimigo na Europa era garantir a integridade dos domínios territoriais franceses mundo afora. Contudo, dada a extensão do Império colonial Francês e a escassez de recursos à disposição da França Livre para disputar com Vichy o domínio sobre esses territórios, De Gaulle tinha de ser bastante realista e seletivo na definição daqueles pelos quais deveria lutar. No ano anterior, foi com grande pesar que ele teve de negar seu apoio à Indochina, que desejava se unir à França Livre, e vê-la ser posteriormente ocupada por tropas japonesas, com a cumplicidade de Vichy e sob o olhar passivo de ingleses e americanos. Apesar de todos saberem que aquele era apenas o primeiro movimento do Japão para dominar a Ásia e o Pacífico, a nenhuma força aliada pareceu conveniente intervir naquele local e naquele momento. Mas o mesmo não poderia se repetir na Síria devido à sua posição estratégica entre o Mediterrâneo e o Iraque, grande produtor de petróleo.

Na primavera de 1941, as investidas do inimigo para controlar o leste da bacia do Mediterrâneo iriam se intensificar. Em março, a Bulgária e a Iugoslávia iriam aderir ao Pacto do Eixo. O próximo passo seria a invasão da Grécia pela Alemanha no mês de abril. Do outro lado do Mediterrâneo, o inimigo retomava o espaço perdido na costa da Líbia com a chegada do Afrika Korps, que sob o comando do marechal Rommel empurraria as tropas inglesas até a fronteira do Egito. Para completar, nesse mesmo mês ainda iria eclodir uma revolta antibritânica no Iraque, país com o qual a Inglaterra guardava vínculos militares desde a sua independência, em 1932, mas que também mantinha laços de cooperação econômica com a Alemanha. A revolta no Iraque iria, obviamente, contar com o apoio alemão, que vinha utilizando os aeroportos sírios, com a autorização do regime de Vichy, para armar os revoltosos. Nessas condições, a proximidade do inimigo do canal de Suez havia chegado a um ponto intolerável, levando a Grã-Bretanha e a França Livre a agir imediatamente. Assim começaria a Campanha da Síria em junho 1941, que durou pouco mais de um mês e terminou com a ocupação do Líbano e da Síria pelas tropas aliadas, mas que também abriu a primeira grande crise entre De Gaulle e o governo de Churchill.

Nessa campanha, De Gaulle teve participação ativa não só no planejamento da ação militar, como também nas duras negociações políticas com o aliado inglês. Para ele, não havia dúvida de que, devido à superioridade em meios materiais e humanos à disposição do aliado, caberia ao comando militar britânico exercer a direção estratégica do esforço comum contra o inimigo. Contudo, aqueles eram territórios que haviam sido colocados pela Liga das Nações sob mandato francês após a Primeira Guerra Mundial e, para De Gaulle, não havia a menor hipótese de dividir a responsabilidade política e administrativa sobre eles com o Reino Unido. Desde que serviu naquela região, no início dos anos 1930, De Gaulle sabia que o mandato francês seria temporário e que a independência e autodeterminação dos libaneses e sírios eram uma questão de tempo. Por isso, seu plano era anunciar, já na chegada das suas tropas a Beirute e Damasco, o fim do mandato francês e a formação de Estados soberanos tão logo terminasse a guerra na região. No entanto, os britânicos queriam que essa declaração fosse feita em nome da Inglaterra e da França Livre. Na pretensão britânica de dividir com a França Livre os louros da independência da Síria e do Líbano, De Gaulle via a intenção sub-reptícia dos ingleses de se aproveitar da fragilidade militar e moral da França naquela guerra para tomar as suas possessões coloniais. Visto hoje, esse temor pode parecer descabido, pois no imediato pós-guerra teve início o processo de descolonização da África e da Ásia, pondo igualmente fim aos impérios coloniais britânico e francês. Portanto, os ingleses em nada iriam se beneficiar com a ampliação do seu império. Contudo, naquela conjuntura esses desdobramentos eram imprevisíveis e dispor do controle sobre territórios mundo afora seguia sendo um grande trunfo e privilégio de poucas nações.

A Campanha da Síria começou no domingo, 8 de junho, com as tropas aliadas sob o comando do general britânico Henry Maitland Wilson. Da Palestina, o exército australiano cruzou a fronteira do Líbano rumo a Beirute e as forças britânicas e da França Livre entraram na Síria rumo a Damasco. Como planejado por De Gaulle, nesse mesmo dia o general Catroux, que comandava as forças gaullistas, anunciou a decisão da França Livre de pôr fim ao mandato francês e dar independência ao Líbano e à Síria. Os combates seriam renhidos, acumulando grande número de mortos e feridos em ambos os lados, devido à forte resistência à invasão oferecida pelas forças de Vichy, comandadas pelo general Dentz. Contudo, ao cabo de duas semanas, a 1ª Divisão da França Livre e as forças britânicas conseguiriam entrar em Damasco. Nesse mesmo sábado, 21 de junho, começou a invasão alemã da União Soviética e o general De Gaulle, que se encontrava no Cairo, tomaria o caminho da capital síria. Na noite da sua chegada a Damasco – segunda-feira, 23 –, a força aérea alemã bombardeou a cidade, matando centenas de pessoas. Era a clara demonstração de que a Alemanha estava apoiando o regime de Vichy e, diante de tão contundente manifestação, De Gaulle teria de se contrapor afirmando a autoridade da França Livre sobre aqueles territórios. Por isso, no dia seguinte ele iria nomear o general Catroux delegado-geral e plenipotenciário da França na Síria e no Líbano, determinando-lhe por escrito a seguinte missão: reestabelecer a normalidade da vida social e econômica naqueles territórios na medida do possível em uma situação de guerra; negociar com representantes qualificados da população local os tratados que levariam a Síria e o Líbano à independência, assegurando a aliança dos novos Estados com a França; manter a segurança do território e cooperar com as forças aliadas na guerra no Oriente. Tendo cumprido o seu papel de dirigente máximo da França Livre e afirmado a sua autoridade sobre aqueles territórios, De Gaulle iria retornar inicialmente a Jerusalém e em seguida ao Cairo. A Campanha da Síria estava chegando ao fim e se completaria com a tomada de

Beirute pelas forças aliadas no dia 28. O armistício se encontrava próximo e já era esperado havia algumas semanas. Por isso, bem antes que o general Dentz fosse demandar ao consulado americano em Beirute consultar formalmente a Grã-Bretanha sobre as condições do armistício a ser assinado – o que só seria feito no dia 8 de julho –, De Gaulle iniciara a discussão dos termos do futuro acordo de paz com as autoridades britânicas. Entre esses, figurava a garantia, a ser dada pela Grã-Bretanha, de que os direitos e interesses da França, representada pelas autoridades da França Livre, seriam garantidos na região; que todos os funcionários e militares franceses, até então a serviço do regime de Vichy, poderiam permanecer no território com suas famílias se desejassem servir à França Livre, sendo aos demais garantido o direito de repatriamento; que todo o material bélico ali existente passaria para o controle dos Aliados; e que dessas negociações deveria necessariamente participar o representante do general De Gaulle. Apesar de essas condições constarem de nota redigida após reunião realizada no Cairo, em 19 de junho, e imediatamente telegrafada a Londres para posterior retransmissão a Washington e Beirute, o seu conteúdo foi completamente omitido no telegrama que o governo britânico enviou ao americano. O temor do general De Gaulle de que a Grã-Bretanha estava querendo deixar de lado os interesses da França nas futuras negociações começava a se mostrar procedente. Por isso, ele enviou, do Cairo, no dia 28 de junho, um telegrama a Churchill, explicitando a sua preocupação. Nessa mensagem, De Gaulle afirmava que aquela era a primeira vez que forças britânicas e da França Livre penetravam em território sob a autoridade francesa, e que, tendo em vista que os interesses britânicos e franceses raramente coincidiam na região, a opinião pública internacional e francesa estariam muito atentas aos atos do Reino Unido. Que, se a ação comum na Síria e no Líbano "parecer resultar na diminuição da posição da França" e indicar uma ação "propriamente britânica", o efeito sobre a opinião pública francesa seria desastroso. E advertiria: "Devo acrescentar que meu próprio esforço, que consiste em manter moralmente e materialmente a resistência francesa ao lado da Inglaterra contra nossos inimigos, estaria gravemente comprometido".

Porém, todas essas considerações e advertências foram em vão, e na Convenção de São João de Acre, iniciada no dia 12 de julho, os interesses explicitados por De Gaulle e defendidos pela delegação da França Livre, presidida pelo general Catroux, foram inteiramente ignorados pelas delegações britânica e de Vichy, presididas pelos generais Wilson e Verdilhac. No texto do armistício dela resultante, não havia nenhuma referência aos direitos da França sobre o território, nem à formação dos Estados da Síria e do Líbano; as tropas sírias e libanesas, chamadas tropas especiais, passariam a se submeter diretamente ao comando britânico, e a totalidade dos combatentes e o número máximo de funcionários franceses na região deveriam ser repatriados. Era como se a França Livre não existisse. É claro que o general Catroux não podia assinar aquele armistício francamente desfavorável e desonroso à França. E para reverter aquela situação, era necessário que o general De Gaulle – que, pressentindo o desastre, havia retornado à Brazzaville para manter-se como último recurso na negociação com o aliado britânico – voltasse ao Cairo para renegociar com o ministro de Estado britânico encarregado das relações no Oriente, Oliver Lyttelton, uma saída para a crise que se havia criado.

A negociação seria dura, tão dura quanto fora a batalha, pois, de um lado, se encontrava um competente diplomata britânico, cuja proverbial cordialidade em nada comprometia a firmeza das posições tomadas no interesse do Estado a que representava, e, de outro, o mais combativo, altivo e convicto guerreiro que a França tinha para defender os seus interesses. Recém-chegado ao Cairo, depois de uma longa viagem com etapas em Cartum e Kampala, De Gaulle se reuniu com Lyttelton na segunda-feira, 21 de julho. Depois de uma conversa tão amigável quanto a divergência de pontos de vista e interesses sobre o assunto permitia, eles chegaram a um impasse. E, diante da intransigência britânica em não rever os termos do que fora acertado entre Londres e Vichy e da peremptória negativa do general De Gaulle em subscrever aquele acordo, caberia ao general tomar, mais uma vez, uma iniciativa ousada: declarar que, dentro de três dias, as forças da França Livre não mais se encontrariam sob o comando militar britânico e que, contrariando os termos do acordo de São João de Acre, o general Catroux, a quem a autoridade sobre a região havia sido por ele delegada, iria assumir a autoridade sobre todo o território, afrontando toda força que a ela viesse a se contrapor. Além disso, Catroux entraria também em contato com as forças de Vichy para assumir o controle de todo o material bélico que estivesse em seu domínio e dar continuidade à reorganização das tropas especiais, já iniciada pela França Livre. Contudo, a irreverência e ousadia do general De Gaulle nunca estiveram desacompanhadas de um forte realismo e agudo senso de oportunidade. Por isso, ao se despedir de Lyttelton, ele lhe entregou uma nota, elaborada previamente, contendo suas exigências, e se declararia aberto a toda negociação que lhe parecesse desejável até o dia 24 de julho, data por ele estipulada para o desengajamento das forças da França Livre da autoridade militar britânica.

Assim como a De Gaulle, ao governo britânico tampouco faltava discernimento e equilíbrio. Embora a contribuição da França Livre à Inglaterra naquela guerra fosse modesta do ponto de vista humano e material, simbolicamente o seu concurso às ações britânicas fortalecia a imagem do Reino Unido como único bastião europeu a se contrapor ao expansionismo alemão e a acolher em seu território os governos dos países ocupados, respeitando os seus legítimos interesses. Portanto, seria danosa à imagem da Grã-Bretanha, como nação libertária e solidária na Europa, aquela ruptura derivada do seu desmesurado apetite pelo butim colonial do aliado. A solução encontrada para a manutenção da aliança foi a assinatura de um acordo *interpretativo* da Convenção de São João de Acre pelo Reino Unido e pela França Livre. Por esse acordo, os ingleses se comprometiam em deixar que as forças gaullistas entrassem em contato e procurassem a adesão dos contingentes franceses que serviam a Vichy à França Livre, assim como a apropriação por esta de todo o seu material bélico. Além disso, a Inglaterra também renunciaria ao controle das tropas sírias e libanesas e se comprometia em não intervir nos assuntos políticos e administrativos da região. Dessa forma, a manutenção das tropas da França Livre sob comando militar estratégico britânico seria mantida. Concluído o acordo interpretativo, De Gaulle partiria do Cairo rumo a Damasco e Beirute.

Porém, ao chegar lá, ele logo iria perceber que o acordo não passava de letra morta. As tropas britânicas agiam como se a Convenção assinada pelos generais Wilson e Verdilhac, em 14 de julho, não tivesse sido objeto de uma interpretação específica assinada por Lyttelton e De Gaulle nos dias 24 e 25. Por mais duas semanas, haveria ainda troca de palavras ásperas e movimentação e contraposição de tropas aliadas, embora nenhum tiro tenha sido disparado entre elas, para fazer valer o último acordo. No final, a França Livre conseguiria a adesão de 127 oficiais e cerca de seis mil suboficiais e soldados franceses, embora um efetivo quatro vezes superior a esse já tivesse sido reembarcado de ofício para a França sem ter tido a oportunidade de escolher de que lado gostaria de ficar. Terminava, assim, a primeira grande crise entre os Aliados.

No início de setembro, De Gaulle retornou a Londres. No dia 27 do mesmo mês, o general Catroux proclamou a independência da Síria em nome do general De Gaulle e, dois meses mais tarde, a independência do Líbano. No entanto, as escaramuças entre a Grã-Bretanha e a França Livre sobre a condução do processo de criação dos Estados sírio e libanês seguiriam ainda por mais de um ano. A crise havia passado, mas a disputa entre os Aliados sobre a influência sobre os domínios coloniais franceses não, e até iria se intensificar com a extensão da guerra além do palco europeu.

Do início do verão ao final do outono de 1941, as perspectivas da guerra para os Aliados iriam mudar radicalmente. O primeiro fato alvissareiro apareceu quando a Alemanha resolveu invadir a União Soviética, em junho, rompendo o acordo Molotov-Ribentropf, de 1939, e empurrando o gigante russo para o lado dos Aliados. Para De Gaulle e Churchill, a abertura de uma segunda frente de batalha ao leste pela Alemanha, contra um adversário poderoso que contava com uma retaguarda descomunal, representava um grande alento. Afinal, as forças inimigas, até então concentradas nas frentes de batalha na bacia do Mediterrâneo, teriam que se dividir a partir de então, o que, certamente, ajudaria a enfraquecer o inimigo. Contudo, o novo aliado soviético era sabidamente o próximo adversário das democracias ocidentais, razão pela qual sua importante contribuição foi recebida com discreta satisfação. O segundo fato importante – esse sim decisivo e celebrado com entusiasmo pelos Aliados do Ocidente – foi a entrada dos Estados Unidos na guerra no início de dezembro.

Desde o início dos combates, no verão de 1940, a Europa esperava ansiosamente a ajuda vinda do outro lado do Atlântico. Não que os americanos tivessem um grande e experiente exército. Ao contrário: da mesma forma que os britânicos e franceses haviam sido negligentes em se preparar para um eventual futuro conflito com o tradicional adversário alemão, os americanos tampouco se preocuparam em se armar para uma nova guerra. Contudo, os Estados Unidos eram a mais rica nação do mundo, possuíam uma indústria pujante, um território imenso, uma população numerosa e se encontravam afastados do epicentro da guerra, o que – em tese – lhes possibilitava contribuir decisivamente com armamentos, munições e tropas para auxiliar os seus tradicionais aliados europeus a enfrentar o colosso alemão. Porém, o Congresso americano não estava nem um pouco interessado em intervir nos conflitos que castigavam o mundo. Após terem entrado no final da Primeira Guerra Mundial ao lado da França e da Grã-Bretanha, os americanos viraram as costas para os problemas do Velho Mundo, negando-se a aderir à Liga das Nações e voltando-se inteiramente aos seus negócios internos. Nem a invasão da França nem mesmo os constantes bombardeios alemães à Inglaterra foram capazes de sensibilizar o Congresso americano a sair da sua cômoda neutralidade em socorro dos seus tradicionais aliados. Para trazer os Estados Unidos à guerra, foi preciso que fossem diretamente atingidos, o que acabou acontecendo no dia 7 de dezembro, quando o Japão destruiu um grande número de navios e aviões de guerra americanos no ataque surpresa a Pearl Harbor, no Havaí. O momento tão esperado por De Gaulle e Churchill havia finalmente chegado.

De Gaulle sabia que o governo dos Estados Unidos mantinha certo estranhamento em relação à França Livre, mas imaginava que quando eles se decidissem a entrar na guerra, uma maior aproximação fatalmente ocorreria entre ambos e as reticências dos americanos em relação a De Gaulle iriam desaparecer. Mas ele estava enganado. Diferentemente de Churchill, que logo cortou relações com Vichy e deu todo o seu apoio àquele que ele via como sendo o *homme du destin* para a França, Roosevelt jamais iria romper relações diplomáticas com o regime do marechal Pétain e seria sempre muito hesitante em reconhecer a França Livre e a autoridade do general De Gaulle.

Apesar de os frequentes confrontos entre De Gaulle e Churchill serem ruidosos e explosivos, havia verdadeira amizade e confiança mútua entre ambos, o que os ajudava a superar as divergências. Estas, na verdade, nunca foram pessoais, mas derivadas dos interesses nacionais que cada um deles representava, embora Churchill delas se ressentisse pessoalmente. Com Roosevelt seria o oposto disso: nenhum confronto aberto entre ambos, mas uma persistente desconfiança do presidente americano em relação a De Gaulle, que, aos seus olhos, era um ditador em potencial. Mas o pior ainda estava por vir. Se antes da entrada dos Estados Unidos na guerra De Gaulle era talvez o mais frequente e próximo interlocutor estrangeiro do Primeiro-ministro britânico, depois dela, e com o grande entendimento que logo se estabeleceu entre Roosevelt e Churchill, Estados Unidos e Grã-Bretanha iriam se tornar parceiros estratégicos, ficando num longínquo segundo plano as relações britânicas com os demais aliados, como a França Livre do general De Gaulle. Assim, não apenas as relações de Roosevelt com De Gaulle não iriam melhorar, como as antes próximas e frequentes relações que ele mantinha com Churchill passariam a se tornar mais distantes. E os novos problemas já começariam a surgir naquele mesmo mês de dezembro de 1941.

O primeiro estremecimento se deu em torno do controle de uma pequena possessão francesa situada em minúsculo arquipélago localizado um pouco ao sul da ilha canadense da Terra Nova e na entrada do golfo de São Lourenço, Saint Pierre e Michelon. No contexto daquela guerra, a única coisa que podia dar alguma relevância ao controle daquelas pequenas ilhas era a existência nela de uma rádio que, se mantida sob o domínio de Vichy, poderia um dia vir a transmitir informações aos submarinos alemães, comprometendo a segurança dos comboios britânicos que asseguravam a ligação marítima entre o Reino Unido e a América do Norte. Foi esse vago temor que fez emergir a ideia de passar o controle daquele território para o lado dos Aliados. De Gaulle naturalmente não via qualquer problema em integrar Saint Pierre e Michelon aos territórios da França Livre e menos ainda considerava necessário consultar o novo aliado americano sobre a sua concordância com aquela ocupação. Afinal, se tratava de um território francês e sobre esses nenhuma potência estrangeira teria opinião a dar. Mas não era essa a visão dos Aliados, e a consulta acabou sendo feita à revelia do general De Gaulle, recebendo como resposta um sonoro

"Não!" de Washington. Assim, começava a se criar certo embaraço entre os Aliados, que só iria aumentar quando De Gaulle, tomando conhecimento de que os governos canadense e americano pretendiam desembarcar tropas suas nas ilhas para assumir o controle da rádio, resolveu antecipar-se ao seu ato ocupando-as imediatamente com tropas da França Livre na véspera do Natal. Esse ato, que em condições normais de confiança entre os Aliados seria tomado como uma solução para a prevenção de um risco, iria se tornar em uma querela diplomática, envolvendo o Canadá, os Estados Unidos, o Reino Unido e a França Livre. As inúteis e fúteis discussões sobre o *status* de Saint Pierre e Michelon iriam se prolongar ainda por um mês, terminando com a admissão por todos de um fato consumado. A importância real do episódio em si é tão pequena que poderia ser omitida deste relato, não fosse o fato de ela ser reveladora do grau de indisposição existente entre o grande e novo aliado americano e o chefe da França Livre, essa sim uma questão relevante a ser enfrentada pelo general De Gaulle até o fim da guerra.

Contudo, as oposições e indisposições entre aliados sempre se fazem intercalar de momento de entendimento e distensão. Caso contrário, a aliança acabaria sendo inapelavelmente rompida. E foi exatamente um período de alívio das tensões e de maior cooperação entre os Estados Unidos e a França Livre que marcaria os próximos meses. Em fevereiro de 1942, os Estados Unidos passaram a reconhecer o controle pela França Livre das ilhas da Nova Caledônia, Novas Hébridas e Taiti, no Pacífico sul, o que lhes abriu a possibilidade de a sua armada utilizar aqueles territórios durante a guerra travada no Pacífico. Dois meses depois, o departamento de Estado americano iria também reconhecer a soberania da França Livre sobre os territórios franceses da África Equatorial, enviando inclusive um consul-geral a Brazzaville. Também esses entendimentos acabaram abrindo caminho para a conclusão de uma negociação de compra de aviões americanos pela França Livre, o que lhe possibilitou assegurar uma linha aérea própria entre Brazzaville e Damasco, em troca do uso do aeroporto de Ponta Negra, no Congo, por aviões americanos. Porém, a bonança franco-americana iria durar pouco, e, já no início de maio, um novo foco de conflito iria se criar em torno da ocupação e controle de Madagascar.

A grande ilha de Madagascar, situada junto à costa da África no oceano Índico, passaria a ser objeto da atenção do general De Gaulle e dos demais aliados após o ataque a Pearl Harbor. Afinal, com a entrada do Japão na guerra, Madagascar ganhava importância estratégica, pois se Vichy viesse a ser forçado pela Alemanha a franquear o uso de suas bases na ilha a grupos de assalto e submarinos da armada japonesa – o que era bastante provável –, a segurança da navegação dos Aliados na região ficaria seriamente comprometida. Por isso, De Gaulle queria tirar Madagascar da órbita de Vichy e integrá-la à França Livre o quanto antes. Para isso, ele contava com suas próprias tropas para a ocupação da ilha, mas necessitava ainda do apoio da força aérea de um dos seus aliados para executar a operação. O primeiro dos aliados a ser consultado foi a África do Sul, que entre todos era o país que ficava mais próximo a Madagascar e que, por isso, poderia ter mais interesse em ser protagonista naquela ação. Porém, o governo sul-africano não demonstrou disposição em conduzi-la. Diante dessa negativa, De Gaulle então passaria a tratar do assunto com o seu velho aliado inglês, que também tinha interesses na região e via com preocupação o Japão se fazer cada vez mais presente e atuante nas águas do Índico. Contudo, aquelas negociações não tinham chances de progredir, pois, a partir daquele momento, o grande interlocutor do primeiro-ministro britânico deixava de ser o chefe da França Livre para ser o presidente americano. No dia 5 de maio, tropas britânicas desembarcaram em Diego Suarez, no extremo Norte da ilha, em uma ação combinada com a África do Sul e planejada com os Estados Unidos, mas sem a participação e sequer o conhecimento do general De Gaulle. Diante dessa demonstração de falta de respeito e consideração, no dia seguinte, De Gaulle enviou a seguinte mensagem ao conhecimento de Churchill:

> Se tiver de acontecer em Madagascar, na Síria ou em outro lugar de a França perder o que lhe pertence pela ação dos seus aliados, nossa cooperação direta com a Grã-Bretanha e, eventualmente, com os Estados Unidos não terá mais razão de ser. E nós a encerraremos. Na prática, isso quer dizer que nós nos concentraremos nos territórios de que já dispomos e que viermos a recuperar e deles continuaremos a luta contra o inimigo na medida de nossas forças, mas sós e por conta própria.

O recado de que De Gaulle não aceitaria que os domínios do Império colonial Francês arrancados de Vichy passassem ao controle direto de outra autoridade que não fosse a da França Livre foi imediatamente compreendido por Churchill, que lhe chamou para uma conversa dias depois. Nesse encontro, além da calorosa acolhida ao amigo De Gaulle e da garantia que lhe foi dada de que a Grã-Bretanha não tinha nenhum interesse em manter Madagascar sob o seu domínio, Churchill deixou claro que o não envolvimento das tropas gaullistas na operação de Madagascar, chamada "*ironclad*", não dependia apenas dele, mas dos demais aliados. Não cabia, então, mais dúvida de que o veto à participação das forças sob o comando do general De Gaulle havia vindo dos Estados Unidos. Estava, então, aberto o canal para discutir abertamente esse espinhoso assunto, cujo diálogo foi assim transcrito nas suas *Memórias de guerra:*

> Nós falamos de Roosevelt e de sua atitude em relação a mim. "Não precipite nada!", disse-me Churchill. "Veja como, alternadamente, eu me vergo e me reergo." "Você pode – disse-lhe eu - porque se encontra assentado sobre um Estado sólido, uma nação unida, um império unificado e grandes forças armadas. E eu, onde estão os meus meios? Apesar disso, e você sabe, eu carrego os interesses e o destino da França. É muito pesado e eu sou muito pobre para poder me curvar." Churchill encerrou o nosso encontro com uma demonstração de emoção e de amizade. "Nós ainda temos difíceis obstáculos a ultrapassar. Mas, um dia, nós estaremos na França; talvez no ano que vem. Em qualquer circunstância, nós estaremos juntos." E me reconduzindo até a rua, ele me repetia: "Eu não o abandonarei. Você pode contar comigo".

Churchill nunca, de fato, o abandonou, mas tampouco lhe deu aquilo que De Gaulle queria e achava que a França merecia. Talvez por isso, na intimidade familiar, De Gaulle iria se referir maldosamente a Churchill como *esse velho crocodilo* e a Roosevelt como *o esse gangster*. Porém, o fato era que *o gangster* tinha muito mais a dar ao *velho crocodilo* do que De Gaulle e a França tinham a contribuir com a Inglaterra para a causa comum dos Aliados. Churchill sabia disso e, por isso, não hesitou em ficar sempre do lado dos Estados Unidos. Em meio a uma de suas inúmeras altercações, ele um dia deixou isso explícito dizendo a De Gaulle: "Se um dia nós tivermos de escolher entre a Europa e o Atlântico, nós escolheremos o Atlântico". Estava dado o recado.

A guerra em Madagascar iria ser mais dura e mais longa do que imaginavam e desejavam os ingleses. As tropas leais a Vichy iriam reagir com força à invasão britânica e a cooperação que os Estados Unidos tanto esperavam do governo colaboracionista da França não viria. Em dezembro de 1942, após sete meses de conflito e de rusgas com o aliado De Gaulle, seria finalmente assinado um acordo entre o Reino Unido e a França Combatente – nova denominação da França Livre –, colocando a ilha sob a autoridade dos aliados franceses. Nesse mesmo período, tropas gaullistas conquistaram de Vichy a colônia de Djibuti, assegurando à França Combatente o controle de todos os territórios franceses no Oceano Índico e trazendo um reforço de 300 oficiais, 8 mil soldados e equipamentos militares que seriam logo utilizados na batalha decisiva da conquista da Líbia no início do ano seguinte. Porém, antes mesmo que terminassem os problemas entre os Aliados sobre o domínio de Madagascar, surgiria entre eles outro foco de conflito bem mais grave: o do controle sobre a África do Norte, onde se encontravam as mais valiosas joias do Império Francês.

No dia 8 de novembro, tropas anglo-americanas desembarcaram no Marrocos e na Argélia à revelia de qualquer entendimento anterior com a França Combatente. Apesar de mais essa traição dos aliados, De Gaulle fez um discurso pela BBC, apelando às forças francesas naqueles territórios a não se oporem ao desembarque dos Aliados. Afinal, por maior que fossem as dificuldades com os britânicos e americanos, o inimigo comum continuava a ser a Alemanha. Mas as tropas leais a Vichy iriam oferecer forte resistência aos invasores anglo-saxões e as batalhas entre ambos só iriam cessar no dia 11 com perdas elevadas para a França: três mil homens, entre mortos ou feridos, um cruzador, três contratorpedeiros, dez submarinos, cargueiros, navios-patrulha e de escolta e um grande número de pequenas embarcações, além de 135 aviões. Do lado anglo-americano, as perdas humanas e em material seriam equivalentes.

A reação alemã à ocupação da África do Norte não iria tardar. Diante da incapacidade do governo de Vichy em proteger os seus territórios, o exército alemão iria ocupar o restante da França naquele mesmo dia 11 de novembro, data em que os franceses celebravam – e celebram até hoje – o armistício imposto à Alemanha em 1918. Mas antes que o armamento naval da França sob controle de Vichy pudesse passar para as mãos dos Aliados, o exército e a marinha da Alemanha se precipitaram rumo ao porto de Toulon, onde se encontrava estacionada a tão cobiçada marinha de guerra francesa desde 1940. Com a proverbial eficiência germânica, rapidamente todas as naus francesas ali ancoradas foram cercadas e imobilizadas. E para não deixá-las ser utilizadas pelos alemães contra os Aliados, cláusula pétrea do armistício de assinado pelo marechal Pétain com o inimigo, não sobrou alternativa ao comando naval francês senão pôr todas as suas embarcações a pique. No dia 27 de novembro, foram afundados 3 encouraçados, 8 cruzadores, 17 contratorpedeiros, 16 torpedeiros, 16 submarinos, 7 barcos de aviso, 3 navios-patrulha e cerca de 60 embarcações diversas – de transporte, petroleiros, draga-minas, rebocadores etc. A perda súbita daquela frota foi sentida por De Gaulle como uma punhalada, pois ele via naquele autossacrifício se esvair a oportunidade que ainda restava à França de contribuir decisivamente para a vitória dos Aliados e ter uma participação relevante e digna de uma grande potência naquela guerra.

O regime de Vichy deixava virtualmente de existir. Para o governo americano, aquela parecia ser a situação adequada para a tão desejada adesão dos colaboracionistas franceses à causa dos Aliados. Se os Estados Unidos conseguissem finalmente trazer para o seu lado algumas autoridades militares francesas, De Gaulle e a França Combatente poderiam ser definitivamente descartados como interlocutores. De acordo com o plano americano, o general Henri Giraud, resistente à invasão alemã, mas não gaullista, e o almirante François Darlan, homem forte da marinha francesa e até então ministro do governo de Vichy, seriam as peças-chave desse novo arranjo político-militar. E os contatos começaram imediatamente. Giraud foi levado a Argel com a ajuda da marinha britânica e Darlan, reconhecido pelo governo americano como Alto Comissário para a África do Norte.

De Gaulle não podia se conformar com o seu alijamento daquela operação e muito menos admitir a pretensão americana de – sem ter jamais combatido o inimigo alemão numa guerra que já durava dois anos e meio nos desertos da Líbia e que, finalmente, começava a se decidir em favor dos Aliados, graças unicamente aos esforços das tropas britânicas e da França Livre – se arvorar em juiz a decidir quem seriam as novas autoridades nos territórios franceses da África do Norte. Para tentar aplacar sua fúria, Churchill o convidou para um jantar na residência oficial do primeiro-ministro, em Londres, ao final do qual lhe disse o seguinte: "Se para você a conjuntura é difícil, a posição é magnífica. Desde já, Giraud está liquidado politicamente. Para Darlan, no seu devido tempo, também será impossível. Só restará você". E acrescentou: "Não bata de frente com os americanos. Tenha paciência! Eles recorrerão a você, pois não há alternativa".

De Gaulle não iria se satisfazer com o sopro de ânimo que o aliado inglês quis lhe insuflar e ainda lhe responderia de forma atravessada, sugerindo que não entendia como o primeiro-ministro britânico, que já havia sacrificado tantos dos seus homens naquela guerra, cedia sem resistência o comando aos americanos. Porém, mais uma vez o *velho crocodilo* previra o destino que caberia ao general De Gaulle; só errara na ordem dos acontecimentos, pois primeiro iria desaparecer o almirante Darlan, que acabaria assassinado, em Argel, na véspera do Natal daquele ano, e só depois é que o general Giraud, que não tinha qualquer habilidade política, iria ceder inteiramente o espaço a De Gaulle.

Com a súbita morte de Darlan, desapareceu também o Alto Comissário para a África do Norte, comprometendo os planos de Roosevelt para a região. E com a tomada do oásis de Fezzan, na Líbia, pelas tropas gaullistas comandadas pelo general Leclerc, no dia 13 de janeiro de 1943, e a iminente invasão da Tunísia pela França Combatente, tornava-se necessário um acerto entre Giraud e De Gaulle. Por isso, tanto o primeiro-ministro britânico quanto o presidente americano convidaram o chefe da França Combatente a participar de uma reunião em Casablanca, no Marrocos, ocasião em que Churchill, Roosevelt, De Gaulle e Giraud se encontrariam para decidir os destinos da administração da África do Norte.

Ao chegar a Casablanca, no dia 23 de janeiro, De Gaulle teve de se controlar para não demonstrar quanto o seu orgulho nacional francês havia sido ferido ao deparar-se com um território da França inteiramente dominado pelos EUA.

Desde a recepção no aeroporto, passando pelo automóvel que o levou à casa onde ficaria hospedado aos arames farpados e sentinelas que guardavam a área em que todas as autoridades estavam abrigadas, tudo era americano. Além, é claro, da proposta que lhe seria apresentada por Churchill, que consistia basicamente do seguinte: um triunvirato, composto pelos generais Alphonse Georges – que havia sido o responsável pela reorganização do Exército Francês sob o regime de Vichy –, Giraud e De Gaulle, seria instituído pelos Aliados, sob o comando dos Estados Unidos, e ficaria encarregado da administração de todos os territórios franceses liberados. O objetivo desse arranjo era evidente: incorporar nominalmente De Gaulle ao comando da nova autoridade francesa que se criava, mas neutralizando, de fato, sua influência e seu poder, pois naquela *troika* De Gaulle seria o segundo na linha de comando e, em qualquer circunstância, sempre voto vencido. Além disso, todas as instâncias decisórias e instituições que haviam sido criadas pela França Livre desde 1940 ficariam subordinadas à nova autoridade. Essa fórmula seria obviamente rechaçada por De Gaulle.

Contudo, a negativa em assumir qualquer compromisso público com Giraud não era admissível por Roosevelt, que queria voltar de Casablanca para Washington com uma vitória que pudesse ostentar e oferecer a seus compatriotas. A intransigência do general De Gaulle irritou profundamente Churchill, que apoiava a proposta americana, levando a relação entre ambos ao mais alto grau de conflito. Vale a pena aqui reproduzir a descrição que o próprio De Gaulle fez do episódio em suas *Memórias de guerra*:

> Minha conversa com Churchill foi extremamente áspera. Em toda a guerra, esse foi o mais rude de nossos encontros. Durante uma conversa veemente [...] ele me declarou que, ao voltar a Londres, ele me acusaria publicamente de ter impedido o entendimento, e colocaria contra mim a opinião pública do seu país, apelando também à da França. Eu me limitei a lhe dizer que minha amizade por ele e meu apego à aliança com os ingleses me fazia deplorar a sua atitude. Para satisfazer, a todo custo, os americanos, ele aderia a uma causa inaceitável para a França, inquietante para a Europa e lastimável para a Inglaterra.

Bem outro iria ser o tom da conversa que, logo em seguida, De Gaulle teve com Roosevelt. Afinal, costuma-se ser mais franco – e às vezes até ofensivo – com os amigos e mais cauteloso e gentil com os desafetos. E foi exatamente isso que aconteceu. Ao invés de discutir e ameaçar De Gaulle com retaliações, Roosevelt se limitou a lamentar a falta de um acordo entre ele e Giraud, lembrar que daquele encontro seria conveniente apresentar algo positivo ao público e fazer-lhe o seguinte pedido, conforme narrado por De Gaulle em suas *Memórias*:

> "Você ao menos aceitaria – disse-me ele – ser fotografado junto a mim, ao primeiro-ministro britânico e ao general Giraud?" "Com prazer – respondi – pois eu tenho em alta estima esse grande soldado." "E você chegaria até – pediu encarecidamente o presidente – a apertar a mão do general Giraud na nossa frente e diante das câmeras?" Minha resposta foi: "I shall do that for you" [eu farei isso por você].

E foi exatamente isso que aconteceu. Uma vez feita a *mise en scène* para satisfazer Roosevelt e a opinião pública americana, De Gaulle retornaria a Londres. Porém, as divergências entre os Aliados não seriam resolvidas apenas com uma foto montada. Os conflitos entre Roosevelt e De Gaulle iriam durar até o fim da vida do presidente americano. Polido no trato pessoal, Roosevelt não escondia sua aversão pelo general quando a ele se referia, como mostra uma correspondência dele para Churchill de maio de 1943:

> A atitude [do general De Gaulle] é quase intolerável. Nós poderíamos admitir a criação de um comitê francês inteiramente novo, cuja composição seria aprovada por você e eu. Giraud deveria ser nomeado comandante do exército e da marinha e – claro – presidir o conselho nacional consultivo. Eu não sei o que fazer com De Gaulle. Você poderia, talvez, nomeá-lo governador de Madagascar.

Porém, à medida que a guerra avançava e a legitimidade e reputação do general De Gaulle se firmava na França e ganhava o mundo, Roosevelt teve de conter sua animosidade. Em julho de 1944, quando ele se encontrava em campanha por sua reeleição e De Gaulle já era o presidente do governo provisório da França estabelecido em Paris, Roosevelt convidou-o a visitar Washington, recebeu-o diversas vezes na Casa Branca com grande publicidade na imprensa e lhe ofereceu uma foto sua com a dedicatória: "Ao general De Gaulle, que é meu amigo". De volta à Argélia e durante o almoço familiar que se seguiu ao tradicional desfile militar de 14 de julho, De Gaulle diria, entusiasmado, ao seu sobrinho Bernard: "Eu consegui: fiz as pazes com Roosevelt!".

Naquele momento, a guerra caminhava para o seu fim; ninguém mais duvidava da vitória dos Aliados nem da legitimidade da liderança do general De Gaulle na França. E da mesma forma que a vitória sobre o inimigo nazista foi arduamente conquistada ao longo dos anos nos campos de batalha, a legitimidade do general De Gaulle foi sendo gradualmente construída pela conquista dos corações e mentes, na batalha da comunicação, e por uma cuidadosa arquitetura institucional iniciada em 1940.

## A batalha da institucionalização: da França Livre ao Governo Provisório da República Francesa

Desde o início do seu exílio em Londres, em junho de 1940, De Gaulle já iria começar a pensar nas instituições que levariam ao estabelecimento de um futuro Estado francês após a guerra. Para tanto, ele contaria com o inestimável auxílio de René Cassin, professor de Direito e seu aliado de primeira hora. A estruturação de uma administração francesa, civil e militar, paralela à do regime de Vichy e independente do invasor alemão foi sendo construída hábil e paulatinamente ao longo de quatro anos e em quatro etapas sucessivas: a primeira delas tem início em 18 de junho de 1940 com a criação da França Livre, em Londres; dois anos após, a França Livre iria dar lugar à França Combatente, ainda com sede na capital inglesa; no dia 3 de junho de 1943, seria formado o Comitê Francês de Libertação Nacional, que já passaria a se reunir e deliberar em Argel, território francês libertado. Por fim, exatamente um ano depois da criação do Comitê Francês de Libertação Nacional, seria instituído o Governo Provisório da República Francesa, que em breve iria se estabelecer em Paris.

Para De Gaulle, tão importante quanto vencer o inimigo era restituir à França sua condição de grande potência, e isso passava necessariamente pela guerra, mas não terminaria com ela. Como grande conhecedor da história da França e com sua apurada visão de estadista, sabia que uma nação poderosa se constrói e se mantém por meio de boas instituições, capazes de garantir a independência do Estado em meio às demais potências do mundo, a ação eficaz do governo na promoção do crescimento econômico e desenvolvimento social, e a representatividade e legitimidade dos poderes públicos. Porém, nada disso poderia ficar para depois da guerra e tinha de ser construído paralelamente à luta nos campos de batalha sempre que surgisse a oportunidade.

### *A França Livre*

A formação e consolidação da França Livre foi, sem dúvida, o momento mais difícil que De Gaulle teve de enfrentar durante toda a batalha da institucionalização. Como ele era desconhecido do povo francês, havia sido promovido a general havia poucas semanas e participara do último governo legítimo da França por apenas 12 dias, seu capital para liderar a formação de uma organização de resistência era muito reduzido. Consciente dessa debilidade, ele procurou trazer para a França Livre a adesão de figuras conhecidas e importantes, que ajudariam a legitimar e organizar a resistência. No dia seguinte à sua primeira alocução radiofônica pela BBC, De Gaulle telegrafou ao general

Noguès, comandante das forças francesas na África do Norte, chamando-o à resistência e colocando-se, inclusive, sob suas ordens no esforço de guerra. Afinal, De Gaulle estava se dirigindo a um oficial mais graduado que ele. Contudo, após algum tempo de hesitação e considerando que o armistício assinado com a Alemanha preservava a soberania da França sobre os seus territórios coloniais, o general Noguès resolveu rejeitar a proposta feita por De Gaulle e optar por manter-se fiel a Vichy. Com o mesmo espírito, De Gaulle ainda convidaria personalidades destacadas da vida política, diplomática e intelectual da França a formar o Comitê Nacional Francês em Londres. Mas a maioria dos convidados declinaria do convite pelas mais diversas razões e muitos optariam ainda pela migração para os Estados Unidos. Parte desses teria contribuição decisiva na formação de uma imagem negativa do general De Gaulle junto às autoridades americanas e ao presidente Roosevelt.

No início, foram muito poucos os notáveis a atender o apelo feito por De Gaulle. Entre os militares, as adesões também foram magras. Da Marinha, ele contaria apenas com o almirante Muselier, que não tinha lá grande reputação dentro da sua arma e que, talvez por isso, viria a ser objeto do primeiro conflito diplomático com o aliado inglês, já narrado. E do exército, vieram para o seu lado apenas dois generais – Catroux e Legentilhomme – e três coronéis. A escassez de oficiais superiores explica por que alguns antigos capitães, como Leclerc e Laminat, chegaram em apenas um ano a generais das Forças da França Livre.

Do lado dos soldados, as adesões iniciais também foram reduzidas: não mais que um total de sete mil homens entre as três armas. Por essa razão, De Gaulle não pôde prescindir da adesão dos jovens voluntários que chegavam da França dispostos a lutar. E, para prepará-los adequadamente, De Gaulle resolveu criar a academia de cadetes de Saint-Cyr da França Livre, em Londres, sem descuidar da sua formação escolar regular, contando, para isso, com o apoio de escolas públicas inglesas. As bases militares britânicas também acolheram os efetivos franceses, cuja organização e treinamento ficariam a cargo das Forças da França Livre. As forças de terra ficariam no campo de Camberley; as do ar, na base de Saint-Athan; e as do mar, nos portos de Plymouth e Portsmouth.

Naquele difícil início de formação da França Livre, houve dois marcos relevantes e favoráveis à sua institucionalização: o acordo redigido por René Cassin e firmado entre o governo britânico e a França Livre, no dia 7 de agosto de 1940, em Londres; e a criação do Conselho de Defesa do Império, em Brazzaville, no dia 27 de outubro do mesmo ano.

Além de reconhecer a França Livre e o seu poder disciplinar sobre suas próprias forças armadas em território britânico, já referido na seção anterior deste capítulo, o acordo de 7 de agosto reconhecia o general De Gaulle como comandante supremo das forças francesas, que agiriam, entretanto, conforme as diretivas gerais do comando britânico. As despesas com sua manutenção ficariam a cargo do governo britânico a título de adiantamento feito à França, a ser reembolsado conforme acordo ulterior. E ainda regulamentava a situação dos voluntários franceses, detalhando a forma de engajamento, pagamento de soldo, pensões e benefício às famílias em caso de invalidez ou morte dos combatentes e recrutamento de pessoal técnico-científico. Esse acordo trouxe, de imediato, maior segurança aos combatentes da França Livre, que até então eram considerados simples franco-atiradores e desertores por Vichy, sendo, portanto, passíveis das mais severas punições em tempo de guerra. Com o reconhecimento oficial da França Livre pelo tradicional aliado britânico, seus voluntários adquiriam outro *status* jurídico no plano internacional e também outra condição moral.

Esse reconhecimento internacional da França Livre deve ter, provavelmente, facilitado a adesão individual de novos voluntários à causa gaullista e aberto o caminho para a igualmente importante conquista dos territórios na África Equatorial. Com a adesão destes, as Forças da França Livre conseguiram incorporar mais 17 mil homens aos 7 mil soldados iniciais e chegar a cerca de 50 mil homens em armas no final de 1941.

No dia 27 de outubro de 1940, foi dado o segundo importante passo na institucionalização da França Livre. Em Brazzaville, De Gaulle criou o Conselho de Defesa do Império como órgão decisório da França Livre e publicou um manifesto denunciando a ilegitimidade do regime de Vichy e mostrando a necessidade de criação de um poder novo que assumisse as tarefas de comandar a França naquela guerra. Na qualidade de chefe da França Livre, ele declarou solenemente que assumia, de fato, a plenitude daqueles poderes enquanto o povo francês estivesse privado de se exprimir livremente. O Conselho seria composto por nove membros, entre os quais estariam o almirante Muselier, os generais Catroux e Larminat, os governadores Eboué e Sautot, René Cassin e o coronel Leclerc.

No ano seguinte e três semanas após o seu retorno de uma viagem de seis meses pela África e Oriente Próximo, De Gaulle criou, em Londres, no dia 24 de setembro de 1941, o Comitê Nacional Francês (CNF) em substituição ao Conselho de Defesa do Império. O CNF seria composto de 12 membros e passaria a exercer as funções de governo provisório. Nesta condição, o CNF seria presidido por De Gaulle e a maior parte de seus membros ficaria individualmente encarregada de alguma função ministerial, como Economia e Finanças, Relações Exteriores, Justiça e Educação, guerra, informação etc. Dadas as condições absolutamente excepcionais, o CNF reuniria as funções executivas e legislativas e as exerceria por meio de decretos e atos publicados pela imprensa oficial da França Livre. O Comitê iria ainda criar delegações que desempenhariam o papel de embaixadas da França Livre junto aos países aliados ou neutros.

Apenas dois dias após a criação do CNF, a União Soviética o reconheceu formalmente. A França Livre estava, finalmente, institucionalizada. E em demonstrações adicionais de sua soberania, proclamou a independência da Síria e do Líbano, nos dias 27 de setembro e 26 de novembro, respectivamente, e declarou guerra ao Japão em 8 de dezembro. A primeira importante batalha na guerra da afirmação de uma França Livre em contraposição a uma França ocupada havia sido vencida, mas ainda haveria outras mais.

## *A França Combatente*

No dia 14 de julho de 1942, data nacional da França, o general De Gaulle deu mais um passo no desenvolvimento e na institucionalização do futuro Estado francês, transformando a França Livre em França Combatente. Essa medida não se limitava a uma mera mudança de denominação, pois pretendia também marcar que o novo poder não mais representava somente a França que se encontrava livre do domínio de Vichy ou da Alemanha – a chamada Resistência Exterior –, mas incluía também a Resistência Interior, isto é, os movimentos e grupos em ação na França metropolitana. A união das duas resistências sob um só comando tampouco não seria tarefa trivial e, para consegui-la, De Gaulle contou com a importantíssima adesão de Jean Moulin, alto funcionário do Estado francês que desde o início da ocupação havia migrado para a resistência. Em setembro de 1941, Jean Moulin foi a Londres encontrar-se com De Gaulle, ocasião em que lhe fez um detalhado relato da situação e das necessidades dos grupos de resistência em ação na França metropolitana. De Gaulle logo veria nele o homem ideal para unificar as diferentes forças da Resistência Interior e trazê-las para a França Livre. Os ventos finalmente começavam a soprar em favor dos Aliados. E os indícios eram vários: em junho, a União Soviética entrava na guerra; meio ano depois seria a vez dos Estados Unidos; e, nesse meio-tempo, mais precisamente em agosto, ocorreria uma série de atentados contra militares alemães na França. Munido das informações que Jean Moulin lhe trouxera e procurando afirmar-se como autoridade junto aos resistentes na França, De Gaulle faria o seguinte pronunciamento pela BBC, no dia 23 de outubro de 1941:

> É absolutamente normal e justificado que os alemães sejam mortos pelos franceses. Se eles não quisessem receber a morte de nossas mãos, deveriam ter ficado em casa. [...] Mas existe uma tática na guerra. [...] A orientação que dou hoje aos territórios ocupados é a de que alemães não sejam abertamente assassinados. Por uma simples razão: é fácil demais ao inimigo retalhar, massacrando nossos combatentes hoje desarmados. Mas logo que estivermos em condições de passar ao ataque, as ordens esperadas serão dadas.

Para fazer sua mensagem radiofônica ser assimilada pela Resistência Interior, De Gaulle resolveu enviar Jean Moulin de volta à França para unir os diversos movimentos de resistência e coordenar suas ações de informação, propaganda, sabotagem e ajuda recíproca. Com essa missão, Jean Moulin saltou de paraquedas de um avião britânico, nas proximidades de Lyon, na noite do dia 1º de janeiro de 1942. Em apenas 18 meses ele iria executar, segundo De Gaulle, um trabalho admirável, antes de cair nas mãos do inimigo e morrer. Em agosto de 1942, Jean Moulin submeteu a De Gaulle o nome do general Delestraint para organizar e comandar o Exército Secreto (*Armée Secrète* – AS), a ser composto pela união dos movimentos de armados de resistência Combat, Libération-Sud e Franc-Tireur, que agiam na região Sul da França, sob o controle de Vichy. De Gaulle não hesitaria em aceitar a sugestão, que só viria a fortalecer a França Combatente. No novo arranjo, Jean Moulin (codinome Max) passaria a ocupar a função de delegado civil e político nos territórios ocupados e Delestraint (codinome Vidal), o de delegado Militar. A França Combatente ganhava força.

Após a invasão da zona Sul da França pela Alemanha, em 11 de novembro de 1942, os que ainda viam no marechal Pétain a autoridade da França e acreditavam na possibilidade de ele vir a tomar o lado dos Aliados desiludiram-se de vez. Com isso, a resistência interna iria se fortalecer e outros grupos armados surgiriam. Em 31 de janeiro de 1943, antigos militares franceses ligados ao general Giraud que não aceitavam nem a autoridade do general De Gaulle nem a ocupação da França criariam a Organização de Resistência do Exército (ORA). E com o endurecimento do Serviço de Trabalho Obrigatório, nos meses seguintes, cujo objetivo era levar mais de 200 mil franceses para trabalhar na Alemanha, ocupando os postos de trabalho deixados vagos pelos 300 mil operários alemães que haviam sido convocados para a guerra, muitos resistentes de coração passariam à resistência de fato. Foi assim que, para não ser obrigado a trabalhar para o inimigo, Albert Mandelsaft, cidadão francês judeu nascido em Frankfurt e que até então se encontrava trabalhando no sul da França sob o nome falso de Albert Mounier, juntou-se à guerrilha comunista Francs Tireurs et Partisans Français (FTPF) em outubro daquele ano. Como ele, muitos outros

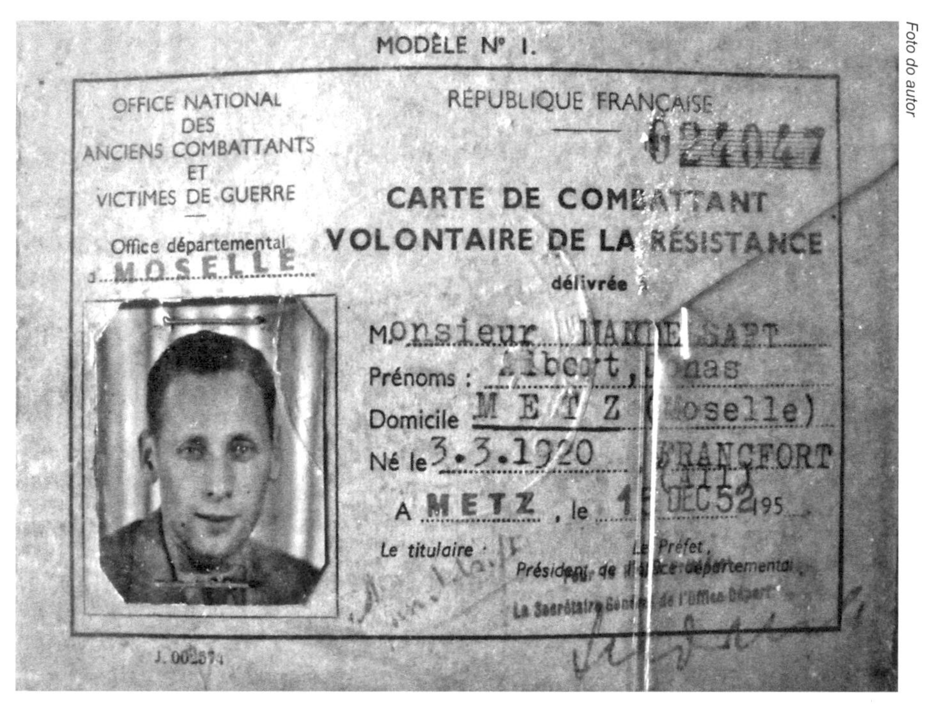
MODÈLE Nº I.

OFFICE NATIONAL DES ANCIENS COMBATTANTS ET VICTIMES DE GUERRE

Office départemental MOSELLE

RÉPUBLIQUE FRANÇAISE

024047

CARTE DE COMBATTANT VOLONTAIRE DE LA RÉSISTANCE

délivrée

Monsieur MA[illegible]E SAFT

Prénoms : Albert, [illegible]nas

Domicile METZ (Moselle)

Né le 3.3.1920 [illegible] FRANCFORT

A METZ, le 15 DEC 52 195

Le titulaire : Le Préfet, Président de l'Office départemental

La Secrétaire Générale de l'Office départ.

J. 002874

Foto do autor

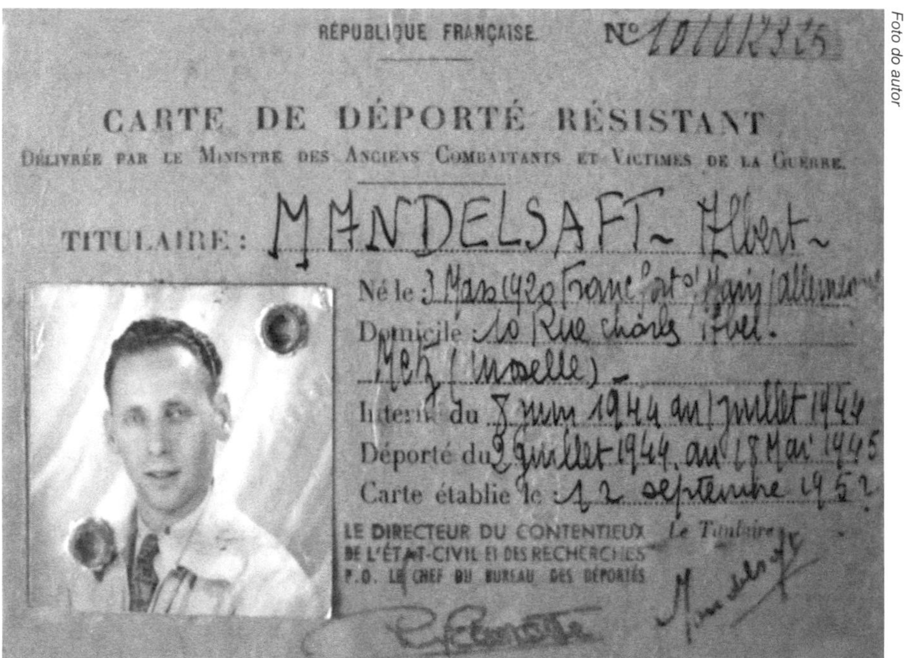
RÉPUBLIQUE FRANÇAISE Nº [illegible]

CARTE DE DÉPORTÉ RÉSISTANT

Délivrée par le Ministre des Anciens Combattants et Victimes de la Guerre

TITULAIRE : MANDELSAFT - Albert -

Né le 3 Mars 1920 Francfort s/ Main (allemagne)

Domicile 10 Rue Charles Abel. Metz (Moselle)

Interné du 5 juin 1944 au 1 juillet 1944

Déporté du 2 juillet 1944 au 18 Mai 1945

Carte établie le 12 septembre 1952

LE DIRECTEUR DU CONTENTIEUX DE L'ÉTAT-CIVIL ET DES RECHERCHES P.O. LE CHEF DU BUREAU DES DÉPORTÉS

Le Titulaire

Foto do autor

Documentos de Albert Mandelsaft, ex-combatente e vítima da guerra. Acima, carteira de identificação de voluntário da resistência e, abaixo, carteira de deportado para campo de concentração na Alemanha.

franceses, judeus ou não, partiram para o "*maquis*", isto é, ganharam o mato e aderiram aos grupos de resistência.

Em 27 de abril de 1943, Giraud escreveu a De Gaulle anunciando sua disposição em renunciar à autoridade suprema na África do Norte, abrindo caminho para uma nova tentativa de união entre eles. Um mês mais tarde, o Conselho Nacional da Resistência (CNR) se reuniria em Paris, sob a presidência de Jean Moulin, declarando-se sob a autoridade do general De Gaulle. A composição do CNR consistia de 16 membros, representando oito movimentos organizados de resistência, 6 partidos políticos e 2 sindicatos, agrupando toda a gama de posições políticas da França, da esquerda à direita. Por proposição de Gorges Bidault, representante do Partido Democrata Popular, que posteriormente se tornaria um próximo colaborador do general De Gaulle, foi aprovada por unanimidade uma moção solicitando a formação de um "governo único e forte", em Argel, e que esse governo fosse exercido por De Gaulle "que foi a alma da resistência nos dias sombrios e que, desde 18 de junho de 1940, não deixou de preparar, com plena lucidez e independência, o renascimento da pátria destruída". Em relação ao general Giraud, que desde a morte do Almirante Darlan exercia o cargo de comandante-geral civil e militar na África do Norte, a moção pedia que ele "assumisse o comando do Exército Francês ressuscitado". Foi munido desse trunfo que De Gaulle chegaria três dias depois a Argel para negociar com o general Giraud a formação do Comitê Francês de Libertação Nacional (CFLN), a ser copresidido por ambos.

## *O Comitê Francês de Libertação Nacional*

Como já era de se esperar, a negociação não seria fácil. Do encontro anterior entre os dois generais, em Casablanca, não resultara mais que a foto de um aperto de mãos, sem qualquer acordo a ela subjacente. Desde então, passaram-se apenas quatro meses, e esse foi o tempo suficiente para De Gaulle afirmar sua liderança na metrópole, mas não para Giraud se consolidar como representante da resistência. Contudo, Giraud tinha sob o seu comando tudo aquilo de que o Império Francês dispunha na África do Norte e fora herdado de Vichy: exército, polícia, administração pública, finanças e comunicações, além do apoio dos Estados Unidos, que só admitiam negociar com ele a ajuda americana para rearmar os combatentes franceses. Em compensação, De Gaulle tinha a seu favor a força moral de ter sido o primeiro dos resistentes, um território e um exército que nunca haviam se submetido a Vichy, presidia o CNF, era o líder inconteste da França Combatente e ainda acabava de ganhar a adesão das forças da Resistência Interior. Nessas condições, De Gaulle só tinha a ganhar e Giraud a perder; mas ninguém perde sem resistir.

De Gaulle chegou à mesa de negociação ditando as condições do acordo: o novo poder unificado deveria assumir todas as responsabilidades nacionais, o que implicava que o comando militar teria de estar a ele subordinado. Sem isso, ele não consentiria em dissolver o CNF em favor de outro órgão. Além disso, e para marcar que a França nunca havia deixado a guerra nem aceitado o regime de Vichy, seria necessário substituir o comandante militar da África do Norte, general Noguès, e os governadores do Marrocos e da Argélia. Giraud opôs-se veementemente a essas condições, pois não queria ver seu poder sobre o exército submetido a outra instância nem sacrificar os seus companheiros e fiéis colaborados de Vichy. Mas De Gaulle mostrou-se irredutível, propondo a interrupção das negociações, naquele momento, e a sua retomada com base em projetos escritos.

Ao final desse encontro, De Gaulle não ficaria inerte, esperando a contraposta de Giraud, e convocou todos os jornalistas de Argel para uma conferência de imprensa no dia seguinte, momento em que revelaria seus objetivos e condições. Utilizando com habilidade e frequência os meios de comunicação de massa desde 1940, ele sabia quanto as suas declarações poderiam render em seu favor. E o resultado não tardaria a chegar e seria até mesmo surpreendente: ao final daquela terça-feira, 1º de junho, De Gaulle recebeu uma carta do governador da Argélia pedindo a sua demissão, uma vez que "a união dos franceses [era] o único meio de chegar à vitória". Esse reconhecimento da autoridade do general De Gaulle por parte de um governador e ex-embaixador de Vichy abortou qualquer possível contraofensiva diplomática por parte de Giraud. Dois dias após, os dois generais se reuniriam com seus assessores e subscreveriam o texto elaborado por De Gaulle:

> [...] o general De Gaulle e o general Giraud determinam em conjunto a criação do Comitê Francês de Libertação Nacional. [...] O Comitê é o poder central francês [...] dirige o esforço de guerra em todos os lugares [...] exerce a soberania francesa [...] e assume toda a autoridade sobre todos os territórios e todas as forças militares até então submetidas ao Comitê Nacional Francês e ao comandante-geral civil e militar.

Com esse ato, criava-se um novo poder copresidido pelos generais De Gaulle e Giraud e composto inicialmente de 7 membros, chegando a ter 20 integrantes em novembro. Cada comissário ficaria individualmente incumbido de uma função ou questão específica, como se lhe fossem atribuídas pastas ministeriais. Porém, esse arranjo diárquico iria durar pouco, pois a Giraud faltava o que De Gaulle indiscutivelmente tinha bastante: vocação política. Além disso, as posições de um e de outro frequentemente conflitavam, o que causava paralisia e comprometia o funcionamento do Comitê. No último dia de julho, e após uma série de quedas de braço entre ambos, De Gaulle passaria a ser o presidente encarregado das ações de governo e Giraud, o presidente incumbido do comando e direção das operações militares. Na forma, o governo bicéfalo estava mantido, mas, na prática, De Gaulle passava a ser o único presidente do CFLN, e Giraud uma espécie de superministro da guerra. Essa solução *de facto* passaria a ser também *de jure* nos primeiros dias de outubro, quando De Gaulle e Giraud assinariam um ato pondo fim à copresidência do Comitê. No mesmo dia, um decreto estabeleceu claramente a distinção entre a autoridade política e o comando militar, subordinando este àquela. Abria-se, assim, o caminho para a afirmação de uma autoridade francesa autônoma e independente do comando militar Aliado.

Em meados daquele ano, o curso da guerra já estava traçado, embora seu fim ainda não estivesse próximo. Os eventos começavam a precipitar-se e De Gaulle sabia que precisava apressar-se para garantir à França uma condição vantajosa no tabuleiro político do pós-guerra. No mesmo mês de criação do CFLN, tropas anglo-americanas desembarcaram na Sicília; duas semanas depois, a Itália e o mundo assistiram à queda de Mussolini. Sem o ditador e com o avanço dos Aliados, o regime fascista não iria durar muito e, por isso, De Gaulle não podia tardar em colocar suas tropas no continente e recuperar o controle dos territórios franceses ocupados pela Itália. Com a capitulação desta, no dia 8 de setembro, chegava o momento de agir. De Gaulle ordenou então o desembarque de forças francesas na Córsega e a ocupação da ilha, o que ocorreu no domingo, dia 12. Essa conquista teve grande importância simbólica: apesar de pequeno e insular, aquele território era o primeiro a ser retomado pela França Livre na Europa durante a guerra.

Com um pé plantado na França metropolitana, De Gaulle resolveria dar mais um passo. No dia 17 de setembro, ele instituiu, em Argel, aquilo que já estava previsto em ato seu de 1941 que disciplinava os poderes públicos da França Livre: a Assembleia Consultiva Provisória (ACP). A finalidade dessa assembleia era dar aos franceses, então impossibilitados de exprimir sua vontade por meio do sufrágio universal, a oportunidade de se fazerem ouvir pelas vozes de representantes das organizações que se encontravam em luta pela libertação da França. A ACP iria reunir 49 representantes de organizações da resistência na metrópole, 21 da resistência fora da Europa e 20 membros do

Cartaz retratando a libertação da Córsega.

Senado e da Câmara dos Deputados em 1940. Dessa forma, o novo poder ficaria dotado de um órgão executivo (o CFLN) e de um protolegislativo (a ACP), constituindo um quase Estado francês de vocação republicana e democrática. A partir daquele momento, seria preciso trabalhar em duas frentes: além de continuar o esforço de guerra até a vitória, criar os instrumentos para governar autonomamente os territórios franceses a serem liberados.

No outono de 1943, as tropas gaullistas chegaram ao continente europeu, desembarcando em Nápoles. A partir daquele momento, as forças da França Livre se associariam às tropas anglo-americanas no esforço de libertação da Europa do jugo nazista. Com isso, abria-se o caminho para a França ter lugar ao lado dos vencedores na mesa de negociações ao final da guerra. Mas para garantir esse papel que devolveria ao país seu *status* de potência mundial, que era o objetivo último do general De Gaulle, ele teria ainda de enfrentar a resistência de alguns de seus aliados que, paradoxalmente e com frequência, se tornavam adversários: os comunistas franceses e o governo americano.

Os comunistas sempre foram os principais concorrentes do general De Gaulle no interior da resistência francesa. Sua organização era ampla e bem anterior à formação da França Livre e seus objetivos finais, muito diferentes: De Gaulle queria a França restituída na sua soberania e grandeza nacionais, enquanto os comunistas a queriam completamente transformada e vinculada à revolução proletária internacional, que tinha a União Soviética como centro de irradiação. No interior do Conselho Nacional da Resistência, a resistência à autoridade do general De Gaulle viria sempre dos dois comunistas nele presentes: o representante do Partido Comunista Francês e o da Frente Nacional. Na Córsega recém-reconquistada, também seria com os comunistas que De Gaulle teve de se enfrentar para afirmar o controle do CFLN sobre o território. A cooperação entre ambos era apenas circunstancial e orientada estritamente pela máxima "o inimigo do meu inimigo é meu amigo". Porém, esse era um laço muito tênue, que não sobreviveria depois da guerra. Apesar disso, no dia 1º de fevereiro de 1944, De Gaulle conseguiu criar as Forças Francesas do Interior (FFI) a partir da fusão dos três principais grupos armados atuantes na França: os gaullistas da AS, os giraudistas da ORA e os comunistas do FTPF. Essa união seria fundamental para a retomada da França em condições favoráveis ao estabelecimento de um governo francês legítimo e independente das forças de ocupação aliadas.

Ao serem criadas, as FFI reuniam cerca de cem mil combatentes em armas, número que iria mais que dobrar cinco meses depois, com o início da Batalha da França. Um tão expressivo e rápido crescimento deu a certeza a De Gaulle de que não faltavam na França homens dispostos a lutar pelo país, mas armas para fazer deles combatentes. E, para armá-los, De Gaulle necessitava inteiramente dos Estados Unidos, que tinham a sua indústria de guerra funcionando a pleno vapor do outro lado do Atlântico e a salvo dos bombardeios inimigos. Era preciso, então, tratar as autoridades americanas com toda diplomacia para delas conseguir o que ele queria para a França.

Felizmente, em meados de 1943, De Gaulle havia conhecido o general Eisenhower. Apesar do estranhamento inicial entre ambos, em grande parte alimentado pela desconfiança de Roosevelt em relação a De Gaulle, os dois generais logo acabariam se dando bem e se reconhecendo mutuamente como soldados de grande estatura e irmanados no mesmo espírito. No fim daquele ano, um pouco antes de Eisenhower deixar o comando do Quartel General das Forças Aliadas na África do Norte, em Argel, para se tornar o comandante do Supremo Quartel General das Forças Expedicionárias Aliadas (SHAEF), em Londres, De Gaulle iria com ele se encontrar e discutir a participação das tropas francesas na futura Batalha da França. Naquela conversa, Eisenhower não só lhe asseguraria que não iria entrar em Paris sem as tropas francesas, como lhe diria que, mesmo não podendo falar em nome do governo americano, ele não reconhecia na França outra autoridade senão a do general De Gaulle. Ao se despedirem, Eisenhower reconheceu abertamente que, ao chegar à Argélia, ele se encontrava cheio de prevenção em relação a De Gaulle por tudo o que lhe havia sido dito; que, por essa razão, suas atitudes iniciais haviam sido duras e mesmo injustas; e que ele lamentava tudo aquilo. A essa declaração franca e direta, De Gaulle responderia simplesmente, em inglês: "You are a man!". A partir daquele momento, De Gaulle passaria, finalmente, a contar com um verdadeiro aliado nos Estados Unidos.

Porém, mesmo com o apoio de Eisenhower e de Churchill, a animosidade de Roosevelt em relação a De Gaulle iria se manter. Para o presidente americano, valeria para a França o mesmo que estava previsto e combinado com Churchill para todos os territórios a serem liberados do controle nazista: a instituição de um Allied Military Government of Occupied Territories (AMGOT, em português: Giverno Militar Aliado aos Territórios Ocupados). Essa era uma ideia engenhosa, que foi aplicada com sucesso na Noruega, na Dinamarca, na Holanda, na Bélgica, em Luxemburgo, na Alemanha, na Áustria e na Itália. Até que eleições livres pudessem ser realizadas e que governos legítimos assumissem o controle dos seus países, todas as tarefas da administração civil ficaram a cargo de um AMGOT, composto por militares ingleses e americanos com formação em administração. Para isso, tudo havia sido cuidadosamente preparado nas minúcias características dos anglo-saxões. Até mesmo cédulas e moedas especificamente para cada país haviam sido impressas e cunhadas nos Estados Unidos para servir como meio de troca nos territórios ocupados. Contudo, essa solução ignorava a particularidade da França representada por De Gaulle, que desde 1940 se encontrava lutando ao lado dos ingleses e que, ao longo daqueles quatro anos, havia consolidado instituições e adquirido legitimidade junto à população francesa. Mas Roosevelt não estava interessado nessas particularidades, apesar de ter sido diretamente alertado pelo general Eisenhower dos riscos da imposição de um AMGOT na França:

> [...] é meu dever lhe dizer que, de acordo com informações que me foram transmitidas por agentes e prisioneiros de guerra evadidos, me permitem afirmar que na França só existem duas forças importantes: a claque de Vichy, de um lado, e de outro, um grupo que se caracteriza por uma admiração sem limites por De Gaulle [...]. Uma vez liberadas as zonas que sairão do controle militar e retornarão ao governo local autônomo, o efeito do não reconhecimento [da autoridade do general De Gaulle] se farão sentir. Pode ser que se constante, então, um desejo geral de adesão ao grupo do general De Gaulle.

A essas considerações, Roosevelt respondeu secamente que o general não havia compreendido suas instruções, que seu dever era cumprir estritamente o que fora pelo presidente determinado, que dispunha de melhores informações que ele. Porém, o desenrolar dos acontecimentos confirmaria a percepção de Eisenhower, levando pouco a pouco Roosevelt a se dobrar ao peso dos fatos.

O ano de 1944 foi crucial para a afirmação do poder do general De Gaulle na França e a consolidação das instituições gaullistas. Chegava o momento de agir com vigor e rapidez em todas as frentes: a da comunicação, fazendo uso frequente da rádio de Argel a fim de preparar a população da França para a invasão das tropas aliadas que se aproximava; a militar, inspecionando pessoalmente as 1ª e 2ª Divisões Blindadas (DB) francesas, equipadas com material americano e que iriam participar das batalhas no continente, e negociando com os generais americanos do comando aliado a participação das forças francesas em todas as ações possíveis até o final da guerra; a institucional, emitindo atos disciplinando a organização dos poderes públicos e administração dos territórios franceses a serem brevemente reconquistados; e também a diplomática, procurando o reconhecimento internacional do CFLN como futuro Governo Provisório da República Francesa (GPRF).

No dia 3 de junho, quando o desembarque aliado na França era iminente, o CFLN passaria a denominar-se GPRF, tendo De Gaulle como seu presidente, que, a convite de Churchill, trocaria Argel por Londres. No dia seguinte, os velhos aliados de primeira hora entrariam em nova acalorada discussão em torno do plano americano de administração da França reconquistada por meio de um AMGOT, o que, para De Gaulle, era simplesmente inadmissível. Isso, porém, não faria o general desviar-se do seu foco principal, que era a retomada da França.

## Rumo ao fim da guerra

No Dia D, 6 de junho, quando tropas anglo-americanas finalmente desembarcaram na costa da Normandia, De Gaulle recorreu novamente às ondas da BBC para comunicar aos franceses que "a Batalha da França havia começado" e lhes pedir a colaboração para o avanço das tropas aliadas. Naquele momento, as divergências com o aliado americano eram secundárias. Com a mesma determinação, ele iria também recusar a proposta de Roosevelt para que fosse a Washington conversar com o presidente americano sobre o uso na França da nova moeda impressa nos Estados Unidos – que logo receberia na França a alcunha de *falsa moeda* – e o reconhecimento do Governo Provisório da França pelos Estados Unidos. O objetivo de Roosevelt era óbvio:

levar De Gaulle para longe da França no momento da sua ocupação pelos Aliados. Ciente disso, De Gaulle iria embarcou no dia 13 rumo à Normandia, encontrando-se lá com o general britânico Montgomery e dirigindo-se no dia seguinte a Bayeux, onde fez seu primeiro e memorável discurso depois de quatro anos sem pisar na sua amada França:

> Estamos todos emocionados aos nos encontrarmos juntos em uma das primeiras cidades libertadas da França metropolitana. Mas este não é o momento de falarmos de emoção. O que o país espera de vocês, na retaguarda do *front*, é que continuem a combater hoje, assim como não deixaram de fazê-lo desde o início desta guerra, desde junho de 1940. Nosso grito, hoje como sempre, é o grito de combate, porque o caminho do combate é também o caminho da liberdade, o caminho da honra.

A recepção do general De Gaulle e de seu discurso em Bayeux teve grande repercussão internacional, inclusive na imprensa americana, o que só iria fortalecê-lo como líder inconteste dos franceses naquele momento crucial da guerra. Depois de tanto remar contra a maré, as correntes e o vento finalmente estavam a seu favor. Antes de retornar à Argel, De Gaulle passou por Londres, onde recebeu a proposta de Roosevelt para visitá-lo nos Estados Unidos. Porém, antes de ir a Washington, o governo provisório da França, presidido por De Gaulle, foi reconhecido pelos governos no exílio da Polônia, da Noruega, da Bélgica, de Luxemburgo, da Iugoslávia e da Tchecoslováquia. E, para completar o rol, ele seria recebido pelo papa, no Vaticano, como chefe de Estado. Com todos esses trunfos acumulados, De Gaulle poderia finalmente ir ao encontro de Roosevelt, desde que o seu *status* fosse de convidado do presidente americano, o que implicaria implicitamente que Roosevelt o reconhecia como chefe de Estado.

Contudo, ao chegar a Washington, ele logo foi avisado de que Roosevelt não o estava recebendo como chefe de Estado, mas na condição de um grande militar. E apesar de toda cordialidade e troca de gentilezas entre ambos nos diversos encontros durante a visita, o presidente americano manteve-se inflexível sobre esse ponto: no dia 11 de julho, em entrevista coletiva à imprensa, Roosevelt declarou aceitar o *Comitê* como autoridade civil *de facto* na França, precisando que não o reconhecia como *Governo Provisório*. Com essa declaração, o projeto de instituição de um AMGOT na França e, consequentemente, da utilização da *falsa moeda* no país foram definitivamente sepultados. O caminho estava, pois, aberto para De Gaulle voltar à França e conduzir o país na guerra contra o inimigo até a vitória final.

No mês seguinte, agosto de 1944, o retorno do general De Gaulle à França, a retomada de Paris e a instalação do Governo Provisório na capital francesa iriam se consumar. No dia 18, De Gaulle deixou a Argélia rumo à França, e a resistência francesa, em Paris, se sublevou, atacando as tropas alemãs na cidade, em uma ação comandada por De Gaulle em articulação com o comando aliado. Depois de passar por Casablanca e Gibraltar, De Gaulle chegou a Cherburgo, na Normandia, no dia 20, onde se encontraria com Eisenhower para acertar os detalhes da ocupação de Paris. Dois dias depois, De Gaulle daria ordem à 2ª DB, comandada pelo general Leclerc, de ocupar Paris, o que iria se consumar na última sexta-feira do mês, em pleno verão.

Eisenhower cumprira a promessa feita a De Gaulle meio ano antes: Paris seria libertada por tropas francesas. Às 16 horas daquele dia, De Gaulle entrou na capital pela Porta de Orleans e se dirigiu à estação de trem de Montparnasse, onde o general Leclerc acabava de receber a capitulação alemã do general Von Choltitz. Após instalar-se no prédio do Ministério da Guerra – onde, segundo ele, tudo se encontrava exatamente como há quatro anos, faltando apenas um governo para a França –, ele se encaminhou à prefeitura de Paris, onde uma multidão lotava a grande praça em frente ao prédio a espera do seu primeiro discurso na capital:

> Nós estamos aqui, em nossa casa, na Paris erguida para se libertar e que soube fazê-lo com suas próprias mãos. Não, não dissimulemos essa emoção profunda e sagrada. Estes são minutos que – todos nós sentimos – ultrapassa cada uma de nossas pobres vidas.
> Paris, Paris ultrajada, Paris esmagada, Paris martirizada, mas Paris libertada! Libertada por si mesma, libertada pelo seu povo com o concurso das forças armadas da França, com o apoio e o concurso da França inteira: isto é, da França que luta. Quer dizer, da única França, da verdadeira França, da França eterna.

No dia seguinte, De Gaulle iria se dirigir ao Arco do Triunfo e colocar flores no monumento ao soldado desconhecido. Em seguida, desceria a pé a avenida dos Campos Elíseos acompanhado pelos generais Juin, Leclerc e Koenig sob um sol radiante e cercado por uma multidão em êxtase. Durante a caminhada, algumas mulheres lhe entregaram buquês de flores e as mais ousadas ainda o beijaram no rosto, como podemos ver nos documentários filmados da época. Ao chegar à Praça da Concórdia, ele tomaria um carro que iria seguir pela rua de Rivoli, parar em frente à prefeitura para mais uma saudação ao público e finalmente o deixar na catedral de Notre-Dame, onde ele assistiria a um *magnificat*. Ao longo de todo o caminho, milhares de parisienses debruçados nas janelas, aglomerados pelas ruas e calçadas, montados nas árvores, postes e monumentos a saudar a passagem do general De Gaulle. Paris exultava de alegria e De Gaulle era o seu grande herói.

Cartão recortável comemorativo à libertação de Paris.

No último dia de agosto, a sede do governo provisório foi transferida de Argel para Paris e, no dia 6 de setembro, De Gaulle se encontraria com Eisenhower para lhe pedir que tropas francesas participassem da invasão da Alemanha. Uma semana depois, atendendo ao seu pedido, o general americano apresentou a De Gaulle seu plano de emprego de forças francesas na Frente de batalha Ocidental. A participação da França ao lado dos vencedores estava garantida e se veria fortalecida com o reconhecimento do governo provisório presidido por De Gaulle pelas três potências aliadas – Estados Unidos, Reino Unido e União Soviética – no dia 23 de outubro.

A guerra seguia o seu curso e a vitória aliada era uma questão de tempo. Contudo, ainda haveria duras batalhas pela frente, pois o exército alemão era aguerrido e altamente profissional. Não por acaso, o grande especialista inglês em estratégia militar, Liddell Hart, apontou como os dois melhores exércitos do mundo "o Alemão, na Primeira Guerra Mundial, e o Alemão, na Segunda Guerra Mundial". O mês de novembro seria marcado por dois eventos importantes para De Gaulle e para a França: o decisivo apoio de Churchill para que a França obtivesse uma zona de ocupação própria na capital da Alemanha; e a investida da 2ª DB, comandada por Leclerc, sobre Estrasburgo. A retomada da principal cidade de Alsácia tinha grande importância simbólica para franceses e alemães: para a França, significava a retomada do último território que constituía a França metropolitana em 1940 e que ainda seguia ocupado pelo inimigo; para a Alemanha, era o primeiro território alemão a ser invadido durante a guerra, pois a Alsácia não fora ocupada como território estrangeiro, mas reanexada à Alemanha.

O controle de Estrasburgo era uma velha disputa franco-germânica que não podia ser compreendida pelos Aliados. Por isso, os alemães iriam investir pesadamente na recuperação de Estrasburgo, levando o comando aliado a determinar que suas tropas recuassem da margem ocidental do Reno até as montanhas dos Vosges, no início de janeiro de 1945; e por isso também, De Gaulle iria dar a contraordem ao general de Lattre de defender Estrasburgo custasse o que custasse. Essa insubordinação do general De Gaulle ao comando aliado obviamente não foi bem recebida pelos ingleses e, muito menos pelos americanos – sobretudo, por Roosevelt –, dando início à nova e, desta vez, declarada crise franco-americana. Porém, a fragilidade física do presidente americano, que tinha contraído poliomielite no início dos anos 1920 e cuja saúde vinha se degradando a olhos vistos nos últimos tempos, como comprovam as cada vez mais frequentes fotografias dele sentado em cadeira de rodas, acabou levando-o à morte em consequência de uma hemorragia cerebral no dia 12 de abril. Assim, a maior resistência à participação do general De Gaulle na mesa de negociações internacionais iria desaparecer ainda antes do final da guerra. A *fortuna* que naquele momento abandonara o presidente americano viria abonar o seu eterno desafeto De Gaulle.

Enquanto isso, as tropas francesas já haviam cruzado o rio Reno e avançavam em território alemão, ocupando também áreas da Itália ainda sob controle do exército nazista. A guerra na Europa chegava ao fim. Na última semana de abril, De Gaulle determinaria ao general de Lattre de Tassigny, que já havia chegado com as suas tropas a Stuttgart, de ali manter um governador militar para toda a área da Alemanha já ocupada pelo Exército Francês. No dia 28, Mussolini foi fuzilado e dois dias depois, Hitler e sua mulher se suicidaram no interior do seu bunker, em Berlim. A capitulação alemã era apenas uma questão de dias. Porém, antes de esse momento chegar, De Gaulle escreveria a Eisenhower determinando as áreas que se encontravam sob o domínio do Exército Francês e sobre as quais ele reivindicava o controle da França no pós-guerra. Afinal, ele não poderia perder um minuto sequer para garantir à França um lugar de destaque e compatível com o que ele julgava ser a contribuição francesa para o progresso da civilização.

No dia 4 de maio, a divisão de Leclerc chegou a Berchtesgaden e ocupou a casa de verão de Hilter. Mais um troféu a ser ostentado pela França naquela guerra. E, apenas quatro dias depois, o general de Lattre de Tassingy se encontraria ao lado dos vencedores na mesa em que a Alemanha assinaria a sua capitulação. Naquele momento, o constrangido general alemão encarregado de representar seu país naquele ato desonroso, percebendo que do outro lado da mesa não se encontravam apenas representantes dos russos, ingleses e americanos, mas também dos franceses, teria exclamado estupefato: "Ah, os franceses também!". Afinal, como poderiam os alemães imaginar que a França, tendo sido tão facilmente invadida e dominada no início da guerra, iria se encontrar ao lado dos vencedores? Só mesmo pela ação e liderança de um general obstinado que, pacientemente, foi reunindo em torno de si uma nação arrasada e humilhada, devolvendo-lhe aos poucos a autoestima, a honra e o orgulho da França eterna.

Aos 54 anos, De Gaulle chegava ao auge de sua trajetória de guerreiro. Mas o apogeu do militar não seria também o do homem que começava sua carreira de estadista, que ainda deixaria muitas e profundas marcas na história da França no século XX. E muito menos do indivíduo que, mesmo nos mais duros e desafiadores momentos das guerras em que lutou, nunca renunciou à sua vida privada.

# O GUERREIRO NA VIDA PRIVADA

*"Durante as férias, nossos filhos e netos nos cercam com sua juventude, com exceção de nossa filha Anne, que deixou este mundo antes de nós."*
Charles de Gaulle

Durante toda a sua vida, Charles de Gaulle foi um indivíduo reservado e austero, que desprezava o comportamento mundano dos ricos e famosos e guardava com muito zelo sua privacidade familiar. Dos seus pais, ele recebeu uma educação tradicional e conservadora, pautada por valores e princípios morais muito estritos. Na sua formação, patriotismo e catolicismo tiveram papel central. Em um belo livro intitulado *Uma vida sob o olhar de Deus*, Laurent de Gaulle, seu sobrinho-neto, mostra com precisão e elegância como a fé católica guiou seu pensamento e suas decisões como homem, soldado e chefe de Estado. Desde jovem, De Gaulle iria observar com atenção o Quarto Mandamento de Moisés: honrar pai e mãe. A intensa correspondência trocada com os seus pais desde os tempos de estudante interno na Bélgica e depois de prisioneiro na Alemanha durante a Primeira Guerra Mundial demonstra o afeto e o respeito quase reverencial que ele lhes reservava.

Devido à circunspecção e ao zelo por sua intimidade, De Gaulle deixou relativamente poucos registros sobre a sua vida privada, em claro contraste com a abundância de documentos sobre a sua vida pública. No que se encontra disponível, não há uma única referência a flertes, namoros, paixões ou aventuras amorosas pré-conjugais e tudo indica que a sua libido da juventude tenha sido sublimada nos seus escritos ficcionais assinados sob o pseudônimo de Charles de Lugale. De Gaulle foi para a guerra aos 23 anos, passando a metade do tempo em presídios militares alemães e partindo, em seguida, para a Polônia em missão militar. Excetuando os anos anteriores à Primeira Guerra Mundial, passados em Arras, onde ele seria recebido nas casas da boa sociedade local – às vezes na companhia do seu coronel Philippe Pétain, que, apesar da idade, era também solteiro e bem cotado entre as damas –, e o primeiro ano na Polônia, quando frequentaria os salões da burguesia de Varsóvia, pouco tempo lhe sobrou para se relacionar com moças que pudessem lhe inspirar algum interesse. Além disso, seguindo a tradição burguesa da época, o jovem Charles iria confiar à sua mãe a tarefa de lhe apresentar uma jovem de boa família com quem pudesse se casar. E foi precisamente assim que ele conheceu sua futura esposa e companheira de toda a vida.

## VIDA FAMILIAR

Durante o ano de 1920, em um momento em que o capitão De Gaulle estava de licença em Paris, sua mãe iria promover o encontro dele com uma jovem, filha de uma família de Calais, no apartamento de uma amiga comum. Formalmente, tratava-se de uma reunião entre famílias conhecidas, mas o objetivo verdadeiro era o de apresentar Charles de Gaulle, então com 29 anos, a Yvonne Vendroux, 10 anos mais nova que ele. Depois do primeiro encontro, não foram necessários mais muitos para que um se interessasse pelo outro e ambos resolvessem se casar e formar uma nova família. No dia 11 de novembro daquele mesmo ano, poucos dias antes de Charles de Gaulle retornar à Polônia, os dois jovens formalizaram o seu compromisso de noivado, marcando o casamento para o ano seguinte. Em 6 de abril de 1921, Charles e Yvonne casaram-se no regime civil e, no dia seguinte, a cerimônia religiosa do seu casamento seria celebrada na igreja Notre-Dame de Calais. Após uma viagem de núpcias pela Itália, o jovem casal iria instalar-se em

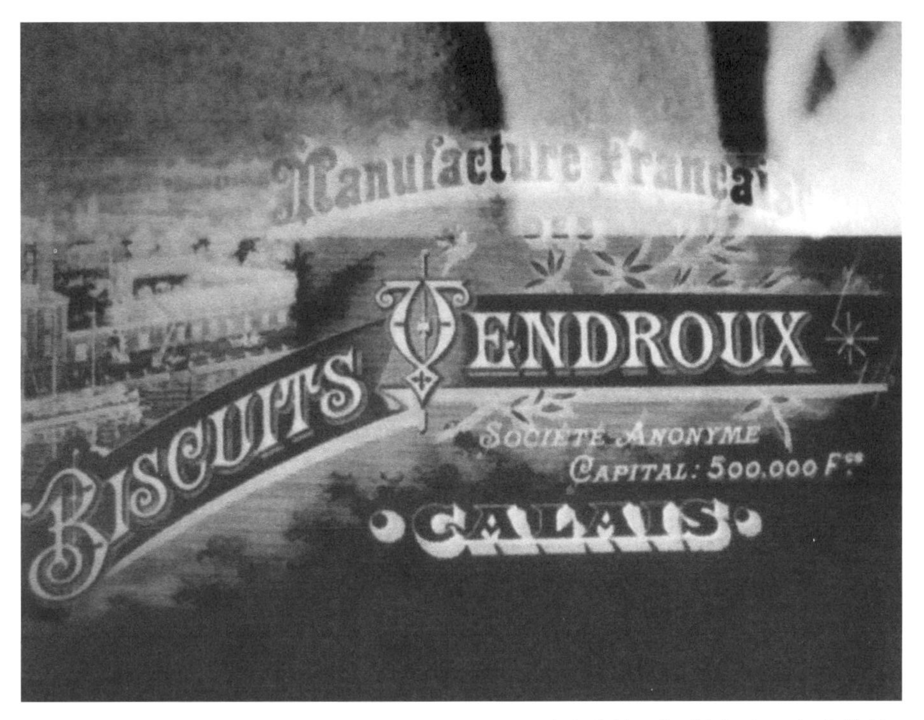


Lata de biscoitos fabricados pelas indústrias
da família de Yvonne Vendroux, em Calais.

Paris em um pequeno apartamento alugado e não muito confortável. Além de localizado próximo a uma passagem elevada do metrô, o que os fazia ouvir o barulho dos trens dia e noite, a residência só tinha água corrente na pia da cozinha e não dispunha mais do que pequenas salamandras a carvão para o aquecimento do ambiente. Apesar do pouco espaço, De Gaulle conseguiria ali montar o seu escritório, onde pôde estudar e se preparar para o concurso de entrada na Escola Superior de Guerra, e sua esposa ainda contaria com o auxílio de uma empregada para os serviços domésticos. Porém, aquele desconforto inicial não duraria muito, pois, ao final daquele mesmo ano, eles iriam mudar-se para um local melhor, mais amplo, silencioso e ensolarado, também situado nas imediações da Escola Militar e do Campo de Marte, onde a família De Gaulle sempre morara. Afinal, a família de Yvonne, os Vendroux, era proprietária de indústrias em Calais e podia garantir o apoio financeiro necessário ao jovem casal, que logo teria o seu primeiro filho, para viver em condições mais confortáveis do que permitiam o reduzido soldo de capitão recebido por De Gaulle. Naqueles primeiros anos que se seguiram à Primeira Guerra Mundial, a remuneração dos oficiais do exército era tão baixa que alguns de seus colegas de farda, menos afortunados, se viam obrigados a prestar escondidos pequenos serviços para completar a sua renda familiar mensal, o que não era nada honroso para um oficial do grande e vitorioso Exército Francês.

Charles e Yvonne de Gaulle teriam três filhos: Philippe, Elisabeth e Anne. Os dois primeiros nasceram em Paris, em dezembro de 1921 e maio de 1924, respectivamente, e a filha caçula, em Trier, na Alemanha, em janeiro de 1928, durante a temporada do capitão De Gaulle como comandante do 19º Batalhão do Exército do Reno. Com o passar do tempo, Charles e Yvonne iriam perceber que a filha Anne não era uma criança como as outras. O diagnóstico final do mal que a acometia demoraria um pouco, pois a síndrome de Down era até então pouco conhecida. Em Anne, esse distúrbio iria se manifestar em um grau bastante severo. Ela jamais chegou a falar, permanecendo a sua alma prisioneira do seu corpo e seu mundo interno, um mistério para os que com ela conviviam. Apesar disso, Charles e Yvonne jamais hesitariam em mantê-la consigo, rejeitando de imediato a hipótese de internar a filha em uma instituição especializada, o que era comum ser feito com crianças consideradas "anormais". Tampouco os De Gaulle iriam receber as novas condições que se impunham às suas vidas com revolta ou autocomiseração, mas com simples resignação cristã: Deus a pusera no mundo daquela forma e a eles a confiara para ser amada como qualquer criança por seus pais. A partir daquele momento e com toda a naturalidade possível, as decisões familiares passaram a levar em conta as necessidades da filha caçula.

Depois da temporada vivida na Alemanha, De Gaulle e família se mudariam para o Líbano. Lá, Charles e Yvonne iriam aproveitar a oportunidade para visitar os lugares santos da Palestina, entre os quais o Santo Sepulcro, em Jerusalém, e as cidades de Nazaré e Belém. No outono de 1931, os De Gaulle finalmente voltariam a Paris, instalando-se em um apartamento alugado no bulevar Raspail, perto do Colégio Estanislau, onde De Gaulle havia estudado e onde ele acabava de matricular o filho Philippe. Embora a vida na capital lhe conviesse plenamente e fosse rica em encontros e discussões que lhe animavam e alimentavam o espírito, De Gaulle sabia que precisava encontrar outro local onde pudesse estabelecer definitivamente a sua família e que fosse compatível com a sua vida itinerante de militar.

No verão de 1934, após muito procurar, Charles e Yvonne iriam finalmente encontrar o que lhes convinha a partir de um anúncio publicado em um jornal parisiense: uma velha casa com 12 cômodos, construída em meio a um imenso terreno à entrada de Colombey-Les-Deux-Églises, um vilarejo da região da Champanha, a cerca de 270 km ao leste de Paris. As condições gerais lhes pareceram adequadas às suas necessidades e possibilidades: a localização era perfeita – equidistante entre a capital e a fronteira da Alemanha, onde os oficiais do Exército Francês tinham de servir a maior parte do tempo; a área de 2,5 hectares de jardins e bosques em torno da casa permitiriam finalmente a Anne viver com maior liberdade e tranquilidade, longe da agitação da cidade grande e da multidão; e as condições de pagamento eram compatíveis com o rendimento limitado de um oficial do exército. Porém, todas essas vantagens reunidas não viriam desacompanhadas de uma grande desvantagem: a falta de conforto.

O prédio fora edificado em 1843 para abrigar uma cervejaria (*brasserie*, em francês) e, cerca de 40 anos após, foi transformado em residência pelo novo proprietário. Foi nesse momento que a *brasserie* foi rebatizada como *Boisserie*, em referência ao bosque (*bois*) que a circunda. Mas as condições de habitação não eram adequadas nem mesmo para os precários padrões do século XIX. Ao se mudarem para lá, no verão de 1934, os De Gaulle encontraram uma casa que não continha mais que uma mobília minimamente necessária para torná-la habitável e toda a louça teve de ser trazida de Paris. A luz elétrica acabava de ser instalada, mas não em todos os cômodos, de forma que alguns deles ainda tinham de ser iluminados por lâmpadas a óleo. E o pior de tudo: não havia água corrente no seu interior – que só seria instalada dois anos mais tarde –; para aquecer aquela enorme residência durante os rigorosos invernos do leste da França, só havia lareiras e velhas salamandras, o que não tornava lá muito confortável a vida dos seus habitantes. Por isso, antes dos De Gaulle, aquela casa abrigou vários inquilinos que lá não ficavam por muito tempo, até ser posta à venda pela sua última proprietária em 1921, transação que só iria se consumar 13 anos depois em condições muito vantajosas ao comprador.

Avaliada em 50.100 francos, a casa foi vendida a De Gaulle por 45 mil no sistema chamado *viager*, ainda hoje bastante comum na França, que consiste no pagamento anual de um determinado valor até o fim da vida do vendedor. No caso da Boisserie, o contrato consistiu em uma entrada de 5 mil e prestações anuais de 6 mil francos, que representavam cerca de três meses de seu soldo de tenente-coronel. Era um compromisso financeiro viável, mas que iria impor certas restrições à família enquanto durasse. Felizmente para os De Gaulle – e para infelicidade da antiga proprietária, uma senhora de mais de 70 anos que acabou sendo encontrada morta na banheira da sua casa –, a dívida seria extinta em apenas três anos.

Na Boisserie, Yvonne e Anne viveriam até o início da invasão da França na Segunda Guerra, enquanto os dois filhos mais velhos seguiam os seus estudos em Paris e Charles de Gaulle desempenhava suas atividades militares entre Paris e a fronteira leste do país, retornando sempre que possível à paz da sua casa em Colombey. Durante o período de exílio na Inglaterra, a Boisserie e os demais bens móveis e imóveis do general De Gaulle foram confiscados pelo governo de Vichy, só lhe sendo posteriormente restituídos. Em 1944, ao voltar à França, o seu filho Philippe reencontraria a casa praticamente em ruínas. Seria somente no final de maio de 1946 que Yvonne, Anne e a governanta voltariam a habitá-la, após quase dois anos de trabalhos de reconstrução e modernização da residência, que ganhou dois novos cômodos – a biblioteca e o escritório do general –, além de todo o conforto moderno, como eletricidade em todas as peças, calefação, água corrente e banheiros em todos os seis quartos. A partir de então, a Boisserie passou a ser o refúgio do general, seu local de descanso e reflexão e o centro da sua vida familiar. Após a morte da filha Anne, em 1948, a opção por Colombey se tornaria definitiva, pois Charles e Yvonne de Gaulle não poderiam mais viver longe da sepultura onde sua filha caçula fora enterrada, local em que seus corpos também iriam repousar quando chegasse a hora de cada um.

Charles e Yvonne de Gaulle formaram, desde o início, um par harmônico que jamais expôs suas eventuais divergências de pensamento na frente dos filhos. A mesma criação rígida e conservadora que ambos receberam de seus pais também seria a dos seus filhos. Charles de Gaulle sempre deu senhorio aos seus pais, dirigindo-se a eles pelo pronome formal *vous*. Da mesma forma, ele e Yvonne iriam se dirigir um ao outro e exigir o mesmo tratamento dos seus filhos. Um dia, o seu filho mais velho, ainda criança, ousou chamá-lo de Charles, ao invés de papai, recebendo imediatamente uma bofetada. Afinal, de acordo com os valores vigentes naquele tempo, um filho dirigir-se ao seu pai pelo primeiro nome era um desrespeito inadmissível. De Gaulle só empregaria o pronome informal *tu* para se dirigir aos seus irmãos, filhos, sobrinhos e antigos colegas de juventude da Escola Militar Arras. A todos os demais, inclusive à sua filha Elizabeth, ele utilizaria sempre o pronome *vous*, como era o costume da época.

O contato físico também seria pouco frequente e os beijos raros, até mesmo entre Yvonne e os filhos, que era uma mulher muito atenta à sua educação, mas pouco maternal. Os aniversários das crianças só seriam comemorados até que completassem 10 anos. A partir de então, mais nenhuma menção iria ser feita à idade de cada um, pois, para eles, a simples passagem do tempo não tinha nenhuma razão de ser comemorada. Tudo isso pode nos parecer estranho hoje e uma forma de relacionamento familiar demasiadamente distante e até fria. Mas não era incomum para a geração francesa que, como a de Charles e Yvonne, havia sido educada conforme os rígidos padrões comportamentais do final do século XIX. Na verdade, o general manteve e cultivou durante toda a sua vida um grande espírito de família.

Foto do autor

Torre acrescentada à antiga residência na reforma feita por De Gaulle após a Segunda Guerra. No andar térreo, uma das janelas laterais do escritório do general. Acima dele, o quarto em que o chanceler alemão Konrad Adenauer ficou hospedado, em 1958.

Foto do autor

Entrada de Colombey-les-Deux-Églises. À esquerda da estrada, muro da propriedade do general De Gaulle, La Boisserie.

Charles de Gaulle, seus três irmãos e sua única irmã mantiveram sempre relações bastante estreitas, embora os contatos pessoais entre eles fossem pouco frequentes, pois cada um morava em uma cidade diferente da França e, na primeira metade do século, viajar não era comum. Para que o leitor tenha a dimensão de quão raros eram esses contatos, basta dizer que seu irmão Jacques, que morava em Grenoble com seus quatro filhos, só recebeu a visita de Charles de Gaulle duas vezes antes da Segunda Guerra. A última delas foi por ocasião de uma viagem a trabalho, quando o coronel De Gaulle já era um conhecido especialista em tanques de guerra e, nessa condição, foi convidado a assistir às manobras do exército dos Alpes, cujo quartel-general localizava-se naquela cidade. Aproveitando essa oportunidade, De Gaulle solicitou dois dias de licença para rever o irmão e sua família. Nada mais.

A intensidade do seu afeto e da atenção com a família não podia, portanto, ser medida pelo tempo de convívio, pois as obrigações e os deveres se impunham sempre à vontade e ao desejo de estar mais longamente junto aos entes queridos. Naquela época, era a comunicação por carta que assegurava os laços entre aqueles que se queriam bem, e cultivar intensas relações familiares sem manter contato direto era a regra.

Um dos filhos de Jacques, Bernard, em entrevista concedida a este biógrafo em março de 2013, contou que só foi realmente ter ocasião de conviver com o seu tio Charles aos 20 anos, em Argel, em dezembro de 1943, quando o general De Gaulle já era o presidente do CFLN. Bernand chegava de uma penosa viagem da França rumo à Argélia através da Espanha e foi acolhido na residência oficial do tio até que estivesse plenamente recuperado. Durante esse período, sobrinho e tio mantiveram diário e estreito contato, que, no entanto, não iria se prolongar além do tempo necessário para que Bernard tivesse condições de se integrar às forças francesas. Afinal, o dever do tio era coordenar o esforço de guerra dos franceses contra o inimigo e o do sobrinho, combater com os Aliados.

Para o general De Gaulle, a precedência do dever sobre o prazer, assim como a dissociação entre afeto e convívio, eram tão inquestionáveis que ele sequer cogitou viabilizar o encontro dos irmãos Bernard e François, que não se viam havia quatro anos. Em 1944, Bernard servia no Marrocos e se encontrava a serviço em Argel. Dois dias depois, seu irmão François, que era sacerdote da Sociedade dos Missionários da África, na Tunísia, também se encontraria de passagem pela cidade rumo à França. Para que ambos pudessem matar a saudade, bastaria ao general De Gaulle solicitar ao oficial superior hierárquico de Bernard dois dias de permissão para que o sobrinho pudesse permanecer em Argel e encontrar o irmão. Nada mais simples e usual. Porém, essa ideia nem passou pela cabeça do general. Bernard teve de voltar ao Marrocos e os irmãos só vieram a se reencontrar depois de terminada a guerra. Como era de se esperar, Bernard de Gaulle lastimou ter perdido, por tão pouco, a oportunidade de rever o irmão, mas em nenhum momento recriminou a atitude do tio. Para o sobrinho, que não punha em dúvida o afeto do tio por ele, aquele não foi um ato de desconsideração ou desamor, mas o de um homem que punha acima de tudo o compromisso com o dever. Além disso, como o leitor irá constatar mais adiante, essa omissão do general De Gaulle servia também para deixar bem marcada a diferença entre seus atos como homem público e como indivíduo.

Esses detalhes da sua vida em família são um bom indicativo da forma de ser e dos valores do homem por trás da estátua de herói e estadista. Mas, além desses, há também outras coisas ainda menores e mais comezinhas que formam a personalidade de um indivíduo, e que só são adequadamente percebidas pelas pessoas do seu círculo íntimo: os hábitos. Felizmente, contamos com alguns importantes relatos que nos ajudam a entender melhor quem foi esse grande general francês do século XX.

## O HOMEM E SEUS HÁBITOS

Como todo ser humano, Charles de Gaulle tinha suas manias, algumas delas muito arraigadas e de origem desconhecida. Uma delas era a de limpeza, que, segundo seu filho, chegava a ser uma verdadeira obsessão. Como oficial do Exército Francês, ele devia portar luvas brancas, mas as suas tinham ainda de estar sempre alvas e imaculadas. Yvonne iria se encarregar pessoalmente da lavagem das luvas do seu marido, zelando para que as empregadas da casa se ocupassem do resto. Durante o tempo em que De Gaulle resolveu morar sozinho em um hotel, em Londres, enviando sua família para uma região mais distante, mais segura e menos exposta aos frequentes bombardeios que castigavam a capital britânica – era o próprio general que iria lavar as suas luvas na pia do banheiro, dispondo-as a secar, com todo o cuidado, para que não encolhessem. Não era porque ele não pudesse contar com o auxílio da esposa que ele iria descuidar da brancura de suas luvas. Sua fixação pela limpeza não iria se limitar a essa peça do seu vestuário nem a si mesmo. Dos seus soldados e subordinados, De Gaulle exigiria sempre o máximo asseio e cuidado com sua apresentação e seus uniformes. E em sua residência, ele não admitiria nada fora do seu lugar, muito menos alguma mancha ou vestígio de poeira.

Segundo Philippe de Gaulle, seu pai costuma explicar essa sua obsessão, citando Vauvenargues: "a limpeza é o verniz dos mestres", acrescentando que "isso vale tanto para as palavras quanto para a escrita e a vestimenta". Seguindo esse ensinamento à risca, os discursos do general De Gaulle seriam sempre meticulosamente elaborados e devidamente memorizados, de forma que a eles não faltassem nem sobrassem palavras. Com o mesmo cuidado, os seus escritos seriam vistos e revistos várias vezes, ora trocando uma palavra por outra mais precisa, ora reordenando-as a fim de tornar seu texto mais elegante e preciso. Como De Gaulle escrevia muito e sempre à mão, era sua filha Elizabeth que, incansavelmente, se ocupava de datilografar os intermináveis manuscritos do pai.

Além da limpeza, De Gaulle também dava grande valor ao silêncio. No livro *O fio da espada*, ele iria escrever que não há "nada melhor para realçar a autoridade que o silêncio". E, da mesma forma que observava o ensinamento de Vauvenargues, ele iria aplicar esse preceito em todos os momentos da sua vida. Na sua casa, o silêncio devia ser observado de forma quase religiosa e, não por acaso, na imensa residência de dois pisos e 14 cômodos, em Colombey-les-Deux-Églises, não havia mais que um único aparelho telefônico sob a escada, onde também era guardada a lenha utilizada para a calefação. Aquele não era o lugar mais confortável para se falar ao telefone – e nem deveria sê-lo –, pois, segundo Charles e Yvonne de Gaulle, aquele aparelho não fora feito para conversar, mas a ser utilizado apenas para comunicações rápidas. Por esse mesmo motivo, no quarto do casal havia apenas um interfone para contatar o secretário particular ou o motorista do general; no seu escritório, nem mesmo isso, nada que pudesse importunar a paz que lhe era tão necessária para refletir e escrever.

Chega a ser desnecessário mencionar que à mesa ninguém deveria elevar a voz ao conversar, muito menos falar ao mesmo tempo que outra pessoa. Aos netos tampouco era permitido correr pelos corredores, nem fazer barulho quando o avô estivesse em casa. Esses eram e são princípios comuns à boa educação, mas que também são e seriam facilmente transgredidos em momentos de maior descontração, que naturalmente ocorrem em família. Mas na casa do general De Gaulle nenhuma transgressão era admitida. E nada deveria romper o sagrado silêncio. Nem mesmo a música.

Contrariamente às demais casas burguesas da época, não havia piano na sua sala de estar. Quando solteira, Yvonne de Gaulle chegou a estudar piano, como toda moça de boa família no início do século XX, mas ela deixou de tocá-lo após o casamento. De Gaulle, por sua vez, sempre detestou as aulas de solfejo e nunca chegou a se interessar em tocar um instrumento musical. Isso, porém, não queria dizer que ele não gostasse de música. Ele apreciava sinfonias, óperas e operetas, admirava a tática e a estratégia dos compositores com suas combinações astuciosas e considerava um regente de orquestra "um dos ápices da inteligência humana". Mas música em casa, não! Na biblioteca da casa de Colombey havia uma vitrola que nunca era utilizada,

— A tous les Français —

La France a perdu la bataille.

Mais la France n'a pas perdu la guerre !

Des gouvernants de rencontre ont
cédant à la panique,
pu capituler,
oubliant l'honneur, livrant le pays
à la servitude. Cependant,

j'convie tous les Français, où qu'ils se trouvent,
à s'unir à moi dans l'action, dans le
sacrifice et dans l'espérance.
Notre patrie est en péril de mort. Luttons
tous pour la sauver ! C'est le devoir ! Il
passe avant tout !

Vive la France !

Général de Gaulle

Trechos do manuscrito do discurso transmitido pela BBC em 22 de junho de 1940 mostram o cuidado de De Gaulle com as palavras.

e o rádio e a televisão só eram ligados para acompanhar as notícias e, eventualmente, assistir a um ou outro programa de especial interesse, como uma partida de futebol ou uma apresentação de Yves Montand ou Edith Piaf, cantores franceses do seu agrado.

Porém, o que De Gaulle não gostava mesmo era de ser fotografado. Como um homem público, ele não o podia evitar, mas, na sua vida privada, ele limitaria ao máximo o uso da câmara fotográfica, aceitando uma ou outra vez ser fotografado, mas sempre a contragosto. Seu filho, que comprara uma câmera de 8 mm no tempo em que fizera um estágio de piloto nos Estados Unidos, conseguiu filmá-lo algumas vezes, ouvindo sempre do pai "faça esse filme logo e depois não se fala mais disso". Por essa aversão do general De Gaulle a ver sua imagem capturada, seu sobrinho Bernard jamais foi fotografado junto ao tio e são poucas as imagens que se tem do general na sua vida privada.

Se, por um lado, a De Gaulle era penoso ser fotografado ou filmado, por outro, ir ao cinema lhe dava grande prazer. Antes da Segunda Guerra, assistir a filmes era sua distração e atividade cultural favorita – além de ler, é claro! –, assim como fazer longas caminhadas era sua atividade física preferida. Porém, após a guerra, quando De Gaulle se tornou uma celebridade na França, ele se viu obrigado a deixar de frequentar as salas de cinema, pois, com os seus 1,93 m de altura, ele não conseguia passar despercebido da multidão. Isso lhe pesou como uma grande privação. Felizmente, no pequeno povoado de Colombey-les-Deux-Églises, ele podia levar uma vida quase normal como qualquer cidadão francês. Excetuando o cuidado de manter o portão da Boisserie sempre fechado aos *paparazzi* e repórteres à espreita de capturar uma cena ou algo a publicar da sua vida privada, lá De Gaulle podia fazer longas caminhadas pelas trilhas nas florestas da região. E, embora tivesse pernas muito firmes, ele tinha por hábito levar uma bengala em todas as suas caminhadas, fosse nas mais longas, que chegavam a durar uma tarde toda, fosse nas mais curtas, que ele fazia diariamente nos jardins de sua propriedade e que não duravam mais do que 15 minutos.

Em geral, De Gaulle mantinha hábitos de vida muito saudáveis, mas, como quase todos os homens da sua geração, ele foi também um grande tabagista: fumava dois maços por dia, além de um ou dois charutos. Assim foi desde a sua juventude até novembro de 1946, quando, já os 56 anos, ele resolveria, de uma hora para outra, deixar de fumar. Para controlar a ansiedade que a abstinência de nicotina lhe causava e ocupar as mãos que durante décadas se acostumaram a levar um cigarro à boca, ele resolveu começar a jogar paciência enquanto ouvia as notícias pelo rádio ou assistia ao telejornal, hábito que o acompanharia até o fim da sua vida. Sua decisão de se tornar um ex-fumante não fez, contudo, dele um antitabagista, como é comum acontecer com muitos daqueles que, tendo se libertado do vício, ficam intolerantes à fumaça de cigarro. Ao contrário, ele continuava tendo charutos para oferecer aos seus convidados e tinha prazer em ver os seus convivas aceitar e fumar um bom Havana.

* * *

Do que até aqui foi relatado sobre a vida familiar e os hábitos do general De Gaulle, já deve ter ficado suficientemente claro quão metódico e disciplinado ele era. Em sua vida, para tudo havia regra, método e motivações racionais e morais subjacentes. Talvez – e possivelmente por isso – o general De Gaulle tenha conseguido fazer o que fez tanto na guerra quanto na chefia do Estado, tornando-se incontestavelmente o maior ícone da França no século XX. Porém, para que o leitor possa melhor compreender o De Gaulle estadista, que é o tema do próximo capítulo, é necessário ainda considerar dois aspectos tão importantes da sua biografia quanto difíceis de serem comparados: a sua forma de ver e se relacionar com o mundo da política, revelada por uma admirável capacidade de separar a sua vida e os interesses privados das suas decisões e ações públicas; e a sua experiência à margem do poder, depois de tê-lo exercido de 1944 a 1946 e antes de reassumi-lo em 1958, período por ele denominado de Travessia do Deserto. Ainda que incomensuráveis, pois um diz respeito a algo inerente à sua personalidade e o outro, à obra do tempo, ambos trouxeram sua contribuição decisiva para o general De Gaulle escrever o último capítulo da sua história.

## PÚBLICO E PRIVADO

Como todo grande homem público em uma democracia, o general De Gaulle contou com a fidelidade irrestrita de uma parte da população e com uma feroz oposição de outra. Contudo, mesmo os seus mais combativos adversários não podiam deixar reconhecer a honestidade e lisura com que ele exerceu o poder. Esse reconhecimento geral foi conquistado, sobretudo, devido à forma como ele geriu as finanças públicas, sem as confundir com as pessoais. Porém, sua ética pública não se limitou a observar a estrita separação entre aquilo que cabia ao Tesouro da França e o que deveria ser bancado pelo seu próprio bolso, nem se restringiu a questões que envolviam dinheiro. Seu cuidado em jamais romper a fronteira entre o público e o privado ia, inclusive, às minúcias. Quem nos revela esse lado menos conhecido da sua personalidade são, mais uma vez, o seu filho Philippe e o seu sobrinho Bernard.

A primeira regra de ouro a ser observada à mesa em sua casa era jamais falar de política. Durante as refeições, podia-se conversar sobre tudo o mais, excetuando também falar da vida alheia. Se um conviva, por acaso, cometesse uma indiscrição, seria logo afastado do convívio familiar; ao menos por certo tempo. Afinal, da mesma forma que De Gaulle procurava manter sua privacidade a salvo da bisbilhotice alheia, a vida privada dos outros tampouco deveria ser objeto de discussão por parte de terceiros. Isso, no entanto, não significava que não se pudesse falar de política em casa. Falava-se, e com frequência, mas na biblioteca e não em torno da mesa. Seu sobrinho Bernard lembra que durante o mês passado na casa do tio em Argel, no ano de 1943, após o jantar, eles passavam as noites a reconstruir o mundo em conversas apaixonadas. Porém, para assegurar a completa separação entre suas responsabilidades de homem público e suas opiniões e preferências, Charles de Gaulle fez Bernard jurar que jamais tomaria uma nota sequer daquilo que eles discutiam livremente na intimidade do lar, nem revelar a ninguém o conteúdo de suas conversas. E Bernard cumpriu fielmente o seu juramento. Essa atitude que, à primeira vista, poderia parecer um cuidado um tanto excessivo e quase paranoico do general De Gaulle, tinha por objetivo não só preservar a liberdade e a espontaneidade no seio familiar, como também proteger o homem público que ele era. Naquele momento, ele era a figura mais importante e poderosa da França não colaboracionista em guerra contra Alemanha e nenhum ruído ou mal-entendido deveria haver sobre suas posições e opiniões. Por isso, suas ideias sobre o mundo só deveriam vir a público por meio de suas próprias palavras e em declarações públicas.

O cuidado com a separação entre o público e privado não se circunscrevia às palavras, mas se estendia também aos seus atos, chegando até detalhes simbólicos. Quando De Gaulle assumiu a presidência da França, em 1958, e passou a residir oficialmente no palácio do Eliseu, em Paris, uma das primeiras providências de Yvonne de Gaulle foi ir a uma loja de departamentos comprar um serviço de louça, pois ela e o general não queriam se ver obrigados a utilizar em suas refeições diárias a porcelana gravada com as armas do Estado. Era claro que não haveria problema algum se eles a utilizassem no seu dia a dia, mas preferiram restringir o seu uso às recepções oficiais nas áreas do palácio destinadas a esse fim.

Quanto aos seus aposentos privados no Palácio do Eliseu, eles escolheriam uma ala no primeiro andar, de onde teriam vista para o jardim e onde a circulação de pessoas era mais restrita. Para mobiliá-los, De Gaulle daria de imediato a seguinte orientação ao funcionário responsável: "Queremos um apartamento confortável, mas sem firulas. Não um museu; o necessário". Porém, não seria muito fácil encontrar em um palácio construído no início do século XVIII, que fora residência da marquesa de Pompadour, dos imperadores da França e depois residência oficial dos presidentes do país, um mobiliário que não se remetesse ao fausto da aristocracia ou ao luxo do Império e da República Francesa. Philippe de Gaulle recorda algumas frases engraçadas do seu pai quando lhe foram propostos alguns móveis de estilo para o seu apartamento privado. Em relação às cadeiras, ele responderia com desdém: "pouco me importa saber se Napoleão I ou Napoleão III se sentou nela, desde que fiquemos comodamente sentados"; e em relação às camas, reagiria com ironia: "prefiro dormir sem ter de me dobrar em dois para ficar do mesmo tamanho do imperador", que era sabidamente uns 30 cm mais baixo que De Gaulle.

Durante os 11 anos em que moraram no Palácio do Eliseu, Charles e Yvonne de Gaulle nunca chegaram a se sentir em casa. Ela costumava dizer que a sua sensação era a de estar hospedada em um hotel de luxo. De pessoal no seu apartamento privado, eles não tinham nada além das suas roupas e do livro que estava sendo lido no momento. Apesar disso, De Gaulle procurava manter uma rotina de vida que preservasse ao máximo a sua privacidade. Excetuando os dias em que havia reunião do conselho de ministros pela manhã ou almoços oficiais, ele deixava a sua sala de trabalho pontualmente às 12h30, só retornando dos seus aposentos privados duas horas mais tarde. Da mesma forma, nas noites em que não havia nenhuma recepção oficial programada, ele se recolhia ao seu apartamento às 20 horas, só voltando a aparecer em público na manhã seguinte. E todos no palácio sabiam que aqueles seus horários de reclusão deveriam ser religiosamente respeitados e que ninguém deveria importuná-lo sob qualquer pretexto.

Embora tivesse, de fato e de direito, uma área privativa no palácio presidencial à sua inteira disposição, De Gaulle iria dela se servir com muita parcimônia e discrição. Afinal, "a residência de um chefe de Estado não é um albergue", diria ele repetidas vezes para justificar por que seus parentes não eram recebidos no Eliseu com a assiduidade que alguns deles gostariam. De Gaulle e sua esposa receberiam os familiares no palácio do Eliseu somente a cada três semanas, normalmente às quintas-feiras, que era o dia em que as crianças não tinham atividades escolares, e poucos por vez. Seu filho Philippe calcula que, dada a frequência e a limitação do número de convidados a cada recepção, não mais que uns 50 parentes por ano os visitaram no palácio. Por isso, alguns deles nem mesmo tiveram a oportunidade de visitá-lo quando presidente e sequer conhecê-lo pessoalmente, como Laurent de Gaulle, filho mais novo do seu sobrinho Bernard.

Em compensação, outras pessoas que não tinham qualquer vínculo de sangue com os De Gaulle ou com os Vendroux, nem tampouco importância social, econômica ou política, seriam convidadas a visitar o casal no palácio. Esse foi precisamente o caso das duas serviçais domésticas da residência particular dos De Gaulle em Colombey-les-Deux-Églises, a camareira Charlotte e a cozinheira Honorine. Elas foram buscadas na estação de trem, em Paris, pelo motorista do general e, ao chegarem ao Eliseu, foram recebidas pela primeira-dama, que lhes mostrou algumas das principais salas do palácio presidencial, antes de se dirigirem todos à mesa de almoço. Tudo de forma muito simples, mas também com toda a consideração. Isso, no entanto, não queria dizer que, numa escala de prioridades, De Gaulle colocasse seus parentes depois dos seus empregados domésticos. Porém, entre parecer que estivesse privilegiando seus familiares ao recebê-los no palácio presidencial e fazer uma deferência aos seus empregados, De Gaulle preferiria sempre a segunda alternativa. É claro que não constitui privilégio algum um presidente da República receber parentes seus à mesa da sua residência oficial. Porém, a maledicência pode assim fazer parecer, e para evitar constrangimentos e dissabores como o do imperador Júlio César, que se divorciou de Pompeia mesmo sabendo que era uma mulher honrada, De Gaulle aplicaria preventivamente a máxima romana, segundo a qual "à mulher de César não basta ser honesta, deve parecer honesta".

Antes mesmo que os holofotes da imprensa francesa estivessem ligados sobre ele, De Gaulle evitaria qualquer gesto ou atitude para beneficiar os seus parentes com o seu prestígio e poder. Seu sobrinho Bernard é novamente o protagonista do caso narrado a seguir.

Em 1943, Bernard de Gaulle se submeteu ao processo seletivo da escola de oficiais da França Livre, mas acabou não sendo aceito sob a alegação de não ter servido o Exército Francês o tempo necessário para admissão. De fato, Bernard não tinha o tempo de serviço militar requerido – não porque se tivesse recusado a servir à bandeira do seu país, mas porque passara um tempo preso na França simplesmente por ser um De Gaulle, o que lhe impossibilitara cumprir aquelas exigências. Por isso, Bernand resolveu escrever ao tio narrando o ocorrido, recebendo dele uma resposta ainda mais desencorajadora que a oficial: segundo o seu tio, ele não fora admitido por excesso de contingente, o que era uma maneira gentil de lhe dizer que a sua classificação não fora suficiente. Em resumo, não havia a menor possibilidade de que De Gaulle fosse mover uma palha para ajudar seu sobrinho a servir à França como oficial.

Diante da impossibilidade de ingressar na escola de oficiais, Bernard se alistou como soldado. Porém, para sua sorte, após dois meses servindo o exército nessa condição, ele foi identificado em meio à tropa pelo general Jean de Lattre de Tassigny, que o conhecia e ficou surpreso em encontrar um De Gaulle engajado no exército em posição tão subalterna. Foi graças ao auxílio desse general que Bernard conseguiu finalmente ingressar na escola de oficiais, sem que o seu tio soubesse como. Foi melhor assim para todos – e, sobretudo, para o general De Gaulle, que jamais teria de responder à acusação de ter usado sua influência para privilegiar um parente seu. Graças ao mesmo general, Bernard conseguiu ainda outros pequenos favores, como um lugar à mesa do general após as comemorações de 14 de julho, em Argel, em 1944. Durante a refeição, narrou Bernard de Gaulle, seu tio o olhava intrigado sentado do outro lado da mesa: como ele, que não havia sido convidado a participar daquele almoço oficial, se encontrava ali? A resposta era simples, mas De Gaulle nunca ira conhecê-la. O secretário particular do general de Lattre de Tassigny, que tinha lugar assegurado à mesa, havia sido dispensado pelo seu chefe para fazer sua refeição em outro local, cedendo seu lugar a Bernard.

Todos esses cuidados do general De Gaulle em não misturar sua missão pública com a sua vida privada e relações familiares mostram duas coisas: um sentido moral muito claro e firme a guiar o seu raciocínio e orientar suas ações em todos os momentos e circunstâncias de vida; e a convicção de ser o portador de uma importante contribuição à pátria, que por nada neste mundo deveria ter a sua realização comprometida. Para De Gaulle, sua missão de vida seria a de restituir à França a sua grandeza. E isso ele teria de conseguir sem apelo ao messianismo e à irracionalidade do povo, mas por meio de argumentos racionais e atos que convencessem os franceses a contribuir com De Gaulle na construção de uma França moderna e próspera, a mesma França eterna, instituída por Carlos Magno, renovada e engrandecida no seu esplendor por Luís XIV e Napoleão e a ser atualizada no século XX sob a sua liderança.

Todavia, nenhuma grande obra coletiva e civilizatória se faz de uma hora para a outra, nem obedece a um calendário previsível como a sucessão das estações do ano. Às vezes, a passagem de um estágio a outro é longa, penosa e demorada como a travessia de um deserto. E foi exatamente assim que o general De Gaulle denominou o período de janeiro de 1946 a abril de 1958 durante o qual ele ficou afastado do poder.

## A TRAVESSIA DO DESERTO

Por que o general De Gaulle escolheu essa expressão para denominar essa fase da sua vida? Isso ele mesmo nunca iria revelar, deixando à posteridade o direito e o gosto de especular a respeito. Contudo, a relação com a Bíblia é inequívoca. Laurent de Gaulle identifica no Evangelho de São Mateus a inspiração do general: "Ele se conformou ao Cristo que, antes de iniciar a sua curta e decisiva vida pública, se retira quarenta dias no deserto, onde vai ser tentado. São em tempos como esses" – acrescenta Laurent – "que morrem ou se confirmam as grandes vocações". Indubitavelmente, a vocação política do general De Gaulle foi completada durante esse período e seu grande legado institucional para a França contemporânea, corolário da sua vida pública, realizado logo após. Porém, não seria descabido encontrar também no *Êxodos*, segundo livro da Bíblia, outra fonte de inspiração religiosa para o general nominar aquele momento da sua vida. Da mesma forma que Moisés, após ter libertado o seu povo do cativeiro no Egito, teve ainda de enfrentar a sua revolta e apostasia durante os 40 anos de travessia do deserto rumo à Terra Prometida, o De Gaulle que libertara os franceses do jugo nazista teve também de suportar um longo período de incompreensão por parte do seu povo, antes de poder conduzi-lo a uma nova república em que seus concidadãos poderiam, finalmente, viver em paz e com prosperidade. Se foi no Velho ou no Novo Testamento que De Gaulle se inspirou, isso jamais alguém poderá afirmar com certeza.

Entretanto, é certo que De Gaulle passaria esse período de afastamento (in)voluntário da condução dos negócios da França em sua residência em Colombey-les-Deux-Églises, onde ele iria viver os mais felizes e os mais tristes momentos da sua vida. No dia 6 de fevereiro de 1948, Charles e Yvonne de Gaulle assistiram ao falecimento da sua filha caçula, Anne, que acabava de completar 20 anos. Aquela sexta-feira de inverno foi, seguramente, o dia mais doloroso das suas vidas. Em compensação, naquela mesma casa, eles iriam celebrar diversos Natais e reunir muitas vezes sua família, que, pouco tempo após a morte de Anne, viria a ser aumentada com os netos que sua filha Elisabeth e seu filho Philippe, casados em janeiro de 1946 e dezembro de 1947, respectivamente, iriam lhes dar. Na Boisserie, Charles e Yvonne de Gaulle iriam também assistir, até o fim de suas vidas, ao espetáculo da sucessão das estações que só se vê nas latitudes onde o clima é temperado: a chegada da primavera, que se anuncia com os primeiros brotos nos caules secos das árvores castigadas pelo inverno, antes de devolver o verde ao gramado dos jardins da casa e aos imen-

Foto do autor

Janela frontal do escritório do general De Gaulle em sua casa em Colombey-les-Deux-Églises.

Foto do autor

Jardim, campos e florestas que o general via da sua mesa de trabalho.

sos campos e florestas que os circundam, e ser coroada com o efusivo colorido das flores; a fruição do curto verão, vendo seus netos se divertir na piscina de plástico, montada no quintal expressamente para eles na estação estival; e, por fim, o ciclo reverso que se inicia com equinócio do outono, quando o verde das folhas começa a se transmutar em amarelo, laranja, vermelho e marrom, cores que vão se tornando ainda mais quentes sob a luz dourada de um sol dia a dia mais franco; até que as árvores percam, finalmente, toda a sua roupagem, os campos voltem a se cobrir de neve e o cinza se imponha no céu, suprimindo da paisagem as cores até o recomeço do infindável ciclo da natureza.

Durante a sua travessia do deserto, De Gaulle manteria a mesma disciplina do homem metódico que ele sempre fora. Excetuando dois dias por semana em que ele passaria em Paris tratando de assuntos políticos, pernoitando às quartas-feiras no hotel La Pérouse, próximo ao Arco do Triunfo, e as viagens que volta e meia faria pelo país para propagar sua mensagem política aos franceses, o general dedicaria as tardes dos demais dias ao trabalho de redação das suas *Memórias de guerra*. Em outubro de 1954, o primeiro dos três volumes dessa obra, *O chamado: 1940-1942*, chegou às livrarias. O livro foi um sucesso editorial absoluto: nada menos que 95 mil exemplares foram vendidos apenas no primeiro mês. Tamanha acolhida pelo público mostrava que o general De Gaulle estava muito vivo na memória dos franceses. Em junho de 1956, o segundo volume, *A unidade: 1942-1944*, foi publicado, sendo igualmente bem recebido pelo público leitor. E, em 1959, chegou finalmente ao mercado o terceiro e último volume, *A salvação: 1944-1946*.

Com a publicação do primeiro volume das suas *Memórias de guerra*, De Gaulle passaria finalmente a ter uma bela renda, auferida a título de direitos autorais. Com ela, o general conseguiu logo pagar os empréstimos que contraíra para poder viver e sustentar sua família até então, pois seu soldo de militar e seus bens haviam sido confiscados pelo regime de Vichy em 1940. Essa nova condição financeira não iria, contudo, alterar sua forma e seu padrão de vida. Afinal, Charles e Yvonne de Gaulle sempre viveram prescindindo do luxo. Não seria naquele momento das suas vidas – ele já tendo passado dos 60 anos – que iriam se deslumbrar com o dinheiro. Por isso, a nada desprezível renda dos seus direitos autorais viria posteriormente a ser consagrada à manutenção da Fundação Anne de Gaulle, instituição por eles criada ao retornarem à França para atender meninas carentes portadoras de deficiência mental.

O desapego do general De Gaulle ao dinheiro e o seu senso de justiça ia muito além do que os princípios da legalidade e moralidade estabelecem. De acordo com estes, o general poderia ter aceitado a oferta que uma senhora idosa e sem herdeiros um dia lhe fez: deixar-lhe como herança seu castelo em reconhecimento ao que ele fizera pela França. Mas isso não lhe parecia moralmente admissível e ele negou-se a recebê-la. Para De Gaulle, a única acumulação de patrimônio justa e que não derivasse daquilo conseguido pelo seu próprio esforço era a herança familiar. E, como aquela gentil senhora não era parente sua, ele não podia aceitar tão generosa proposta. E isso não lhe faria a menor falta. Porém, a maledicência e a difamação que são inseparáveis do baixo jogo político estariam sempre lhe atribuindo a aquisição de benefícios escusos. Mas nenhuma acusação desse nível chegou a ser comprovada, o que permitiu a De Gaulle, cumprida a sua travessia do deserto, retornar ao poder sob a aclamação do povo.

# O GUERREIRO NO PODER

*"Ontem, o país confiou em mim para dirigi-lo unido até a sua salvação. Hoje, diante de provações que novamente se voltam contra ele, que todos saibam que eu estou pronto a assumir os poderes da República."*
Charles de Gaulle, 15 de maio de 1958.

De Gaulle governou a França duas vezes. O seu primeiro governo não iria durar mais que cerca de um ano e meio, mas o segundo se estenderia por mais de uma década. Na primeira vez, De Gaulle impôs-se como governante quase que naturalmente em uma França que, em meados de 1944, ainda se encontrava em guerra e recém começava a ser libertada da ocupação nazista. Catorze anos mais tarde, ele voltaria ao poder chamado pelo povo e pelas elites políticas de uma França desgastada pela Guerra da Argélia, que já se arrastava havia quatro anos e que ameaçava mergulhar todo o país numa guerra civil. Em ambos momentos, porém, De Gaulle iria utilizar o poder que lhe fora conferido para promover as mudanças na estrutura política e institucional do país que lhe pareciam mais necessárias à França e aos franceses. É claro que, no seu segundo governo, ele teve mais tempo para fazer mais, mas mesmo no primeiro não fez pouco.

## O PRIMEIRO GOVERNO DE GAULLE, 1944-1946

No seu curto primeiro governo, De Gaulle tomou importantes medidas que iriam moldar a França contemporânea por meio da expansão de direitos políticos, direitos sociais e fortalecimento do Estado. Em abril de 1945 – confirmando um ato anterior do CFLN, que era por ele presidido, em Argel –, o direito de votar e de ser votado seria estendido às mulheres. Com isso, o número de eleitores da França foi praticamente dobrado e o sufrágio universal, pedra fundamental de qualquer democracia, finalmente instituído no país.

Em outubro do mesmo ano, outra grande contribuição à segurança e ao bem-estar de que os franceses usufruem até hoje seria instituída pelo general De Gaulle: a Seguridade Social – usualmente referida pela população pelo seu diminutivo *Sécu* –, que generalizou e equiparou os benefícios sociais e assistenciais a todos os franceses. Até hoje, os benefícios sociais da seguridade francesa, como seguro saúde, maternidade, invalidez, velhice e morte, encontram-se entre os mais abrangentes e generosos que os países ricos asseguram aos seus cidadãos.

Finalmente, em dezembro de 1945, De Gaulle iria criar a École Nationale d'Administration (ENA). Concebida pelo seu fiel colaborador Michel Debré, que posteriormente viria a ser seu primeiro-ministro, a criação da ENA tinha por objetivo proporcionar ao Estado francês servidores públicos com uma formação homogênea e de qualidade elevada que assegurasse uma ação continuada, competente e afinada do Estado francês em todos os ramos da administração. Apesar do ceticismo inicial com que a criação da escola foi recebida pelos funcionários e parlamentares franceses, ela acabou se consolidando como a instituição que viria a selecionar e formar a elite da Administração Pública do país. A presença de quadros oriundos da ENA no Estado francês é hoje tão grande e seu espírito de corpo tão arraigado que os franceses costumam identificá-los pelo gentilício enarca (*énarques*). Para que se tenha ideia do que a ENA significa na administração do Estado francês, basta assinalar que, dos quatro presidentes eleitos durante a Quinta República (1958- ) e nascidos a partir dos anos 1920, três são enarcas – Valéry Giscard d'Estaing, Jacques Chirac e François Hollande –, assim como três dos quatro primeiros-ministros da presidência de Chirac (1995-2007) – Alain Juppé, Lionel

Jospin e Dominique de Villepin –, além de grande número de ministros de Estado, conselheiros presidenciais e outros ocupantes de altos postos no governo. Para o bem e para o mal, os enarcas formam uma espécie de estamento burocrático que assegura a previsibilidade e a continuidade da ação do Estado na França.

Para De Gaulle, a grandeza da França não poderia prescindir de um Estado forte no qual a ENA seria apenas uma das engrenagens. A nacionalização – ou estatização – de alguns setores da economia seria um elemento importante do seu plano de pôr em marcha um processo de produção de riqueza voltado para o benefício de todos os franceses. O modelo gaullista não seria nem liberal nem coletivista, mas um híbrido em que o setor privado da economia conviveria com um setor produtivo de propriedade estatal, trabalhando ambos sob o impulso do planejamento e protagonismo do Estado. Segundo as suas próprias palavras:

> [...] se queremos assegurar que, em um país como o nosso, o valor individual, a liberdade, a emulação permaneçam como a base da atividade nacional e que com o lucro se cresça ainda mais; se nos propomos levantar, gradualmente e no tempo adequado, as restrições que a guerra obriga ao Estado impor; em suma, se não imaginamos a economia francesa de amanhã sem um "setor livre" tão vasto quanto possível, o Estado deve tomar as rédeas de comando. Sim, a partir de agora, é papel do Estado assumir diretamente o desenvolvimento das principais fontes de energia: carvão, eletricidade, petróleo, assim como os principais meios de transporte: ferroviário, marítimo, aéreo e os meios de transmissão de que todo o resto depende. É seu papel garantir diretamente a produção metalúrgica no seu nível indispensável. É sua função dispor do crédito a fim de dirigir a poupança nacional para os vastos investimentos necessários a esse desenvolvimento e impedir que grupos de interesses particulares possam frustrar o interesse público.[10]

E assim foi feito. Entre dezembro de 1944 e dezembro de 1945, foram estatizadas as minas de carvão dos departamentos do Norte e do Passo de Calais, as fábricas da Renault (automóveis) e da Gnome & Rhône (motocicletas), os transportes aéreos, as entidades de previdência privada e os bancos. Nos dias de hoje, um processo de estatização desse escopo e dessa magnitude seria impensável em qualquer país sério, mas, numa Europa que havia sido destruída pela guerra e que tinha tudo a reconstruir, esse foi o caminho tomado pela maioria dos governos, fossem de esquerda ou de direita, e seguido durante três décadas até o esgotamento do modelo nos anos 1970.

A contribuição do general De Gaulle nesse seu curto primeiro governo não se restringiu em assentar as bases políticas, institucionais e econômicas sobre as quais a França iria ser reconstruída nas décadas seguintes, mas se estenderia ao papel a ser por ela exercido entre as grandes potências mundiais no novo cenário internacional do pós-guerra.

No capítulo "O guerreiro na Segunda Guerra Mundial" ficou claro ao leitor quanto o presidente Roosevelt rejeitava De Gaulle como aliado e interlocutor. Por isso, na visão do presidente americano, a nova ordem mundial a ser estabelecida com o fim da guerra teria quatro potências com assento permanente no Conselho de Segurança das Nações Unidas, entre as quais não se encontraria a França: os Estados Unidos, é claro! O Reino Unido, seu mais fiel aliado; a União Soviética, que, embora não fosse nada confiável, havia desempenhado um papel decisivo na derrota do nazismo na Europa; e a China, que era não só o maior e mais populoso país da Ásia, mas que também, à época, era aliada das potências ocidentais e capitalistas. Entretanto, De Gaulle jamais iria se conformar com a exclusão da França do clube das grandes nações e continuaria a trabalhar para restituir à pátria o lugar que, a seu ver, lhe era merecido no mundo. E, graças à sua tenacidade e obstinação, ele conseguiu. Além de obter o controle militar sobre um dos três setores em que a região ocidental de Berlim ocupada pelas tropas aliadas foi subdividida, na Conferência de São Francisco, realizada na primavera de 1945, após a morte de Roosevelt, a França acabou conquistando o que era mais difícil: a condição de quinto membro do seleto grupo de países com assento permanente e direito a veto no Conselho de Segurança da ONU.

Porém, apesar de todas essas conquistas do general De Gaulle para a França, mal terminada a guerra, as diferenças entre as ideias do general e as preferências dos franceses iriam se ampliar até tornar impossível a sua permanência à frente do governo. Em 21 outubro de 1945, os franceses foram às urnas para eleger os membros da nova Assembleia Nacional (a última havia sido dissolvida com a ocupação alemã cinco anos antes) e se manifestar sobre duas questões que lhes foram submetidas por plebiscito: se a nova assembleia deveria ter poderes constituintes e sobre a extensão desses poderes. Às duas questões, os franceses responderam majoritariamente sim. Mas, ao eleger os seus representantes, optaram maciçamente pelos adversários do general De Gaulle. Das urnas, o Partido Comunista Francês (PCF) – o maior adversário do general – saiu com a maior bancada na Assembleia Nacional, recebendo 27% dos votos, seguido dos democratas-cristãos, do Movimento Republicano Popular (MRP), com 26% dos votos, e dos socialistas, da Seção Francesa da Internacional Operária (SFIO), com 25%. Associados, comunistas e socialistas teriam maioria na Assembleia Constituinte e, seguindo a tradição jacobina da esquerda francesa, iriam imprimir ao novo regime feições típicas de um governo de assembleia, em que um Executivo fraco ficaria constantemente refém dos humores do Legislativo. Essa arquitetura institucional era o avesso do que De Gaulle imaginava ser necessário e adequado à França. Assim, o confronto entre o presidente e a assembleia seria apenas uma questão de tempo.

Mas, antes que o inevitável acontecesse, De Gaulle ainda teria tempo de instituir, por decreto, o Comissariado para a Energia Atômica, que teria por finalidade desenvolver pesquisas científicas e técnicas tendo em vista a utilização dessa nova fonte de energia nas diversas áreas da ciência, da indústria e da defesa nacional. Com esse ato, ele colocava a pedra fundamental sobre a qual a França iria se desenvolver e afirmar como uma potência nuclear no mundo, o que viria a se completar durante o próximo governo do general. E, antes também que a Assembleia Constituinte começasse a elaborar o projeto de constituição para a Quarta República na França, ela iria eleger o general De Gaulle, por unanimidade presidente, em novembro de 1945.

Em menos de dois meses de trabalhos da Assembleia Constituinte, o perfil do futuro regime a governar a França já estava delineado. Depois de tantos sofrimentos do povo e daqueles que combateram pela libertação nacional, De Gaulle via a elite política e parlamentar francesa conduzir novamente o país a uma ordem política semelhante àquela que fora a causa dos seus males durante a Terceira República e que acabou por levá-lo à ruína em 1940: um governo central fraco, dependente das vicissitudes da disputa entre os partidos, na qual o interesse maior da nação ficava à mercê da rivalidade entre grupos preocupados com a defesa dos seus interesses particulares. No dia 1° de janeiro de 1946, em um discurso perante à Assembleia Constituinte, De Gaulle fez a seguinte pergunta aos parlamentares: "O que queremos: um governo que governe ou uma assembleia onipotente que forma um governo para cumprir as suas vontades?". E a resposta foi inequívoca: o Parlamento francês queria um regime semelhante ao da Terceira República, no qual os partidos teriam grande poder de barganha, impondo seus ministros aos governos, ainda que isso pudesse comprometer a coerência da ação governamental. A França, assim como todas as demais democracias do século XX, vivia a *era dos partidos*, para o bem e para o mal – e, nessa, De Gaulle via mais o mal do que o bem. Por isso, no dia 20 de janeiro, ele renunciou às suas funções de presidente. A saída do poder impunha-se tanto como um dever moral quanto estratégico, como ele iria explicar em carta enviada ao seu filho Philippe, então em estágio de formação de piloto da marinha nos Estados Unidos:

> É preciso escolher; e não se pode ser, ao mesmo tempo, homem de grandes causas e baixas combinações. [...] A onda de baixeza continua a se propagar. Nada nem ninguém poderia impedi-la. [...] Eu não gostaria, por preço algum, de me deixar sujar por essa enchente. Mas eu acredito no refluxo que, mais cedo ou mais tarde, irá desocupar margens sobre as quais se poderá construir.

Naquele domingo de inverno, De Gaulle deixaria o governo e ficaria afastado da condução dos negócios da França por mais de uma década, mas não deixaria a política. Era apenas um interregno. Ele sabia que sua obra pela França ainda não tinha sido concluída e que, mais dia menos dia, os franceses iriam recorrer ao general De Gaulle.

## INTERREGNO: PREGANDO NO DESERTO

Durante o seu primeiro ano afastado do poder, De Gaulle assistiria sem se pronunciar ao desenrolar dos acontecimentos no mundo político. Com um misto de satisfação e alívio, ele veria o projeto de constituição elaborado pela Assembleia Nacional ser rejeitado por uma maioria de mais de um milhão de votos no referendo realizado no dia 5 de maio. E, com certo alento, mas sem entusiasmo, ele receberia o resultado das eleições para a nova Assembleia Nacional Constituinte, de 2 de junho, que faria dos democratas-cristãos a primeira força da assembleia, com 31% dos deputados, seguidos dos comunistas, com 28%, e dos socialistas com 22%. Contudo, somadas as bancadas do PCF e da SFIO, a esquerda deteria exatos 50% dos votos na Assembleia Constituinte, o que mantinha alto o risco da nova constituição a ser elaborada vir a manter o mesmo viés jacobino do projeto anterior derrotado. E foi mais ou menos isso que aconteceu. O MRP, que se havia oposto ao primeiro projeto de constituição por considerar a fórmula de um governo parlamentarista em um sistema unicameral inaceitável, mostrou-se favorável ao segundo, satisfazendo-se em conseguir incluir neste uma segunda casa legislativa, denominada não de Senado, mas de Conselho da República.

Apesar de o general De Gaulle recorrer à imprensa para conclamar os franceses a rejeitar o segundo projeto constitucional que, à semelhança do primeiro, reservava ao presidente da República um papel meramente honorífico, concentrando todo o poder no governo escolhido pelos partidos na Assembleia Nacional, a maioria dos franceses que foi às urnas acabou referendando a nova constituição por 53% dos votos. Como a taxa de abstenção nesse segundo referendo, realizado no dia 13 de outubro de 1946, foi de cerca de um terço dos eleitores, De Gaulle desqualificaria a Constituição da Quarta República nos seguintes termos: "Desta Constituição, podemos dizer que um terço dos eleitores a aprovou, um terço a rejeitou e um terço a ignorou".

Pelos próximos 12 anos, a França viveria sob a ordem estabelecida pela Constituição da Quarta República. Durante esse tempo, o país teve 25 primeiros-ministros, e, entre a demissão de um e a formação do governo seguinte, havia um intervalo de várias semanas de vazio institucional. Com governos que

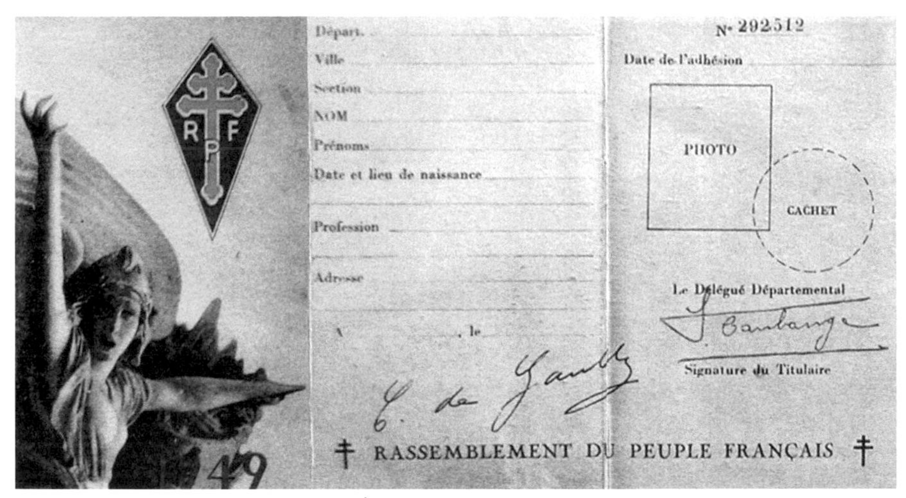
RPF

Départ.
Ville
Section
NOM
Prénoms
Date et lieu de naissance
Profession
Adresse
à , le

N° 292512
Date de l'adhésion
PHOTO
CACHET
Le Délégué Départemental
Signature du Titulaire

RASSEMBLEMENT DU PEUPLE FRANÇAIS

Documento de filiação ao RPF. À esquerda, é possível ver a reprodução da assinatura de De Gaulle.

tiveram duração mínima de um dia e máxima de 13 meses, a França viveria esse período em meio à instabilidade política, tendo ainda de administrar duas guerras: a da Indochina e a da Argélia.

O ano de 1947 foi marcado por vários acontecimentos políticos no plano nacional e internacional que levariam De Gaulle a tomar a iniciativa de formar um grupamento político alternativo aos três partidos que dominavam o cenário político na França: a Reunião do Povo Francês (Rassemblement Du Peuple Français - RPF).

No plano externo, começavam a pipocar aqui e acolá conflitos que, embora na época não se soubesse, já eram o início dos dois principais processos que iriam marcar a cena internacional na segunda metade do século XX: a descolonização da Ásia e da África e a Guerra Fria. Em Madagascar, começavam a surgir as primeiras revoltas populares; no Marrocos, o sultão passava a encabeçar um movimento nacionalista; na Indochina, os comunistas liderados por Ho Chi Min desferiam os primeiros ataques aos franceses. Era início da Guerra da Indochina, na qual a luta pela descolonização e a Guerra Fria iriam se confundir com desdobramentos dramáticos para vietnamitas, cambojanos e laosianos. Com a derrota dos franceses na Batalha de Dien Bien Phu, em maio de 1954, a Guerra da Indochina chegaria ao fim, dando início às guerras civis do Laos e do Camboja e à Guerra do Vietnã, que só terminariam nos anos 1970. Os dois períodos somados constituem o mais longo e violento conflito armado do século XX posterior à Segunda Guerra. Porém, no início de 1947, ninguém poderia imaginar o que estava por vir, e ao que De Gaulle assistia lhe parecia ser – e não deixava de sê-lo – o desmoronamento do Império colonial Francês e o fortalecimento dos Estados Unidos no plano das relações internacionais em detrimento da independência e do protagonismo da França no mundo sob o olhar complacente de um governo que era incapaz de reagir à altura.

No plano interno, a instabilidade seria a marca de um governo formado por três partidos tão distintos em seus propósitos quanto o PCF, o SFIO e o MRP. As disputas internas entre comunistas, socialistas e democratas-cristãos consumiam a maior parte do tempo e das energias do governo, que não encontrava condições de se dedicar àquilo que era mais importante para a França: a reconstrução da sua infraestrutura, o reordenamento das suas finanças, a promoção do crescimento econômico, enfim, a reconstrução nacional.

Diante desse cenário, De Gaulle resolveu reagir. Após ter resgatado a França da situação ignominiosa em que se encontrava sob a dominação do inimigo, ele não podia ficar inerte vendo seu país navegar como uma nau à deriva em mar revolto. Por isso, ele reuniria seus mais fiéis colaboradores dos tempos da resistência para com eles formar um novo grupo político que fosse capaz de juntar os franceses em torno da defesa da nação independentemente da sua filiação partidária. No dia 14 de abril, um comunicado do general De Gaulle anunciou a criação do RPF: "Na situação em que nos encontramos, o futuro do País e o destino de cada um estão em jogo [...]. Eu convido a se juntarem a mim, no Rassemblement, todas as francesas e franceses que quiserem se unir pela salvação comum, como fizeram ontem pela Libertação e vitória da França".

Em agosto daquele ano, De Gaulle daria sinal verde para o RPF disputar as eleições municipais de outubro. E o resultado seria o mais favorável e surpreendente da sua história: seus candidatos receberiam 40% dos votos em todo o país e o partido ocuparia a prefeitura de 13 das 25 maiores cidades da França, entre as quais Paris, Marselha, Bordeaux, Lille e Estrasburgo. Na capital, o RPF elegeria a maioria dos representantes na câmara municipal de Paris, o que permitiu que o irmão caçula do general, Pierre de Gaulle, fosse escolhido por seus pares como prefeito de Paris no mês de novembro. Foi uma vitória e tanto do gaullismo, cuja tática de ação consistia, por um lado, em combater o sistema político instituído pela Quarta República, em que os governos ficariam sempre a mercê do jogo dos partidos na Assembleia Nacional e, por outro, bloquear o avanço do comunismo dentro do país. Desde maio daquele ano, os comunistas haviam sido afastados do governo, passando a fazer serrada oposição e promovendo greves por toda a França, que ainda enfrentava sérios problemas de abastecimento, inflação e desvalorização cambial.

Em face da vitória eleitoral estrondosa do RPF e dos persistentes problemas do país, De Gaulle não iria hesitar em clamar pela dissolução da Assembleia

Nacional e pela convocação de novas eleições. Ele ainda iria reivindicar que nas próximas eleições o sistema de voto proporcional fosse substituído pelo voto majoritário. Seu objetivo era claro: reduzir a dispersão eleitoral entre diferentes partidos produzida pelo sistema eleitoral então vigente e fazer com que das urnas surgisse uma bancada com folgada maioria no parlamento, o que daria força e estabilidade ao novo governo. O beneficiário imediato dessa mudança seria claramente o RPF e, por isso mesmo, essa proposta iria desagradar aos demais partidos. O deputado socialista Guy Mollet reagiu declarando: "De Gaulle está condenado histórica e fatalmente a se tornar ditador [...] no dia em que De Gaulle chegar ao poder, não o deixará mais, a não ser por uma guerra civil ou guerra internacional"; e os comunistas, gritando: "O fascismo não passará!".

Contudo, apesar do fim do curto e conturbado primeiro governo da Quarta República, resultante da demissão do primeiro-ministro Paul Ramadier, em novembro de 1947, o presidente da República Vincent Auriol não dissolveu a Assembleia, como queria De Gaulle, mas nomeou outro primeiro-ministro, Robert Schumann, para constituir um novo governo com o mesmo Parlamento. O governo de Schumann se apoiaria sobre as mesmas forças do governo Ramadier após a exclusão dos comunistas: socialistas, democratas-cristãos e radicais. Essa aliança iria autodenominar-se Terceira Força e apresentar-se como única alternativa verdadeiramente republicana entre os comunistas do PCF alinhados a Moscou (primeira força) e o RPF do protoditador De Gaulle (segunda força). Apesar de todas as dificuldades políticas e econômicas, a Terceira Força pareceria à direita um baluarte suficientemente forte contra o comunismo. Não seria, portanto, dessa vez que os franceses iriam recorrer ao general De Gaulle.

Durante os anos seguintes, De Gaulle iria fazer muitas viagens pelo país para divulgar a proposta do RPF, que seguiria apresentando candidatos às eleições e obtendo sucessos variáveis. Até que, nas eleições municipais de abril de 1953, seu grupo político acabou sofrendo um importante revés nas urnas, obtendo apenas 10,6% dos votos. Nesse momento, De Gaulle iria declarar que o RPF não mais iria participar de eleições nem do jogo parlamentar na Assembleia Nacional. O RPF chegava a seu fim.

Na verdade, o RPF nunca fora – nem de fato nem de direito – um partido, mas um grupo político vinculado à liderança pessoal do general De Gaulle. Afinal, como um severo crítico e opositor da política exclusivamente partidária, teria sido uma enorme contradição se ele viesse a formar o seu próprio partido, pois sempre se viu como representante da França, e não dos interesses de uma parte dos franceses. Por essa razão, ele aceitou no RPF pessoas filiadas a diferentes partidos, desde que estivessem de acordo com os seus princípios e com a sua liderança pessoal. Durante a sua travessia do deserto, a pregação do general De Gaulle em favor do RPF teve a importante função de manter acesa a chama do gaullismo na alma dos franceses. Até que chegasse o dia em que a França o chamasse de volta ao poder para completar a sua obra de vida pública. De Gaulle até duvidou se esse dia iria mesmo chegar, pois os anos iam se passando e ele, ficando cada vez mais velho. Ainda haveria tempo? Havia sim, e esse tempo chegaria independentemente da idade do guerreiro, mas ditado pelas necessidades da guerra.

No ano de 1954, três importantes guerras da França no século XX iriam se cruzar na memória dos franceses e de Charles de Gaulle, cada uma em um estágio diferente: a Segunda Guerra Mundial chegaria às livrarias sob a forma de relato com a publicação do primeiro volume das *Memórias de guerra*, do general De Gaulle; a Guerra da Indochina encontraria o seu fim, com o retorno à metrópole das tropas francesas ainda remanescentes no Vietnã e a chegada do exército americano a Saigon, que passaria a substituí-las no intuito de impedir a invasão do sul do país pelos vietcongues, que já tinham pleno controle do Norte do território; e na Argélia começaria a guerra de independência, que contraporia a Frente de Libertação Nacional (FLN) ao exército da França e à população civil francesa que vivia no país havia três gerações. Foi com o agravamento desse terrível conflito que a elite política, a imprensa e os franceses em geral iriam clamar pela volta do general De Gaulle. Afinal, para conduzir uma guerra como a da Argélia, era necessário um bom guerreiro; e quem melhor que aquele que já se tinha mostrado capaz de reunir os franceses e vencer o inimigo quando ninguém mais acreditava nisso?

## A VOLTA AO PODER

Em 1958, após quatro anos de guerra na Argélia, que, com o passar do tempo, se tornava cada vez mais dramática, ameaçando arrastar toda a França para uma guerra civil, os franceses voltaram a invocar o nome do general De Gaulle. Aparecia finalmente a possibilidade tão esperada pelo general de retornar ao comando do seu país, mas ele só o faria se pudesse promover as mudanças institucionais que julgava necessárias à França. Para tanto, o general De Gaulle contaria com a decidida e decisiva colaboração do segundo e último presidente da Quarta República, René Coty.

O caminho para a volta do general De Gaulle ao poder se abriu em uma terça-feira, 15 de abril, com a demissão do 23º primeiro-ministro da Quarta República, Félix Gaillard, cujo governo durara apenas cinco meses. Enquanto a Assembleia Nacional se ocupava em negociações intermináveis para formar o novo governo, o exército francês na Argélia se rebelaria contra o poder civil, invadindo a sede do governo-geral de Argel, destituindo o governador e pondo no seu lugar um Comitê de Salvação Pública, presidido pelo general Jacques Massu. Esse comitê, ignorando a investidura do 24º governo na véspera, lançaria um apelo ao general De Gaulle para formar um governo de salvação pública, que respondeu declarando-se "pronto para assumir os poderes da República". Porém, De Gaulle não admitiria voltar ao poder por meio de um golpe, pois seu legalismo e republicanismo não admitiam soluções de força.

Além do exército, os velhos companheiros do general durante a resistência passariam também a procurá-lo. De Gaulle daria então início às tratativas com o presidente René Coty e com o primeiro-ministro Pierre Pflimlin, tendo em vista assumir o poder pela via estritamente legal, sem comprometimento das instituições republicanas. No dia 28 de maio, em uma operação casada, Pfimplin apresentaria a sua demissão, enquanto os presidentes da Assembleia Nacional e do Conselho da República e os chefes de partido, excetuando-se o comunista, solicitariam um encontro com o general De Gaulle. Em 1º de junho, atendendo ao chamado do presidente Coty para formar um novo governo, De Gaulle foi investido primeiro-ministro com 329 votos dos 553 representantes que compunham a Assembleia Nacional, que o encarregaria de elaborar uma proposta de reforma constitucional a ser submetida a referendo no final do ano.

Os sete meses de governo do general De Gaulle como último primeiro-ministro da Quarta República seriam marcados por dois eventos distintos e extremamente importantes para o futuro da França: a viagem à Argélia onde ele pronunciaria o célebre discurso de 4 de julho que entraria para a História; e a visita do chanceler alemão Konrad Adenauer em sua residência privada em Colombey-les-Deux-Églises.

## *"Je vous ai compris!"*

Com essas quatro palavras, que significam "Eu os entendi!", De Gaulle levaria os franceses da Argélia ao delírio, fazendo-os crer que ele estava disposto a defender a Argélia francesa com unhas e dentes. Ledo engano! Com elas, De Gaulle declarava simplesmente que tinha compreendido o que aquela multidão que o ouvia em Argel queria, mas não que com ela concordasse. De forma deliberada ou inconscientemente, De Gaulle empregaria naquele momento a mesma expressão ambígua utilizada por Churchill 18 anos antes –, "*Je comprends*" (eu entendo) –, quando membros do governo francês o sondaram

Jeudi 15 mai 1958 L'AURORE

**400.000 SOLDATS, 1.250.000 Français d'origine européenne et 7.750.000 Français musulmans**

**VOILA CE QUE REPRÉSENTE L'ALGÉRIE FRANÇAISE**

**Les moyens militaires qui sont là-bas au service de la « paix française »**

ALGER
LAGHOUAT
COLOMB BECHAR
Saoura
Hassi-R'mel
Hassi-Messaoud
Edjele
Les oasis

Reportagem publicada no jornal *Aurore*, pondo em destaque os fortes laços que ligavam a Argélia à França.

sobre um eventual armistício em separado da França com a Alemanha naquela fatídica reunião do comitê de guerra anglo-francês, realizada em Tours, no dia 13 de junho de 1940. Para Paul Baudoin, secretário de Estado para as relações exteriores do governo Paul Reynaud e ferrenho defensor do armistício, a declaração de Churchill significava claramente a sua concordância com a proposta. Porém, como logo em seguida o general britânico Edward Spears esclareceria a De Gaulle, Churchill dissera apenas que compreendia o que lhe havia sido dito, pois, se estivesse de acordo, teria dito "*I agree*"(eu concordo). Por astúcia ou não, o fato é que, com aquelas palavras, De Gaulle afastou o espectro da guerra civil que rondava a França, pavimentando o caminho para a independência da Argélia.

De Gaulle havia compreendido que a Argélia não tinha solução – ao menos a Argélia francesa –, como queria a população de cerca de um milhão de cidadãos franceses que lá vivia havia mais de um século entre nove milhões de árabes, tratados como párias em sua própria terra. Anos antes, o seu filho Philippe já havia alertado seu pai sobre aquela iniquidade insustentável. Tendo passado por um vilarejo argelino de 6 mil habitantes onde os cerca de 30 franceses que lá viviam ocupavam 18 das 21 cadeiras do conselho municipal, ele perguntou ao general: "O senhor ainda acredita que vai durar muito tempo assim?". Naquele momento, De Gaulle hesitou em admitir o que lhe sinalizava o seu filho, mas, em 1958, já não lhe restava mais qualquer dúvida. Dali em diante, o desafio seria convencer os franceses de que a Argélia francesa era um problema sem solução. Chamado pelos seus compatriotas da Argélia para continuar e ganhar a guerra, De Gaulle iria fazer o contrário: terminá-la, reconhecendo o direito dos argelinos à autodeterminação. Como o leitor constatará a seguir, quando for abordada a solução gaullista para o drama argelino, muitos franceses passaram a considerar o general um traidor. Mas naquela quarta-feira, 4 de junho de 1958, ele era o herói que, mais uma vez, viria salvar a França e ganhar a guerra.

## Adenauer em Colombey

No capítulo anterior, o leitor pôde perceber quanto o general De Gaulle preservava a sua intimidade erigindo uma muralha sobre o círculo de giz que separa a vida pública da vida privada de um homem de Estado. A única exceção à férrea lei autoimposta que reservava a casa de Colombey ao convívio da família e dos amigos próximos, e o palácio do Eliseu à recepção dos políticos e chefes de Estado, foi o convite feito ao primeiro-ministro alemão para que fosse se encontrar com o seu homólogo francês na residência privada deste, a meio caminho entre Bonn e Paris. Essa exceção nada teve de casual; ela foi devidamente pesada pelo general De Gaulle.

Por que em Colombey, e não em Paris? Por várias razões, tanto de ordem prática quanto simbólica. A princípio, o local mais adequado para o primeiro encontro entre dois chefes de governo que nunca haviam se encontrado pessoalmente seria um prédio público da capital. Contudo, De Gaulle julgava que os franceses ainda não estavam preparados para acolher um estadista alemão com a devida civilidade. Recentemente, alguns veículos oficiais da representação diplomática da República Federal da Alemanha tinham sido alvo de ovos e tomates nas ruas de Paris. Parecia, assim, mais prudente recebê-lo longe da multidão. Além disso, acolher Adenauer em sua residência particular era uma demonstração de que De Gaulle queria com ele estabelecer relações privilegiadas. Na verdade, o chanceler alemão contava com a simpatia do general, como lembra Philippe de Gaulle: Adenauer esteve em campo de concentração e conheceu as mesmas agruras do século que o seu pai. Ademais, ele também era católico praticante – o que para

De Gaulle significava muito – e era renano, e não prussiano. Enfim, como disse o general ao seu filho enquanto esperavam a chegada de Adenauer em Colombey: "Se houver um alemão a que eu seja obrigado a abraçar, que seja este!". E assim foi. Passado o desconforto inicial sentido por Adenauer ao ser acolhido na casa de um desconhecido, ele logo se poria à vontade, com a naturalidade e simplicidade característica dos alemães. Ao despedirem-se, no dia seguinte, De Gaulle o abraçou, selando uma amizade que uniria os dois homens até o fim das suas vidas.

Esse ato, que à primeira vista pode tanto parecer absolutamente banal quanto milimetricamente calculado, abriria o caminho para a assinatura do Tratado do Eliseu por ambos cinco anos mais tarde, quando França e Alemanha se comprometeriam em cooperar nos planos das relações internacionais, da defesa e da educação. Sobre a base de uma sólida aliança franco-alemã seria erigida posteriormente a União Europeia. Contudo, não há nada de banal na transformação de países inimigos históricos em aliados preferenciais para a construção de uma Europa da paz. E, para isso, a aproximação entre esses dois homens foi decisiva, pois a verdadeira reconciliação só se faz entre aqueles que participaram diretamente do conflito, e não pelos seus descendentes.

Naquele fim de verão de 1958, Adenauer já tinha 82 anos e De Gaulle se aproximava dos seus 68. Ambos eram as maiores autoridades dos seus países e, pessoalmente, haviam vivido as penas que a Segunda Guerra, terminada havia apenas 13 anos, impusera a franceses e alemães. Cabia, portanto, a eles aquele ato de desprendimento e grandiosidade para criar uma relação fraterna e cooperativa entre dois povos que, havia duas gerações, vinham regularmente se contrapondo em guerras sangrentas.

Ao verdadeiro guerreiro, não basta saber fazer a guerra se não for capaz de construir a paz, pois ninguém pode viver em guerra o tempo todo. E De Gaulle mostrou que sabia fazer os dois.

## A QUINTA REPÚBLICA

Duas semanas após o histórico encontro entre De Gaulle e Adenauer, os franceses foram às urnas para aprovar, por ampla maioria, o projeto de constituição submetido a referendo pelo general De Gaulle. Nada menos que 79% dos franceses da metrópole, 96% da Argélia e 93% dos departamentos e territórios de além-mar o aprovariam. No dia 5 de outubro, a Constituição da Quinta República foi promulgada e, em 21 de dezembro, De Gaulle foi eleito presidente da República pela Assembleia Nacional. A França iniciava uma nova etapa na sua vida política e institucional que perdura até os dias de hoje. A marca impressa pelo general De Gaulle à França contemporânea não se limita à esfera institucional – por si só extremamente relevante –, mas se estende a outros domínios.

## As inovações institucionais

A elaboração da Constituição da Quinta República, De Gaulle deixaria a cargo de Michel Debré, que também seria o primeiro dos seus três primeiros-ministros. As inovações por ela trazidas à ordem institucional da França tinham por objetivo equacionar dois dos principais problemas que acometiam o país: por um lado, pôr fim à instabilidade política, propiciando a formação de governos mais duradouros; por outro, oferecer uma resposta clara aos anseios de independência das colônias da França por meio do estabelecimento de uma via para o processo de descolonização.

A estabilidade política iria começar pela mudança na forma de escolha do presidente da República e na extensão dos seus poderes. Ao invés de ser escolhido unicamente pelos parlamentares, a nova constituição instituiria um colégio eleitoral mais amplo, totalizando cerca de 80 mil eleitores, entre os quais deputados, senadores, membros dos conselhos departamentais, prefeitos e representantes dos conselhos locais. Além disso, adoção do voto majoritário em dois turnos para deputado possibilitaria a formação de maiorias parlamentares mais estáveis na Assembleia Nacional. Por fim, o presidente e o primeiro-ministro seriam investidos de poderes e prerrogativas claramente definidas e independentes do voto dos parlamentares. Estes passariam a se reunir duas vezes por ano durante três meses para aprovar o orçamento e votar leis sobre matérias relevantes, podendo o governo fazer o restante por meio de decretos.

Sob a Quinta República, o presidente deixaria de ser apenas uma figura respeitável cujo poder se limitava a indicar primeiros-ministros, dissolver o Parlamento e convocar novas eleições, como durante a Terceira e a Quarta Repúblicas. Além dessas prerrogativas, o presidente francês passaria a ser o chefe das forças armadas e o único mandatário investido do poder de negociar e assinar tratados internacionais. Ao primeiro-ministro, caberia então a gestão dos negócios internos e ao presidente a gestão das relações internacionais, formando assim um arranjo político institucional *sui generis* que tem se mostrado funcional até hoje.

Em relação à descolonização, a estratégia da Constituição gaullista seria a de criar um *status* intermediário para os territórios coloniais da África Subsaariana e Madagascar, que poderiam formar com a até então metrópole uma comunidade, cabendo a cada um a administração interna autônoma e à França, a defesa e a política externa. Com isso, abria-se a porta para um processo pacífico de independentização das colônias francesas sem que, sabiamente, se tocasse no calcanhar de Aquiles: o *status* da Argélia.

Outra importante inovação foi a utilização de referendos a serem propostos pelo presidente da República. Segundo o próprio De Gaulle escreveria em suas *Memórias de esperança*: "é um princípio básico da Quinta República e da minha própria doutrina que os franceses possam decidir por eles mesmos aquilo que é essencial ao seu destino". De fato, os referendos foram usados por De Gaulle quatro vezes para tratar de assuntos de extrema relevância: dois deles sobre a autonomia e independência da Argélia; o terceiro, para modificar a Constituição, instituindo a eleição do presidente por sufrágio universal; e o quarto, propondo a regionalização da administração do país e reformas nas funções do Senado. Os três primeiros foram aprovados por ampla maioria, mas o último foi rejeitado, levando De Gaulle a se retirar da vida pública três anos antes do término do seu segundo mandato de presidente.

Ao longo dos seus mais de 10 anos de governo, De Gaulle utilizaria os poderes que a Quinta República lhe conferia para implementar uma série de ações visando fortalecer a economia francesa, elevar o nível de vida e de segurança dos seus cidadãos e dotar o país de recursos tecnológicos que lhe assegurassem uma posição de destaque entre as mais importantes nações do planeta.

## A modernização da França

De Gaulle assumiu a presidência da República no dia 8 de janeiro de 1959, tendo de enfrentar uma situação econômica bastante desfavorável. No ano anterior, a inflação chegara a 15,1%, enquanto a taxa de crescimento econômico ficara em 2,7% – ou seja, um crescimento raquítico e uma inflação elevada para um período em que a Europa se encontrava em plena reconstrução. Além disso – e provavelmente também por isso –, as contas públicas estavam completamente desequilibradas, devido à acumulação de sucessivos déficits orçamentários anuais e a um elevado endividamento interno e externo. As perspectivas econômicas não eram nada promissoras e requeriam medidas duras para o saneamento das finanças públicas, que jamais são populares e só podem ser tomadas por governos recém-investidos, no auge da sua popularidade e em meio a situações dramáticas que induzem as pessoas a aceitar certos sacrifícios. Esse era precisamente o quadro que De Gaulle tinha diante de si e ele não hesitaria em aplicar um rigoroso plano de saneamento financeiro do Estado tendo em vista recriar as condições de crescimento econômico para os anos seguintes.

Além do ajuste forçado entre receita e despesa públicas durante o ano de 1959, a moeda francesa em circulação – o franco – sofreria uma maxidesvalorização de 17,5% no final de 1958, abrindo o espaço para a introdução de uma nova moeda, o novo franco, que substituiria o antigo com a supressão de dois zeros da moeda anterior. A partir de então, a França não mais conheceria uma reforma monetária até a adoção do euro, em 2002, que nada teve a ver com ajustes monetários derivados da inflação. Aquela reforma monetária e o ajuste fiscal permitiram à França entrar na nova década numa situação bem mais confortável e promissora: em 1960, a expansão do Produto Interno Bruto (PIB) foi de 8,3% e a inflação, de 3,6%. Esse quadro de inflação baixa e altas taxas de crescimento do PIB se manteria até o final do decênio. A essa feliz combinação se agregaram níveis baixíssimos de desemprego e a expansão de direitos sociais, fazendo dos anos 1960 a década de ouro da França.

No plano do desenvolvimento tecnológico, a era De Gaulle também seria uma era de progresso. Em consórcio com empresas de outras potências europeias, a França iria desenvolver uma indústria aeronáutica de ponta. Em associação com a Alemanha, criaria a Airbus, fabricante de aviões comerciais de grande porte que concorreria no mundo com a norte-americana Boing; e, com o Reino Unido, desenvolveria o Concorde, avião supersônico de passageiros utilizado pela British Airways e pela Air France, de 1976 até 2003, em rotas regulares ligando Europa, Américas, África e Ásia. O único concorrente ao Concorde no mundo foi o russo Tupolev TU-144, que, no entanto, teve utilização restrita no espaço e no tempo, assegurando a ligação regular entre Moscou a Alma-Ata, no Cazaquistão, por menos de quatro anos.

A pesquisa espacial também seria objeto da atenção da França gaullista, que queria recuperar o seu lugar no mundo. Na corrida espacial entre as duas superpotências que caracterizou a década de 1960, cujos marcos foram o primeiro homem no espaço – o cosmonauta russo Yuri Gagarin a bordo da Vostok 1, em 1961 – e o primeiro homem na lua – o americano Neil Armstrong, capitão da equipe de três astronautas da Apolo 11, em 1969 –, a França correria em raia própria, colocando o seu primeiro satélite em órbita em 1965 – o Asterix.

Além do desenvolvimento da indústria aeronáutica e da pesquisa espacial, a pesquisa nuclear iria ter papel central no governo De Gaulle. Por um lado, o domínio do ciclo completo de enriquecimento de urânio abriria o caminho para a França ter a sua própria bomba atômica, arma que dotaria o país de poder dissuasivo e completa autonomia em relação às superpotências que balizavam as relações internacionais durante a Guerra Fria. Por outro, possibilitaria a utilização civil daquela tecnologia para assegurar o fornecimento de energia ao país, que não dispunha de reservas de petróleo e cuja produção de carvão, que havia assegurado o seu desenvolvimento industrial durante o século XIX, não mais era capaz de fazer frente às necessidades da França dali em diante.

No dia 13 de janeiro de 1960, a França explodiu sua primeira bomba atômica no deserto do Saara. A capacidade de produzir um artefato bélico nuclear estava, a partir de então, devidamente demonstrada a todo o mundo. E em 29 de março de 1967, De Gaulle foi a Cherburgo, na Normandia, presidir o lançamento ao mar do primeiro submarino atômico francês, chamado Le Redoutable (O Temível), demonstrando a todos que a França era também capaz de produzir motores de propulsão nuclear que possibilitariam a seus submarinos ficar submersos durante longos períodos. É claro que todo esse progresso tecnológico não se produziu do dia para a noite e foi resultante de um esforço continuando da França no qual De Gaulle teve papel fundamental: primeiro ao criar o Comissariado para a Energia Atômica, em 1945; e, depois, ao apoiar o desenvolvimento da pesquisa nuclear no país durante o seu segundo governo nos anos 1960.

O pleno domínio da tecnologia nuclear se mostrou fundamental para a França na década seguinte, quando o preço do petróleo quadruplicou, em 1973, e depois ainda dobrou, em 1979, levando todos os países a procurar fontes de energia mais baratas para garantir o funcionamento de suas economias. No caso da França, assim como de muitos outros países, a alternativa ao petróleo foi encontrada na energia nuclear. Atualmente, 90% da energia elétrica consumida na França é produzida por reatores nucleares, que ainda fornecem energia a outros países da Europa.

Porém, o general De Gaulle não iria se satisfazer em garantir ao seu país plena autonomia e segurança energética e tecnológica no mundo que emergira da Segunda Guerra. Para ele, era também fundamental afirmar a França como um ator independente em um mundo dividido pela Guerra Fria.

## As relações internacionais

De Gaulle não tinha ilusões de que a França pudesse rivalizar em poder e influência internacionais com os Estados Unidos e a União Soviética, mas jamais aceitaria o alinhamento automático da França ao aliado americano. Embora ele tenha tomado posição em favor dos Estados Unidos nos momentos mais dramáticos da Guerra Fria – como o Bloqueio de Berlim Ocidental pela União Soviética, entre o verão de 1948 e a primavera de 1949, e a crise dos mísseis de Cuba, no outono de 1962 –, De Gaulle iria trabalhar pela unificação da Europa, que poderia desempenhar o papel de Tercius em um mundo bipolar, e dentro da qual a França poderia mais eficazmente exercer sua influência.

De Gaulle iria comparar a formação de uma Europa unida à construção de uma catedral:

> Nós, europeus, somos construtores de catedrais. Na sua construção, investimos tempo, muitos esforços, mas conseguimos. Estamos [hoje] começando a construir a União da Europa Ocidental. Ah, que catedral! Também nós necessitamos de tempo e de muito esforço. Esperemos que possamos terminá-la antes que se passe um século. [...] De qualquer forma, existe uma fundação, que é a reconciliação da Alemanha e da França. Há os pilares que constituem a Comunidade Econômica dos seis [Holanda, Bélgica, Luxemburgo, França, Alemanha e Itália]. Haverá uma cobertura, formada de arcos e do teto, que será a cooperação política. Os pilares são construídos após as fundações e a cobertura posta após os pilares. Quando nossa catedral estiver pronta, nós a abriremos aos outros. Quem sabe mesmo se, com eles, após termos tomado gosto em construí-la, não iremos erguer outra maior e mais bela ainda, a união de toda a Europa?

Para construir a sua bela Europa, sonho que também fora de Napoleão, De Gaulle seguiria o método dos construtores de catedrais. Em 1º de janeiro de 1959, ele colocou em vigor as regras do Mercado Comum Europeu (MCE), cuja aplicação estava suspensa desde março de 1957. E, em janeiro de 1963, ele e o chanceler alemão Adenauer assinaram, no palácio presidencial em Paris, um tratado de cooperação econômica entre os dois países, que passou a ser chamado de Tratado do Eliseu. Sobre a base da cooperação franco-alemã seria solidificado o MCE, que ainda receberia outros seis países e se transformaria, em 1992, na União Europeia.

Porém, a atenção do general De Gaulle não seria inteiramente consumida no esforço de unificar a Europa. Além desse alicerce, a França tinha de se afirmar como potência independente diante dos conflitos no mundo. E isso passava pelo estabelecimento de relações comerciais e diplomáticas com países inimigos dos Estados Unidos, pela crítica aberta à ação do exército dos Estados Unidos na Indochina e pela contestação da liderança americana no interior da Organização do Tratado do Atlântico Norte (Otan).

No início de 1964, a diplomacia gaullista iria reconhecer a República Popular da China e estabelecer relações diplomáticas com o país, o que só seria feito pelos Estados Unidos oito anos mais tarde pelo presidente Nixon. Ainda em outubro daquele ano, a França iria concluir um tratado comercial com a União Soviética. Ao mesmo tempo que se aproximava comercial e diplomaticamente dos dois maiores países comunistas do mundo, De Gaulle condenaria a ação dos Estados Unidos na Guerra do Vietnã, onde as tropas americanas combatiam a guerrilha comunista apoiada pela China. De Gaulle, evidentemente, não tinha qualquer simpatia pelos rebeldes comunistas e contestava a ação americana pelos seus custos extravagantes, mantidos com a emissão de moeda. A preocupação do general com o equilíbrio do balanço de pagamentos nos Estados derivava do fato de o dólar americano ser a âncora de valor das demais moedas que compunham o sistema monetário internacional – entre elas o franco francês – e a única conversível em ouro, na proporção de um dólar para 1/35 de onça do metal. Temendo que o desequilíbrio fiscal americano gerasse inflação e reduzisse o valor das reservas que a França tinha em dólares, De Gaulle resolveu, no dia 7 de janeiro de 1965, converter 150 milhões de dólares de suas reservas cambiais em ouro. A Alemanha, país que sofrera enormemente com a hiperinflação nos anos que se seguiram à Primeira Guerra Mundial, tomaria a mesma decisão que a França. Iniciava-se assim um processo de sangria das reservas em ouro dos Estados Unidos, que só seria estancada em 1971, quando o país abandonou unilateralmente a conversibilidade da sua moeda em ouro. Mas, antes de isso acontecer, as relações franco-americanas se degradariam na mesma proporção das reservas americanas.

No interior da Otan, o comportamento da França governada por De Gaulle em relação à liderança americana do bloco militar seria ainda mais tensa e constante. Já em 1959, a França retiraria a sua frota no Mediterrâneo do comando comum da Otan, onde os Estados Unidos pontificavam. Em 1963, mais um passo no afastamento militar entre os dois países seria dado com a retirada das forças navais francesas no Atlântico Norte do comando aliado. Por fim, em 1966, a França iria se retirar do comando integrado da Otan sem, no entanto, abandonar o tratado de defesa comum. O mesmo comportamento que sinalizava a independência da França em relação à posição americana nos demais conflitos do mundo seria adotado em 1967. Primeiro, com a suspensão de fornecimento de armas pela França a Israel e a sete países árabes da região, e depois com a condenação formal do ataque israelense aos seus vizinhos durante a Guerra dos Seis Dias.

Esses atos de autonomia e independência da França em relação aos seus aliados marcariam todo o segundo governo do general De Gaulle. Entretanto, foi a gestão dos problemas políticos internos que mais o ocuparia e determinaria as suas vitórias e derrotas aos olhos dos franceses. E, em primeiríssimo lugar, se encontrava a Guerra da Argélia.

## A Guerra da Argélia

Gerir a expectativas dos franceses em relação a essa guerra e pôr fim ao conflito foi, seguramente, a mais árdua empreitada do general De Gaulle durante o seu segundo governo. Alternando habilidade política e força de comando, ele atingiria seu objetivo, que era acabar com uma guerra sem futuro, dando plena independência à Argélia. Mas, ao fazê-lo, perderia também muitos de seus amigos e colaboradores próximos que eram entusiastas defensores da causa da Argélia francesa e atrairia contra a sua pessoa o ódio visceral de muitos que se sentiriam por ele traídos.

No final de outubro de 1959, De Gaulle enviou uma mensagem às forças armadas francesas, explicando-lhes a necessidade de conceder aos argelinos o direito à autodeterminação, eufemismo empregado para se referir à futura independência do país. Estava dada a senha de que o desfecho daquela guerra não seria o recrudescimento do conflito até a vitória final, como queria um bom número de generais, mas o seu contrário. A partir daquele momento, a tensão entre os militares defensores da Argélia francesa e o presidente De Gaulle só iria crescer.

Em janeiro de 1960, após o general comandante do exército na Argélia, Jacques Massu, ter dado declarações a um jornal alemão sobre a atuação da França na Guerra da Argélia que iam em sentido contrário à determinação do presidente, De Gaulle o chamou a Paris e o destituiu da função, não lhe permitindo nem mesmo voltar a Argel, onde ainda se encontrava sua família, para fazer as malas. Massu ficou possesso e saiu do gabinete presidencial esbravejando e considerando-se traído por De Gaulle, por quem ele até então tinha grande admiração. Dois dias depois, teve início a Semana das Barricadas, em Argel, em favor da Argélia francesa, elevando em muitos graus a tensão na região. Posteriormente, De Gaulle diria a seu filho Philippe ter, na verdade, prestado um serviço ao general Massu ao afastá-lo do "caldeirão argelino", onde ele poderia vir a fazer grandes besteiras, como fizeram outros generais, um ano mais tarde.

Na sua determinação de resolver a questão argelina pela via mais democrática, que é o voto, De Gaulle submeteu a referendo uma lei versando sobre a autodeterminação da Argélia, aprovada por três quartos dos eleitores em 8 de janeiro de 1961. Na sequência desse plebiscito, a Frente de Libertação Nacional (FLN) iria se declarar aberta a iniciar negociações com o governo francês. O caminho para a independência da Argélia estava devidamente sinalizado, mas não havia, entretanto, convencido aqueles que se agarravam com unhas e dentes à ideia de um Argélia francesa. No início da primavera, 22 de abril, os generais Challe, Salan, Jouhaud e Zeller se rebelaram contra o governo de Paris, dando um golpe e assumindo o poder na Argélia. Os amotinados, que ameaçavam inclusive levar a rebelião à metrópole, acabaram sendo neutralizados em quatro dias, e seus mentores foram submetidos a julgamento por um tribunal militar, sendo posteriormente um deles condenado à morte. Na mesma ocasião, surgiria a Organização Exército Secreto (OAS – Organisation Armée Secrète), que passaria a reunir aqueles que recorreriam à violência e a ações terroristas para impedir a independência da Argélia. A partir daquele momento, os atentados passaram a fazer parte do cotidiano dos franceses, tanto na metrópole quanto na Argélia.

De Gaulle iria escapar de três atentados armados pela OAS contra ele: em 8 de setembro de 1961, em Pont-sur-Seine; em 22 de agosto de 1962, na estrada de Petit-Clamart, desta vez acompanhado de sua esposa e do motorista que dirigia o carro em que trafegavam; em 15 de agosto de 1964, no Mont Faron, perto de Toulon, acompanhado de sua família. O responsável direto pelo segundo atentado fora devidamente identificado e submetido a julgamento, sendo também condenado à morte. A De Gaulle, na condição de presidente, cabia a prerrogativa de agraciar o condenado com uma pena mais branda. Foi exatamente isso que ele fizera com o marechal Pétain, que, tendo sido sentenciado à morte por um tribunal, em 1945, teve a sua pena transformada em prisão perpétua. De forma análoga, De Gaulle agiria em relação ao general Jouhaud, que, entre os golpistas, fora o único condenado à morte, embora se soubesse que o general Salan havia sido o grande mentor do golpe. Porém, a mesma piedade De Gaulle não teria com aquele que armou o atentado que poderia ter matado também sua mulher, que nada tinha a ver com as decisões do governo sobre o futuro da Argélia.

Onze meses após o fracassado golpe militar, seria dado mais um importante passo rumo ao fim da guerra e à independência da Argélia com os acordos de Evian, em que ficaria acertado um cessar-fogo entre as forças do governo francês na Argélia e a Frente de Libertação da Argélia. Em decorrência desses acordos, dentro de um pouco mais de uma semana (27 de março) seria formado, em Argel, o Governo Provisório da República Argelina (GPRA). Tudo começava finalmente a se acelerar rumo ao fim daquele longo conflito. No domingo, dia 8 de abril, os franceses foram às urnas aprovar por mais de 90% dos votos os acordos assinados em Evian, que lhes haviam submetidos a referendo. À época, um diplomata russo comparou, jocosamente, aqueles resultados com os das eleições realizadas na União Soviética.

Percebendo que a independência da Argélia era um caminho sem volta, como De Gaulle vinha afirmando havia três anos, a OAS e o GPRA também entraram em entendimento, estabelecendo um cessar-fogo em negociações ocorridas entre 17 a 26 de junho e conhecidas pelo nome de Acordos de Argel. Finalmente, no dia 3 de julho, a França reconheceu a independência da Argélia e o GPRA. A Guerra da Argélia chegava a seu fim, mas o drama argelino ainda conheceria alguns capítulos sangrentos, envolvendo sobretudo os *harkis*, como eram chamados os argelinos que integravam as forças paramilitares que secundavam o exército francês. Pelo massacre de milhares de *harkis* na sua própria terra após a partida das forças francesas e pelas condições atabalhoadas em que os franceses da Argélia, chamados *pieds noirs* (literalmente, pés pretos), foram repatriados à metrópole, De Gaulle seria severamente criticado pela posteridade. Muitos, à época e até hoje, se perguntam: se a independência da Argélia era inevitável, como afirmava De Gaulle, ele não deveria, ao menos, tê-la organizado de forma a proteger a vida daqueles que estiveram a serviço da Argélia francesa, ao invés de deixá-los abandonados à própria sorte? A esta pergunta, Philippe de Gaulle daria a resposta resumida a seguir.

Antes da retirada das forças francesas e da passagem do controle do território da Argélia ao GPRA, a França ofereceu três alternativas aos *harkis*: continuar servindo o Exército Francês, deixando a Argélia pela metrópole junto com as unidades francesas; ser desmobilizados na Argélia, recebendo, em contrapartida um pecúlio; e ficar recebendo durante seis meses o seu soldo até optar por uma das duas alternativas anteriores. Conforme Philippe, apenas 20 mil *harkis* escolheram a primeira opção. Os demais optaram pela segunda e terceira alternativas, provavelmente contando com a anistia que tantas vezes fora solenemente prometida pela FLN, mas que, entretanto, nunca lhes foi concedida. Ademais, essa transição potencialmente tranquila logo iria ser abortada por extremistas de ambos os lados – OAS e FLN – que, rompendo os acordos, induziram os *pieds noirs* – que, em princípio, deveriam permanecer mais alguns anos na Argélia, assegurando uma transição gradativa da administração do território das mãos de funcionários franceses às dos argelinos – a fugir em massa e em meio ao pânico para a metrópole, que muitos deles sequer haviam visitado, deixando para trás os *harkis*, que contavam ter os *pieds noirs* ao seu lado.

Embora nunca se tenha chegado a números confiáveis sobre a quantidade de *harkis* massacrados, sabe-se que o montante de vítimas não ficou abaixo de algumas dezenas de milhares. Alguns, na época, chegaram a estimar de 100 a 150 mil, números considerados exagerados por Philippe de Gaulle com base no seguinte raciocínio: levando-se em conta que, em 1958, havia 240 mil *harkis* na Argélia, dos quais 100 mil foram integrados ao exército argelino e outros 140 mil acabaram migrando para a França até a retirada total das tropas franceses na Argélia, em 1968, o número de desaparecidos e possivelmente massacrados ficaria em torno de 40 mil. Embora esse número equivalha a menos de um terço da pior estimativa, certo é que o massacre do qual os *harkis* foram vítimas foi uma tragédia de grandes proporções, e a memória do general De Gaulle, justa ou injustamente, iria ser conspurcada por isso.

Entretanto, o maior ressentimento com a ação do general De Gaulle durante a Guerra da Argélia não viria dos *harkis*, mas dos *pieds noirs* repatriados. Duas manifestações a esse respeito são notáveis.

A primeira viria do escritor francês e prêmio Nobel de Literatura nascido na Argélia, Albert Camus, que, não podendo negar a justiça do anseio da maior parte dos argelinos em se tornar independentes, já que a dominação francesa os havia condenado a uma miséria vergonhosa, declararia sem hesitar: "entre a justiça [a independência da Argélia] e minha mãe [uma *pied noir*] eu fico com minha mãe". A questão da Argélia não envolvia só razão e justiça, mas também sentimento daqueles franceses que lá nasceram.

A segunda não teria a força literária da primeira, mas tocaria mais diretamente o coração do general De Gaulle por vir da boca de um velho amigo e colega da academia militar de Saint-Cyr, o marechal Alphonse Juin, que era um *pied noir* e havia dele se afastado por conta da sua política em relação à Argélia. Ao visitar o amigo que se encontrava internado em um hospital e à beira da morte, Juin disse a De Gaulle no momento da despedida: "Veja só: quando eu olho pela janela, eu vejo o cemitério dos meus pais na Argélia". A dor do marechal Juin em nunca mais ter podido rever o túmulo da sua família, De Gaulle podia entender muito bem. Afinal, esse sentimento também seria o seu se, por alguma razão, não mais pudesse visitar a tumba da sua filha Anne, em Colombey-les-Deux-Églises, onde ele e sua esposa queriam ser sepultados. Porém, ele sabia também que toda a guerra continua a produzir vítimas mesmo quando para de matar, e com a Guerra da Argélia não iria ser diferente.

A última guerra da vida do general De Gaulle acabou da única forma que ele considerava possível. Vista dessa perspectiva, De Gaulle saiu dela vitorioso. Sua proposta de paz não só foi aprovada por mais de 90% dos franceses, como poupou muitas vidas ao pôr fim a um conflito que não poderia ser vencido pela França. De posse do capital político acumulado com o fim da Guerra da Argélia, com uma economia estabilizada e em crescimento, com baixas taxas de desemprego e com todos os progressos tecnológicos da França ocorridos durante o seu primeiro mandato como presidente da República, De Gaulle seria reeleito em dezembro de 1965 para um novo mandato de sete anos com 55% dos votos. Contudo, a política, assim como a guerra, reserva surpresas para quem dela participa. E essa surpresa viria dois anos e meio depois, mais precisamente em maio de 1968.

## Maio de 1968: o começo do fim

Quando tudo parecia calmo, de repente veio a tempestade. Começou aparentemente como uma simples agitação estudantil na faculdade de Nanterre, no início de 1968, que se foi agravando até explodir na metade de abril, estendendo-se por todo o mês de maio. Como um rastilho de pólvora, as manifestações che-

Dois dos vários cartazes afixados pela França durante maio de 1968. À esquerda, caricatura do general De Gaulle como a Bastilha a ser tomada. À direita, celebração da ocupação das fábricas pelos operários.

garam ao Quartier Latin, levando ao fechamento da Sorbonne. Barricadas foram erguidas pelos estudantes nas ruas de Paris. No dia 13 de maio, em uma manobra mal calculada, o primeiro-ministro Pompidou, tentando dialogar com os estudantes, reabriu a Sorbonne, que foi imediatamente por eles ocupada. Nesse mesmo dia, data em que De Gaulle completava 10 anos no poder, a Central Geral dos Trabalhadores (CGT) e o Partido Comunista chamariam uma greve geral. A França entrava em ebulição sem ninguém entender como nem por quê.

Da parte dos estudantes, as palavras de ordem e pichações não tinham nada a ver com as tradicionais reivindicações da esquerda estudantil, como: "encha o saco dos outros" ou "eu tenho algo a dizer, mas não sei o quê". A razão subjacente às greves operárias e de serviços que paralizavam o país também eram estranhas às tradicionais pautas do movimento sindical. Após um exaustivo dia e noite de domingo em negociações entre representantes da CGT e dos sindicatos patronais, que resultaram na assinatura de um acordo elevando os salários e com o substantivo aumento de 30% do salário mínimo, o secretário-geral da CGT foi levar a boa notícia aos grevistas das fábricas da Renault em Billancourt, na grande Paris, na manhã do dia seguinte, 27 de maio. Porém, quando ele pronunciou a palavra "acordo", começou imediatamente a ser vaiado. Ninguém queria acordo algum. Da mesma forma, a proposta governamental, anunciada dias antes por De Gaulle pela televisão, de fazer um plebiscito para a aprovação de uma futura lei sobre a participação dos estudantes nas universidades e dos trabalhadores nas empresas, foi completamente desprezada pelos grevistas e manifestantes. O que então queriam eles? Isso nem eles mesmos sabiam dizer. Qual foi o significado daquela agitação que tinha tomado conta da França? Isso continua, até hoje, objeto de estudo e especulação, e após já se ter gastado muita tinta para descrever e interpretar aquele momento *sui generis*, não se chegou a nenhuma conclusão. No entanto, entre as várias tentativas de explicar o porquê daquela reação popular ímpar, que ia muito além do que se passava entre os jovens nos Estados Unidos e na Alemanha naquele mesmo momento, sobre um ponto não havia dúvida: a França estava cansada do *status quo* e De Gaulle era indissociável dele.

Durante seis semanas, a França viveu em meio ao caos. Não havia serviços de correios – que era o meio de comunicação interpessoal mais comum no país daquela época –, nem trens, transportes públicos, ou abastecimento de gasolina. Naquele mês de maio especialmente luminoso e ensolarado, os estudantes se aglomeravam nos parques das cidades com seus rádios de pilha colados ao ouvido, por meio dos quais se informavam do que se passava em Paris, no resto do país e no mundo e, em seguida, deliberavam entre si os próximos passos do movimento. Vista de hoje, essa cena pode parecer arcaica e bizarra, mas retrata a popularização de uma recente tecnologia da época: o transistor. Antes deste, os rádios funcionavam com válvulas, eram grandes, pesados e obrigatoriamente alimentados por cabos ligados à corrente elétrica. Com o transistor, o rádio pôde ser miniaturizado, barateado e alimentado a pilha, tornando-se um dispositivo móvel e individual. Para os jovens de maio de 1968 na França, o rádio de pilha significou o mesmo que os aparelhos celulares ligados à internet e às redes sociais representaram para os jovens que participaram da Primavera Árabe, em 2011, e dos protestos de junho de 2013 no Brasil: meio de informação e fonte de deliberação.

Apesar de todo alvoroço nas ruas e dos ataques da oposição a De Gaulle e seu primeiro-ministro, o general se manteria irredutível. Após rumores de que ele teria abandonado o poder, decorrentes do cancelamento de última hora da reunião do Conselho de Ministros marcada para o dia 29 e uma viagem à Alemanha, ele reapareceu no dia seguinte, 30 de maio, às 15 horas, para presidir a reunião do seu gabinete no seu melhor estilo. Uma hora depois, ele se dirigiu ao país pelo rádio, fazendo um discurso de quatro minutos e meio, que seria recebido como uma balde de água fria por todos aqueles que queriam vê-lo fora do poder:

> Francesas, franceses.
> Sendo o titular da legitimidade nacional e republicana, eu considerei durante as últimas 24 horas todas as eventualidades, sem exceção, que me permitiriam mantê-la. Eu tomei minhas decisões.
> Nas atuais circunstâncias, eu não vou me retirar. Tenho um mandato do povo e vou cumpri-lo.
> Não vou mudar o primeiro-ministro, cujos valor, força, capacidade, merecem a homenagem de todos. Ele vai me propor as mudanças que julgar cabíveis na composição do governo.
> Hoje eu dissolvi a Assembleia Nacional.
> Eu ofereci ao país um referendo que daria aos cidadãos a oportunidade de prescrever uma profunda reforma na nossa economia e na nossa Universidade e, ao mesmo tempo, de se manifestar sobre se mantêm ou não sua confiança em mim pela única via aceitável, a da democracia. Eu vejo que a situação atual impede materialmente que isso seja feito. É por isso que posterguei a sua data.
> Quanto às eleições, elas acontecerão dentro do prazo estabelecido pela Constituição, a não ser que se queira amordaçar todo o povo francês, impedindo-o de se expressar da mesma forma que ele vem sendo impedido de viver, e pelos mesmos meios que se impede os estudantes de estudar, os professores de ensinar e os trabalhadores de trabalhar. Estes meios são a intimidação, a intoxicação e tirania exercida por grupos organizados pela longa mão de um partido com objetivos totalitários.
> Se, portanto, essa situação de força se mantiver, para manter a República, eu deverei tomar outras medidas, de acordo com a Constituição, que não sejam a eleição imediata no país.
> [...]
> A França está em risco de cair em uma ditadura. Estão querendo forçá-la a se resignar a um poder que se imporá em meio ao desespero nacional, que será evidente e essencialmente o poder do vencedor, isto é, o do comunismo totalitário que, no começo, ganhará um colorido e uma aparência enganosa [...].
> Não! A República não vai ceder. O povo se recomporá. O progresso, a independência e a paz irão prevalecer com a liberdade.
> Viva a República!
> Viva a França!

Paralelamente a essas palavras que não deixavam qualquer dúvida sobre o que De Gaulle iria fazer, seu governo deu um golpe de mestre, mandando utilizar a gasolina das reservas de combustível do Estado para abastecer os postos de todo o país. Com isso, os franceses, já exaustos de tanta confusão, puderam finalmente encher o tanque dos seus carros e partir das cidades durante o fim de semana que antecedia o feriado de Pentecostes, que na França é sempre comemorado numa segunda-feira e que naquele ano caiu no dia 3 de junho. Ao voltarem do feriado, a França reencontraria a sua normalidade. As manifestações estudantis cessaram, os trabalhadores retornaram ao trabalho e os serviços públicos voltaram a funcionar. De Gaulle vencera, mas iria sobreviver como uma fera gravemente ferida. Seu filho, naquela ocasião, lhe disse: "O senhor não tem mais futuro". E ele não teria mesmo.

As eleições para a Assembleia Nacional ocorreram dentro da mais estrita normalidade nos dias 23 e 30 de junho e o grupo gaullista sairia delas vitorioso. Dispondo de folgada maioria no Parlamento, De Gaulle poderia cumprir o seu mandato até o fim. Porém, ele havia se comprometido em renunciar caso a lei que ele submeteria a referendo fosse rejeitada, e o foi menos de um ano depois.

O referendo que De Gaulle anunciara aos franceses em 24 de maio tratava sobre a participação dos assalariados nos lucros e na administração das empresas e dos estudantes na gestão das universidades. A essa questão, De Gaulle resolveria agregar outra proposta de reforma que ele havia lançado em Lyon em março daquele ano e que dizia respeito à reestruturação administrativa do Estado. Contudo, durante a elaboração do projeto, ele acabou deixando inteiramente de lado o tema da participação da forma como havia imaginado anteriormente, e passou a se concentrar na criação de regiões, que seriam as novas instâncias administrativas de um Estado francês menos centralizado. A esse tema, que não estava na pauta proposta em maio, ele acrescentaria ainda a reforma do Senado, que seria fundido com o Conselho Econômico e Social, existente desde a Quarta República, e que teria suas funções modificadas. O tema da descentralização e da reforma do Senado não seduziu ninguém, nem mesmo o grupo gaullista. Essas questões eram demasiadamente complexas, controversas e difíceis de serem redigidas de forma curta, direta e clara. O texto que acabou submetido a referendo era longo e de difícil digestão pelo eleitorado. De Gaulle sabia que não iria ser fácil aprová-lo, pois todas as pesquisas eleitorais apontavam para a sua rejeição. Mas ele não iria recuar nem adiar o referendo, marcado para o domingo, 27 de abril de 1969. Na quinta-feira, 24, último dia de despachos do general De Gaulle no Palácio do Eliseu, ele declarou a um de seus colaboradores: "Mesmo que eu fracasse, eu sairei ganhando, pois aos olhos da História, que é o único plano que me diz respeito, o futuro dirá que eu fui derrubado por um projeto que era essencial ao país. Depois, irá se perceber que eu tinha razão".

Na data prevista, os franceses foram às urnas e rejeitaram o projeto por 52% dos votos. Nos primeiros minutos da segunda-feira, 28 de abril, a agência France Presse emitiu um lacônico comunicado do general: "Eu deixo de exercer minhas funções de presidente da República. Esta decisão passa a ter efeito hoje ao meio-dia". Encerrava, assim, a vida pública do general De Gaulle.

LE GÉNÉRAL DE GAULLE 28 avril 1969.

Je cesse d'exercer mes fonctions de Président de la République.

Cette décision prend effet aujourd'hui, à midi.

signé : C. de GAULLE.

Lacônica nota de renúncia do general De Gaulle.

# O OCASO E A PARTIDA DO GUERREIRO RUMO À ETERNIDADE

*"Aqui é o repouso e a calma absolutos."*
Charles de Gaulle, Irlanda, maio de 1969

Nos 18 meses entre a saída do poder e a morte do general De Gaulle, ele iria se dedicar a duas coisas: viajar e escrever, além, é claro, de fazer longas caminhadas.

Doze dias após a sua renúncia, Charles e Yvonne de Gaulle iriam para a Irlanda. Além de realizar o antigo sonho de conhecer a terra de seus antepassados por parte de mãe, o general aproveitaria a viagem para ficar fora da França durante as eleições presidenciais, no dia 15 de junho, e as comemorações cívicas de 18 de junho. Desde o seu primeiro chamado aos franceses em 1940, ele nunca mais havia deixado de se dirigir aos seus concidadãos naquela data. Seria a primeira vez em 29 anos que De Gaulle iria guardar silêncio, limitando-se a visitar um museu em Dublin e almoçar na embaixada da França na companhia de sua esposa. O resto de tempo, ele e Yvonne aproveitaram para viajar pelo país e fazer caminhadas pelos campos verdes daquela Irlanda sempre chuvosa, onde ele afirmou ter-se encontrado, sempre acompanhado a uma distância respeitosa pelos fotógrafos das revistas francesas. No dia 19 de junho, ele e Yvonne retornariam a Colombey.

No ano seguinte, eles aproveitariam o mês de junho para fazer outra viagem, dessa vez, mais longa que a anterior. De Gaulle e esposa passariam do dia 3 a 27 de junho viajando de norte a sul pela Espanha. Era o seu segundo 18 de junho de silêncio em 30 anos. E estava lhe parecendo bom assim. Tanto que, para o ano seguinte – se Deus lhe desse vida e saúde –, ele já tinha planos de fazer uma viagem pela China durante aquele mesmo período.

Excetuando essas viagens anuais, De Gaulle iria dedicar os seus dias para organizar a publicação dos seus discursos e mensagens, redigidos no transcorrer da sua longa vida pública, e escrever os três volumes das suas *Memórias de esperança*.

Em 1970, chegariam às livrarias da França seis novas obras do general De Gaulle. De abril a setembro, foram publicados sequencialmente os cinco tomos dos seus *Discursos e mensagens: durante a guerra (Discours et Messages: Pendant la guerre)*, primeiro volume que reúne os seus principais pronunciamento feitos de 18 de junho de 1940 a 20 de janeiro de 1946; *À espera (Dans l'attente)*, segundo tomo agrupando seus escritos do tempo da sua travessia do deserto, de janeiro de 1946 a maio de 1958; *Com a renovação (Avec le renouveau)*, terceiro volume contendo seus comunicados de maio de 1958 a julho de 1962; *No esforço (Vers l'effort)*, quarto tomo referente às suas alocuções entre agosto de 1962 e dezembro de 1965; e finalmente o quinto e último volume, *Rumo ao fim (Vers le terme)*, com os últimos discursos da sua vida pública, pronunciados de janeiro de 1966 a abril de 1969. Ainda em 1970, mais precisamente, em outubro, chegaria ao público o primeiro volume da trilogia *Memórias de esperança: rumo à renovação: 1958-1962 (Vers Le Renouveau)*.

Essa enorme e intensa produção mostra ao leitor o quanto De Gaulle, aos 79 anos, era um homem cuja lucidez e capacidade de produção intelectual seguiam inabaladas. E não só sua cabeça, mas suas pernas também.

Há três semanas da sua súbita morte, o sobrinho Bernard foi visitá-lo em Colombey-les-Deux-Églises. Lá ele passou dois dias e teve com o tio longas conversas em que reconstruiriam o mundo, como costumavam fazer em Argel, durante o mês dezembro de 1943. No último dia, De Gaulle lhe propôs fazerem uma caminhada. Afinal, apesar de estar próximo dos seus 80 anos, ele ainda tinha pernas fortes e firmes. De Gaulle mandou então o seu motorista esperá-los a 10 km dali, do outro lado da floresta. Mas, mal eles haviam saído de casa, começou a cair uma forte chuva, para a qual eles não estavam preparados. De Gaulle olhou Bernard e lhe disse: "Afinal, chuva não faz mal a ninguém". E seguiram sua caminhada por duas horas pela floresta de Dhuit sob a chuva até chegar ao local onde o seu motorista, Marroux, os esperava com o carro. Ao entrarem no carro, De Gaulle disse a Marroux que eles deveriam ainda fazer mais uma hora de passeio com a calefação ligada para que pudessem chegar em casa mais ou menos secos. E assim foi feito: circularam para lá e para cá até que a maior parte da água que lhes encharcava os seus cabelos e as roupas evaporasse. Ao retornarem a Boisserie – relativamente secos, mas completamente desalinhados e amarfanhados – Yvonne os recebeu dizendo: "mas em que belo estado vocês se encontram!". Essas lembranças de Bernard de Gaulle, narradas com muito gosto e alegria, revelam um general De Gaulle pouco conhecido, que não era apenas um homem austero e rígido, observador do que lhe ditavam a moral e o dever, mas também uma pessoa espirituosa e dotada de certo senso de humor, características que vão se tornando mais raras nas pessoas à medida que elas envelhecem. Afinal, após ter perdido sua filha Anne, seus três irmãos, cunhados, cunhadas e sobrinhos e todos os seus companheiros de juventude, "a vida do general seria como a de todos os velhos: mais povoada de mortos do que de vivos".[11]

De Gaulle temia a decrepitude que a velhice traz. Lembrava do marechal Pétain, que se não tivesse aceitado governar a França em 1940, aos 84 anos, teria morrido como o grande herói da Primeira Guerra, e não como o traidor da Segunda cumprindo prisão perpétua aos 95 anos. Também lembrava de seus dois grandes companheiros: Churchill e Adenauer, ambos mortos aos 91 anos. Após ter conduzido o Reino Unido sozinho na luta contra o nazismo na Europa até a entrada da União Soviética e dos Estados Unidos na guerra, Churchill passaria os últimos anos da sua vida evitando aparecer em público para não revelar sua fragilidade. De forma semelhante terminaria os seus dias Adenauer, o responsável pela construção da Alemanha da paz. Eram fins patéticos e inglórios para aqueles que, com toda a justiça, viveram a glória. De Gaulle foi poupado desse fim, morrendo de um ataque fulminante da mesma forma que seus irmãos Pierre e Xavier: uma ruptura da aorta abdominal causada por um aneurisma.

Poucas semanas após a visita do sobrinho Bernard, a história do general De Gaulle terminaria de ser escrita, abrindo-se o tempo para que historiadores e biógrafos começassem a reescrevê-la.

## O LEGADO

A história de vida de qualquer pessoa será sempre marcada pelo seu tempo. Contudo, na grande maioria dos casos, os caminhos trilhados pelos indivíduos ao longo de suas vidas não se confundem com o percurso das suas coletividades.

Apenas uma diminuta parcela de homens e mulheres têm sua história de vida confundida com a história dos seus povos e países. De Gaulle seguramente faz parte dessa minoria, a ponto de ser impossível pretender contar a história da França no século XX sem se fazer muitas referência a ele. Por isso, não seria nenhum exagero afirmar que De Gaulle foi o mais importante personagem da história da França no século passado.

O legado do general De Gaulle para a França foi imenso, tanto para os seus contemporâneos quanto para a posteridade. Seguramente, sua primeira e, talvez, maior contribuição tenha sido a de devolver a honra à França e, ao seu povo, o orgulho de ser francês. Com extrema habilidade, De Gaulle transformou uma maioria de franceses apáticos e submissos à dominação alemã e ao regime do marechal Pétain em um povo que se sentiu vitorioso em participar não apenas da sua libertação, mas da vitória final sobre o inimigo. Essa metamorfose deu origem a uma frase que se tornou célebre: "Em 1944, toda a França era gaullista", o que, na verdade, queria dizer que todos os franceses estavam orgulhosos de estar do lado dos vencedores. Contudo, tomada ao pé da letra, ela é tão verdadeira quanto a afirmação de que, em 1940, toda a França fosse petenista. Não fora bem assim, nem em 1940 nem em 1944, como o leitor terá a oportunidade de constatar mais adiante.

A segunda valiosa herança do general De Gaulle à França foi a de lhe ter assegurado um bom lugar no mundo entre as grandes nações do planeta. Mesmo em 1944, quando "toda a França era gaullista", nada era menos garantido do que isso. Pelo que fez a França oficial, representada pelo regime de Vichy, não mereceria mais do que tiveram a Itália, a Holanda ou a Bélgica. Sem a obstinação do general De Gaulle em representar e comandar uma França livre e combatente – iniciativa individual que dificilmente teria vicejado sem o apoio de Churchill –, a França não teria assinado o armistício com a Alemanha ao lado dos Aliados vitoriosos, nem conquistado um setor sob seu exclusivo controle em Berlim, e menos ainda um assento permanente no Conselho de Segurança da ONU. Essas conquistas também contribuiriam para restituir à França e aos franceses a honra e o orgulho perdidos em 1940.

O terceiro e incomensurável legado do general De Gaulle aos franceses foi a (re)conciliação com a Alemanha. Depois de três grandes guerras em menos de um século, que contrapuseram os Estados, os Exércitos e os povos da França e Alemanha a ponto de parecer impossível qualquer conciliação entre as partes, De Gaulle conseguiu finalmente construir a paz com o vizinho. Primeiro com gestos simbólicos, como o de receber o chanceler alemão Adenauer em sua própria casa e abraçá-lo na despedida. Depois, com uma aproximação efetiva e colaborativa entre os dois países nos planos diplomático e econômico. Esse grande e generoso passo pavimentaria o caminho para o salto seguinte rumo a uma Europa da paz.

Jaime Pinsky

Escultura representando o general De Gaulle, em Paris.

A construção de uma Europa unida e pacífica foi o quarto legado do general De Gaulle à França e aos franceses. De 1963, quando De Gaulle e Adenauer assinaram o Acordo do Eliseu, até 1992, quando os 12 países que então constituíam a Comunidade Econômica Europeia assinaram o Tratado de Maastricht, dando origem à atual União Europeia, o alicerce e o cimento da Europa foram a dupla franco-alemã nas suas diversas versões: começando por De Gaulle-Adenauer, passando por Mitterrand-Köhl e chegando a Sarkozy-Merkel.

Por fim, a quinta grande contribuição do general à posteridade foi a Constituição da Quinta República, que trouxe governabilidade e estabilidade política à França.

Contudo, o legado positivo do general De Gaulle à França está longe de ser uma unanimidade entre os franceses. Durante a sua era no poder, De Gaulle teve de enfrentar uma forte oposição, tanto de parte da esquerda quanto da direita antigaullista, oposição que não se extinguiu nem mesmo depois da sua morte. A divisão da direita francesa entre gaullistas e antigaullistas é, provavelmente, a parte menos visível, mas nem por isso menos relevante, da herança deixada pelo general à França contemporânea.

## Gaullismo e antigaullismo

Explicar o antigaullismo é, paradoxalmente, uma tarefa mais difícil do que explicar o gaullismo, pois se este tem uma motivação comum, aquele tem diversas. Quem nos ajuda a entender um pouco as diversas formas de antigaullismo na França de hoje é Laurent de Gaulle, que durante a sua vida teve de enfrentar várias situações em que se viu objeto de manifestações do mais primitivo ódio e rancor despejados sobre ele pelo simples fato de portar o mesmo sobrenome do seu famoso tio-avô que ele sequer conheceu.

O petenismo e a questão argelina foram dois grandes fatores de divisão dos franceses no século XX que estão diretamente associadas a duas vertentes do antigaullismo. Quando o marechal Pétain assumiu o poder, em 1940, muitos franceses se sentiram aliviados. Para uma boa parte da direita francesa, a solução oferecida por Pétain não só teria poupado um grande número de vidas ao terminar com uma guerra que parecia perdida, como também havia oferecido uma saída digna para a França – ao menos por uma parte dos franceses que ficaram submetidos à autoridade do governo de Vichy. Pétain era um militar respeitável, um homem católico, defensor da Igreja, da família e do trabalho. Além de todas essas qualidades, aos olhos da direita católica e conservadora da França, Pétain ainda representava um baluarte de proteção contra o avanço do bolchevismo no país. Contudo, havia outra parte dos franceses católicos e de direita que não aprovava a forma como Pétain, sem resistência, havia se posto de acordo com o inimigo, encerrando precipitadamente uma guerra e abrindo mão da autonomia nacional sob a aparente autonomia de um Estado fantoche sediado em Vichy. Muitas famílias na França se dividiram entre contra e a favor da política de Pétain; aqueles que a ela se contrapuseram, terminaram do lado vencedor junto a De Gaulle. Querendo proteger a França e os franceses, os petenistas de boa-fé acabaram sendo vistos como colaboracionistas e traidores. Aliás, o termo colaboracionista na França, a partir de 1944 até hoje, guarda uma conotação fortemente negativa. Logo após a liberação e a queda de Vichy, os supostos colaboracionistas foram vítimas de uma verdadeira caça às bruxas, que, mesmo não tendo sido promovida nem apoiada pelo governo provisório chefiado pelo general De Gaulle, a ele seria atribuída. Além disso, é sempre mais fácil culpar o outro do que reconhecer os próprios erros. Eis aí uma das origens do antigaullismo.

A solução da questão argelina também forneceu um novo contingente de antigaullistas. Da mesma forma que os petenistas, os defensores da Argélia francesa, sobretudo os *pieds noirs,* saíram perdedores e atribuíram a sua derrota à traição do general De Gaulle. Não resta dúvida de que não deve ter sido nada fácil para aqueles que viviam na Argélia havia três gerações terem de abandonar a sua terra natal às pressas, deixando tudo que lhes era caro para trás. Passados 50 anos da independência do país, ainda há entre os franceses aqueles que continuam acreditando que a Argélia poderia, sim, ter se mantido francesa, e que faltou a De Gaulle empenho em mantê-la. Além desses, há ainda muitos outros que recriminam o general pela forma atabalhoada com que o repatriamento dos *pieds noirs* foi feito, e os *harkis* abandonados a sua própria sorte.

Além desses dois grandes grupos claramente identificáveis, que rejeitam diretamente a figura do general De Gaulle devido à sua ação envolvendo questões históricas bem específicas, há ainda outras formas de antigaullismo que se contrapõem a um ou mais aspectos que compõe o gaullismo, que não é nem uma doutrina, nem uma teoria – pois não existe nenhuma sistematização escrita a respeito dele –, mas uma certa forma de orientar a ação política na França inspirada no exemplo e nas palavras do general.

Segundo definição do próprio De Gaulle, o gaullismo é "um sistema de pensamento, de vontade e de ação". Esse sistema de pensamento seria caracterizado por Jacques Chirac, em artigo publicado no *Le Monde*, em 1983, como "um pensamento pragmático, não doutrinário [que] muda quando o mundo muda". Alain Juppé e Édouard Balladur, dois outros herdeiros políticos do general, também iriam salientar o pragmatismo gaullista. A vontade respaldada por um pensamento racional, sistemático e pragmático leva, consequentemente, à ação, em oposição ao fatalismo, que resulta da aceitação dos fatos sem a devida consideração das suas causas, conduzindo ao imobilismo.

O gaullismo tem como valor central a defesa intransigente do interesse maior da nação francesa. Ideologias, como o liberalismo, princípios abstratos como o pacifismo e o livre-comércio, e políticas estatais secularmente estabelecidas, como o colonialismo, não têm valor intrínseco, mas são adotadas, mantidas ou abandonadas de acordo com o que for conforme ao interesse nacional em cada momento.

Um bom exemplo dessa concepção posta em prática foi a condução dada pelo general De Gaulle à questão colonial. Durante a Segunda Guerra, ele defendeu com unhas e dentes a integridade do Império colonial Francês contra as investidas dos inimigos e dos aliados. Porém, após a guerra, ao perceber que a independência das colônias da África e da Ásia era inevitável e que não era do interesse nacional manter a França envolvida em violentas guerras coloniais fadadas ao fracasso, como as da Indochina e da Argélia, De Gaulle logo tratou de criar uma via institucional para a descolonização do Império Francês, tendo em vista garantir que os novos Estados nacionais a serem criados se tornassem aliados da França no plano internacional.

Para o gaullismo, a defesa do interesse nacional é indissociável da soberania nacional, que só pode ser mantida se a nação tiver capacidade de se defender e de dissuadir as demais de atacá-la. Por isso, possuir a bomba atômica e manter uma relação de independência com a Otan, sem jamais dela se separar, parecia fundamental ao general. Esse mesmo princípio valeria para a formação de uma Europa unificada. Esta não poderia, nem deveria, ser erguida sobre a ruína dos Estados nacionais europeus, numa espécie de pan-europeísmo, o que só viria em favor de outras potências externas à região, mas unicamente sobre a base de uma sólida aliança entre nações soberanas. Essa concepção de Europa também iria opor De Gaulle a outros grupos dentro e fora de França, se constituindo em uma nova fonte de antigaullismo, não visceral como os anteriormente descritos, mas mais difuso e latente.

Transcorridos mais de 40 anos da morte do general De Gaulle, gaullismo e antigaullismo vão perdendo força como apelo no debate público numa França imersa em problemas inexistentes na época do general, como a imigração, os conflitos étnicos e a estagnação econômica. Também é natural que, à medida que vão desaparecendo os contemporâneos do general, as paixões em torno do seu nome arrefeçam. A memória do grande general e estadista francês do século XX vai, assim, deixando de habitar a mente dos franceses para ser cultivada pela Fundação Charles de Gaulle, encarregada de transmiti-la às novas gerações. São vários os locais onde a História e a memória do general De Gaulle encontram-se preservadas e didaticamente apresentadas aos visitantes: a sua casa natal, em Lille; a sede do RPF, em Paris, onde se encontram o seu escritório e o centro de documentação; a casa onde ele viveu, criou seus filhos e morreu, em Colombey-les-Deux-Églises; o memorial, construído em Colombey sobre uma colina onde também foi erigida uma imensa Cruz da Lorena; e o "*historial*", localizado no Hôtel des Invalides, em Paris, entre a ala do antigo hospital militar hoje ocupada pelo Museu da Guerra e a sua monumental cúpula folheada a ouro, sob a qual se encontra o túmulo de Napoleão. Uma localização justa e digna da sua memória.

# NOTAS

## Capítulo "O guerreiro nas batalhas do entreguerras"

[1] Frédéric Guelton, "Le capitaine De Gaulle et la Pologne (1919-1921)", *Charles de Gaulle, la jeunesse et la guerre 1890-1920* [Colloque], Paris, Plon, 2001.

[2] François Cochet, "La société militaire en France: réalité et perception par Charles de Gaulle (1919-1940)", *Charles de Gaulle: du militaire au politique, 1920-1940*, Paris, Fondation Charles de Gaulle/Plon, 2004, p. 20.

[3] Laurent de Gaulle, *Une vie sous le regard de Dieu: la foi du général de Gaulle*, Paris, L'Oeuvre, 2009, p. 62.

## Capítulo "O guerreiro na Segunda Guerra Mundial"

[4] Jean-Nicolas Pasquay, Vers l'armée de métier et l'armée allemande avant la Seconde Geurre Mondiale, *Charles de Gaulle: du militaire au politique, 1920-1940*, Paris, Fondation Charles de Gaulle/Plon, 2004, p. 165.

[5] Gérard Saint-Martin, Les Combat de la 4ème division cuirassée: après le 'char papier', le 'char métal', *Charles de Gaulle: du militaire au politique, 1920-1940*, Paris, Fondation Charles de Gaulle/Plon, 2004, p. 185.

[6] Winston Churchill, *Memórias da Segunda Guerra Mundial*, 2. ed., trad. Vera Ribeiro, Rio de Janeiro, Nova Fronteira, 1995, p. 765.

[7] Charles de Gaulle, *Mémoires de guerre. Tome I – L'Appel 1940-1942*, Paris, Plon, 1954, p. 62.

[8] Winston Churchill, op. cit., p. 356.

[9] Sobre as batalhas no deserto da Líbia e o desempenho desse grande guerreiro alemão, ler *Rommel: a raposa do deserto*, de Cyro Rezende Filho, publicado pela Editora Contexto nesta mesma coleção.

## Capítulo "O guerreiro no poder"

[10] Charles de Gaulle, apud François-Charles Bernard, "Les nationalisations dans la pensée de Charles de Gaulle", in: *Espoir* n.103, 1995.

## Capítulo "O ocaso e a partida do guerreiro rumo à eternidade"

[11] Jean Mauriac, *Mort du général de Gaulle*, Paris, Bernard Grasset, 1972, p.138.

# Cronologia

1890 – Nasce em 22 de novembro na casa dos avós maternos, em Lille, sendo batizado no dia seguinte na igreja de Santo André, localizada no outro extremo da mesma rua.

1900 – Inicia seus estudos secundários na Escola Livre Imaculada Conceição, na rua de Vaugirard, em Paris, onde estudará latim, grego e alemão.

1906 – Termina seus estudos secundários, obtendo a menção passável (mínima para aprovação) no seu *baccalauréat* em latim e grego. Publica uma peça em versos chamada *Um mau encontro*, escrita e representada em família no ano anterior.

1907 – Inscreve-se na Classe Preparatória na Escola Central do Colégio do Sagrado Coração, em Antoing, Bélgica, para prestar o concurso para a Escola Militar de Saint-Cyr, França.

1908 – Cursa o segundo ano na Classe Preparatória no Colégio Estanislau, em Paris.

1909 – Em setembro, passa em 119° lugar, entre 221 admitidos, na seleção para a Escola Militar de Saint-Cyr. Em outubro, alista-se como soldado no exército, sendo incorporado ao 33° Regimento de Infantaria, em Arras, Nord-pas-de-Callais.

1910 – Em abril, é promovido a cabo, chegando a sargento no final de setembro. Em outubro, começa a cursar a Escola Militar de Saint-Cyr.

1911 – Em outubro, é promovido a subtenente.

1912 – Em setembro, forma-se na Escola Militar de Saint-Cyr, sendo o 13º colocado entre 211 formandos. Em outubro, retorna ao 33º Regimento de Infantaria, em Arras, sob o comando do então coronel Pétain.

1913 – Em outubro, é promovido a tenente.

1914 – No início de agosto, a Alemanha declara guerra à França e invade a Bélgica. Na primeira batalha de sua companhia, em Dinant (Bélgica), De Gaulle é ferido na perna, sendo obrigado a deixar os campos de batalha. Depois de passar por diversos hospitais na Bélgica e na França, volta à frente de batalha na segunda quinzena de outubro.

1915 – Em janeiro, recebe a Cruz de guerra por "ter executado uma série de reconhecimentos de posições em condições perigosas e recolhido informações preciosas". Em fevereiro é temporariamente promovido a capitão. Em março, é ferido na mão, sendo hospitalizado e retornando à batalha somente no mês de junho. Em setembro, é promovido definitivamente ao grau de capitão.

1916 – Em março, a 10ª Companhia do 33º Regimento de Infantaria, comandada pelo capitão De Gaulle, é dizimada durante Batalha de Verdun (França). De Gaulle é ferido, capturado e enviado a um hospital militar em Meinz (Alemanha). Após sucessivas hospitalizações, é transferido para um forte na Baviera, de onde tenta fugir no final de outubro, sendo recapturado no início de novembro.

1917 – Em outubro, tenta evadir-se por duas vezes, sendo recapturado após 10 dias na primeira vez e no mesmo dia na segunda.

1918 – Após duas outras tentativas de fuga, em junho e julho, é levado à prisão. Em 11 de novembro, França e Alemanha assinam armistício e De Gaulle volta à França no fim do mês.

1919 – Em abril, vai para Varsóvia, integrando a assessoria militar prestada pela França à Polônia. Na Escola de Infantaria de Rembertow, criada pela missão francesa, começa como instrutor, tornando-se logo orientador de estudos e chegando a diretor do curso de formação dos oficiais em dezembro.

1920 – Participa da Batalha do Vístula, durante a Guerra Soviético-Polonesa, na condição de assistente do general francês designado como conselheiro do Exército Polonês nos campos de batalha.

1921 – Em janeiro, retorna da Polônia, sendo admitido como professor de História na Escola Militar de Saint-Cyr. Em abril, casa-se com Yvonne Vendroux, em Calais. Instala-se com a esposa em Paris no mês seguinte. Em novembro, recebe a condecoração *Virtuti Militari* na Polônia; em dezembro, nasce o filho Philippe, em Paris.

1922 – É admitido na Escola Superior de Guerra. Publica na *Revista Militar Francesa* os artigos "A querela fatal entre o chanceler e o almirante", no mês de maio, e "O avesso da condecoração", em novembro.

1923 – Recebe a patente de oficial do Estado-Maior.

1924 – Em março, publica seu primeiro livro: *A discórdia entre o inimigo*. Em maio, nasce a filha Elisabeth, em Paris. Em setembro, forma-se na Escola Superior de Guerra na 52ª posição entre os 129 egressos, recebendo a menção "Suficiente", posteriormente corrigida para "Bom".

1925 – É designado para servir em Meinz, sendo logo chamado a Paris para integrar o Estado-Maior do marechal Pétain. Publica na *Revista Militar Francesa* os artigos "Doutrina *a priori* ou doutrina das circunstâncias" e "O papel histórico das fortificações francesas".

1926 – É designado para integrar o Exército Francês do Reno, Alemanha, mudando-se com a família para Trier.

1927 – Em março, publica na *Revista Militar Francesa* um artigo intitulado "A tocha". Em setembro, é promovido a chefe de batalhão e, em outubro, e condecorado com a Medalha dos Evadidos.

1928 – No primeiro dia do ano, nasce a filha Anne. No final do inverno, publica "A ação de guerra e o chefe" na *Revista Militar Francesa.*

1929 – Em abril, publica "Filosofia do recrutamento" e, no outono, muda-se da Alemanha para servir no Líbano.

1930 – Faz diversas viagens pelo Líbano e pela Síria.

1931 – Durante o verão, publica como coautor *História das tropas do Oriente*, e no outono retorna com a família a viver em Paris.

1932 – Publica o artigo "Combates em tempos de paz", na *Revista da Infantaria*, e o livro *O fio da espada*.

1933 – Com a chegada de Hitler ao poder na Alemanha, ele percebe a necessidade de a França se armar e publica uma série de artigos relacionados à questão: "Para uma política de defesa nacional", "Rumo a um exército profissional" e "Profissão militar". Em dezembro, é promovido a tenente-coronel, aos 43 anos.

1934 – Na primavera, publica o livro *Rumo a um exército profissional*, em que se encontra amadurecida a reflexão esboçada em artigos anteriores sobre o tema. No verão, compra a Boisserie, em Colombey-les-Deux-Églises, mudando-se para lá com a esposa e a filha Anne. Em dezembro, é promovido Oficial da Legião de Honra e conhece o deputado Paul Reynaud.

1935 – Por meio de Paul Reynaud, tenta, sem êxito, convencer a Assembleia Nacional a aprovar um programa de rearmamento da França.

1936 – As tropas de Hitler reocupam a região desmilitarizada da Renânia e De Gaulle segue, sem sucesso, procurando convencer os governantes da necessidade de a França se rearmar.

1937 – No verão, é nomeado comandante do 507º Regimento de Tanques, em Metz, na Lorena, e em dezembro é promovido a coronel.

1938 – No final do inverno, a Alemanha anexa a Áustria e, no início do outono, chega às livrarias o livro *A França e seu exército*.

1939 – No dia 2 de setembro, é nomeado interinamente comandante dos tanques do Quinto Exército e, no dia seguinte, França e Reino Unido declaram guerra à Alemanha em resposta à invasão da Polônia.

1940 – No final de abril, assume o comando da 4ª Divisão Encouraçada de Reserva e, em 10 de maio, começa a Batalha da França. No dia 1º de junho, é interinamente promovido a general pelos seus feitos durante essa batalha e, no dia 5, torna-se subsecretário de Estado para a Defesa e a Guerra. No dia 9 de junho, encontra-se pela primeira vez com Churchill; no dia 17, deixa a França pela Inglaterra, onde irá organizar as forças da França Livre. Em agosto, é condenado à morte por um tribunal militar por deserção. De setembro a novembro, viaja pelas colônias francesas da África, consolidando um território próprio para a França Livre na África Equatorial. Em Brazzaville, Congo, ele institui Conselho de Defesa do Império como órgão decisório da França Livre.

1941 – De retorno a Londres após seis meses de viagem pela África, institui o Comitê Nacional Francês em substituição ao Conselho de Defesa do Império.

1942 – No dia 14 de julho, substitui a denominação França Livre pela de França Combatente, que passa a ser integrada pelos movimentos de resistência na França metropolitana.

1943 – Em junho, muda-se para Argel, onde será instituído o Comitê Francês de Libertação Nacional (CFLN). Após a capitulação da Itália, no dia 8 de setembro, ordena a ocupação da Córsega, no dia 12, que passará a ser o primeiro território da França metropolitana a ser recuperado pelas tropas e administrado pelas instituições da França Combatente.

1944 – Em junho, o CFLN torna-se Governo Provisório da República Francesa (GPRF), tendo De Gaulle como seu presidente. Nessa condição, faz o seu primeiro discurso em território francês na Europa em Bayeux, no dia 14 de junho. Após a retomada da capital no mês de agosto, transfere a sede do GPRF de Argel para Paris.

1945 – Como presidente do GPRF, institui o voto feminino na França, cria a seguridade social no país, assina o armistício com a Alemanha ao lado dos Aliados e conquista para a França uma zona de ocupação na Alemanha.

1946 – Por discordar dos rumos que a Assembleia Constituinte estava dando ao futuro regime político da França, renuncia à presidência da República no final de janeiro. Em maio, volta a viver com sua esposa e filha caçula na sua residência recém-restaurada em Colombey-les-Deux-Églises.

1947 – Em abril, anuncia à imprensa a criação da Reunião do Povo Francês (RPF).

1948 – No início de fevereiro, morre sua filha caçula.

1949-1953 – Faz muitas viagens pela França levando a mensagem do RPF.

1954 – Publica o primeiro volume das suas *Memórias de guerra*. Termina a Guerra da Indochina e começa a Guerra da Argélia.

1956 – Publica o segundo volume das suas *Memórias de guerra*.

1958 – Em meio a uma grave crise na Argélia, De Gaulle é chamado pelo presidente da República a formar um novo governo, no mês de junho. Em setembro, recebe o chanceler alemão Konrad Adenauer em sua residência particular, em Colombey-les-Deux-Églises. Um novo projeto de constituição é por ele submetido a referendo e aprovado por ampla maioria, dotando a França de sua atual Constituição.

1959 – Assume a presidência da França e põe em marcha o seu plano de saneamento fiscal do Estado e sua política de desenvolvimento econômico e tecnológico para o país. No final do verão, publica o terceiro e último volume de suas *Memórias de guerra*. Em outubro, envia mensagem às forças armadas, explicando a necessidade de conceder aos argelinos o direito a autodeterminação.

1960 – Em janeiro, Argel é palco de barricadas erguidas em favor da Argélia francesa.

1961 – Em janeiro, submete a referendo um projeto sobre a autodeterminação do povo argelino, que é aprovado por três quartos dos franceses. Em abril, enfrenta a revolta dos generais na Argélia que, apesar de fracassada, dá origem ao surgimento da Organização Exército Secreto (OAS). Em setembro, escapa do primeiro atentado armado promovido pela OAS.

1962 – Assina os acordos de Evian com a Frente Nacional de Libertação da Argélia, no mês de março, e os submete a referendo em abril, recebendo a aprovação de 90% dos franceses. No verão, escapa de um segundo atentado da OAS. Em setembro, seu projeto de mudança constitucional instituindo a eleição do presidente da França por sufrágio universal é aprovado por 62% dos franceses em referendo.

1963 – Assina com Adenauer um tratado de cooperação entre a França e a Alemanha.

1964 – Escapa do terceiro atentado da OAS.

1965 – Retira a França do Tratado de Bretton Woods e condena a ação militar americana no Vietnã. No final do ano, é reeleito presidente da França, dessa vez, por voto direto de todos os franceses.

1966 – Retira a França do comando da Otan.

1967 – Nas eleições legislativas de março, De Gaulle tem a maioria parlamentar de sustentação ao seu governo confirmada nas urnas. Condena a Guerra dos Seis Dias entre Israel e os países árabes vizinhos.

1968 – Enfrenta e resiste às rebeliões estudantis e aos movimentos grevistas de maio. Como resposta ao descontentamento popular, propõe um plebiscito sobre participação dos estudantes na administração das universidades e dos assalariados nas empresas. No mês de junho, chama novas eleições legislativas, das quais os partidos que o apoiam saem majoritários.

1969 – Em substituição à proposta de participação, apresentada aos franceses no ano anterior, submete a referendo uma reforma constitucional que promoveria a descentralização administrativa da França e modificaria as funções do Senado. Diante da rejeição da proposta por 52% dos franceses, renuncia à presidência e se retira da vida pública.

1970 – Recolhido em sua residência em Colombey-les-Deux-Églises, organiza e publica os quatro volumes dos seus *Discursos e mensagens* e o primeiro dos três tomos previstos de *Memórias de esperança*. Morre subitamente em casa na noite do dia 9 de novembro a menos de duas semanas de completar 80 anos.

# BIBLIOGRAFIA


BARDY, Gérard. *Charles le Catholique*: De Gaulle et l'Eglise. Paris: Plon, 2008.

DE GAULLE, Charles. *Mémoires de guerre*: l'appel (1940-1942). Paris: Plon, 1954.

______. *Mémoires de guerre*: l'unité (1942-1944). Paris: Plon, 1956.

______ *Mémoires de guerre*: le salut (1944-1946). Paris: Plon, 1959.

DE GAULLE, Laurent. *Une vie sous le regard de Dieu*: la foi du général de Gaulle. Paris: Édition de L'ouevre, 2009.

DE GAULLE, Philippe. *De Gaulle, mon Père*: entretiens avec Michel Tauriac. Paris: Plon, 2004, 2 V.

FONDATION CHARLES DE GAULLE. *Charles de Gaulle*: du militaire au politique (1920-1940). Paris: Plon, 2004. (Collection Espoir)

GALLO, Max. *De Gaulle*: l'appel du destin (1890-1940). Paris: Éditions Robert Laffont, 1998.

______. *De Gaulle*: la solitude du combattant (1940-1946). Paris: Éditions Robert Laffont, 1998.

______. *De Gaulle*: le Premier des Français (1946-1962). Paris: Éditions Robert Laffont, 1998.

______. *De Gaulle*: la statue du Commandeur (1962-1970). Paris: Éditions Robert Laffont, 1998.

LACOUTURE, Jean. *De Gaulle*: le rebelle (1890-1944). Paris: Éditions du Seuil, 1984.

______. *De Gaulle*: le politique (1944-1959). Paris: Éditions du Seuil, 1985.

______. *De Gaulle*: le souverain (1959-1970). Paris: Éditions du Seuil, 1986.

LARCAN, Alain. *De Gaulle*: le soldat écrivain. Paris: Textuel, 2005. (Collection Passion)

MAURIAC, Jean. *Mort du général de Gaulle*. Paris: Éditions Bernard Grasset, 1972.

TAURIAC, Michel. *Vivre avec de Gaulle*: les derniers témoins racontent l'homme. Paris: Plon, 2011.

# O AUTOR

**Ricardo Corrêa Coelho** é cientista social com doutorado em Ciência Política pela Universidade de São Paulo. Autor do livro *Os franceses*, publicado pela Editora Contexto, tem trabalhos acadêmicos sobre eleições, política partidária e administração pública. Desde 2000, vem atuando como especialista em Políticas Públicas e Gestão Governamental em diferentes órgãos e entidades do Ministério da Educação e encontra-se, atualmente, vinculado ao Instituto Federal de Educação, Ciência e Tecnologia de São Paulo.

# Agradecimentos

Sobre a vida do maior personagem da História da França no século XX, existe um grande número de obras escritas em francês. A bibliografia deste livro indica uma parte delas. Contudo, nem mesmo as mais abundantes e precisas fontes documentais podem transmitir aquilo que somente os contemporâneos do personagem biografado são capazes: as lembranças de eventos que, à primeira vista, podem parecer sem importância, mas que revelam detalhes esclarecedores da vida cotidiana naqueles tempos; e os sentimentos, por vezes contraditórios, dos que viveram momentos dramáticos durante a Segunda Guerra Mundial, quando o futuro de cada um e o da França como país eram incertos. Graças aos testemunhos de Daniel e Marie-Jeanne Ternois, Albert e Jeanine Messiah, Albert Mandelsaft e Dora Dambreau, recolhidos em viagem à França em setembro de 2012, o autor deste livro pôde levar ao público brasileiro algo além do que já se encontrava registrado nos livros.

Parte desta biografia foi escrita em Paris durante os meses de janeiro e março de 2013. Nesse inverno excepcionalmente rigoroso, o autor encontrou as melhores condições de conforto e de acolhida na Residência Internacional dos Récollets para compatibilizar o trabalho de redação deste livro com as suas atividades de pesquisa de pós-doutorado junto ao Centro de Estudos do Brasil Contemporâneo (CRBC), da École des Hautes Études en Sciences Sociales (EHESS). Graças à intermediação de Chrystel Dozias, diretora da residência dos Récollets, pôde ainda fazer duas entrevistas com parentes do general: a primeira com Laurent de Gaulle, seu sobrinho-neto, no mês de fevereiro, e a segunda, no mês seguinte, com Bernard de Gaulle, pai de Laurent, que manteve intenso convívio com o tio.

Por fim, Adriana Contin, leitora assídua e comentadora implacável dos originais, não poderia ficar fora deste rol de agradecimentos.